ISBN 978-0-243-36494-7
PIBN 10612616

Kaiser- und Kanzler-Briefe.

Briefwechsel

zwischen

Kaiser Wilhelm I. und Fürst Bismarck.

Gesammelt und mit geschichtlichen Erläuterungen versehen

von

Johs. Penzler.

Leipzig 1900.
Verlag von Walther Fiedler.

Druck von Oscar Brandstetter, Leipzig. 14949.

Herrn Rittergutsbesitzer

Oskar von Kownacki

auf Tauersee,

seinem hochverehrten Freunde,

und dessen Frau Gemahlin

Alma geb. von Schack,

in aufrichtiger Dankbarkeit

zugeeignet vom

Verfasser.

Vorwort.

Es gehört wohl zu den dankbarsten literarischen Aufgaben auf dem Gebiete der neuesten Geschichte, den Verkehr zwischen Kaiser Wilhelm I. und Fürst Bismarck darzustellen. War es doch ein nahezu ideal schönes Verhältniß, in das die beiden Männer sich im Laufe der Jahre hineingelebt hatten, ideal trotz des starken Realismus, der beider politische Bestrebungen beherrschte. Wir wollen an dieser Stelle nicht näher darauf eingehen, möchten aber ausdrücklich auf die vortrefflichen Darstellungen dieses Verhältnisses hinweisen, die Erich Marcks in seiner Biographie des Kaisers Seite 382 bis 388 (3. Auflage) und G. v. Wilmowski in dem soeben erschienenen Buche „Meine Erinnerungen an Bismarck“ Seite 151 bis 158 geben.

Wir haben in dem vorliegenden Bande zum ersten Mal dasjenige gesammelt, was von dem schriftlichen Verkehr zwischen dem Kaiser und seinem Kanzler bisher bekannt geworden ist. Das Meiste liegt noch in den Archiven, auch in Privatbesitz befindet sich noch ein gutes Theil. Es ist nicht abzusehen, wann die Zeit kommen wird, in der alles der Oeffentlichkeit überlassen werden kann. Von dem jedoch, was bereits bekannt wurde, hoffen wir nicht eben viel übersehen zu haben, wir werden aber jede Ergänzung mit besonderem Danke entgegen nehmen. Vieles von dem, was hier geboten wird, war ganz verstreut. Dennoch müssen drei Quellen als besonders ergiebig genannt werden: Bismarcks „Gedanken und Erinnerungen“, Kohls Bismarck-Jahrbuch und Poschingers beide Sammlungen Preußen im Bundestag und Aktenstücke zur Wirthschaftspolitik des Fürsten Bismarck. Am häufigsten wird man den 4. Jahrgang (1897) des Bismarck-Jahrbuches citirt finden — gelegentlich der Centenarfeier Kaiser Wilhelms hat der Fürst selbst eine ganze Reihe von Briefen darin veröffentlichen lassen.

Mit voller Absicht haben wir auch solche Schriftstücke unserer Sammlung einverleibt, die rein amtlichen Charakter tragen. Hierher gehören besonders die Frankfurter Immediatberichte (Nr. 4—12), zwei Immediatberichte des Gesammtministeriums (Nr. 15 und 16), deren Verfasser unverkennbar der Ministerpräsident selbst war, und einige Cabinetsordres des Kaisers. Alle diese Stücke enthalten aber entweder neben den amtlichen auch persönliche Momente, oder sie werfen ein interessantes Licht auf die gemeinsame Arbeit beider Männer, oder sie bezeichnen größere Marksteine auf des Kanzlers amtlicher Laufbahn.

Unerläßlich waren die geschichtlichen Erläuterungen Im Ganzen bieten sie die erforderlichen Aufschlüsse, einzelne Puukte sind uns aber trotz sorgfältigen Nachforschens dunkel geblieben.

So mag denn das Buch hinausgehen in die Welt und hinein in die deutschen Häuser und darin zeugen von dem Fleiß und der Treue, mit der Deutschlands erster Kaiser und erster Kanzler für das Vaterland gearbeitet haben, und von dem zarten, schönen und innigen Verhältniß, das sich bei dieser Arbeit allmählich zwischen Kaiser und Kanzler herausgebildet hat. Möge das Buch aber anch den Mittelpunkt bilden, um den sich weitere Briefe der beiden Nationalhelden des deutschen Volkes sammeln, solche, die schon bekannt wurden, und andere, die noch im Verborgenen ruhen.

Leipzig, im November
1899.

Johs. Penzler.

Inhalt.

Text der Briefe.

Nr. 1.

Bismarck an den Prinzen von Preußen.

Durchlauchtigster Prinz,
Gnädigster Prinz und Herr.

Ew. Königl. Hoheit erlaube ich mir unterthänigst zu bitten, 23. 7. 5
von der anliegenden Abschrift eines Briefes, den ich gestern an Herrn v. Manteuffel gerichtet habe, gnädigst Kenntniß zu nehmen. Zugleich lege ich ein Schreiben des Letzteren an mich, vom 30. v. M., bei, nach dessen Empfang eine Unterhandlung mit Graf Platen nicht mehr eine unrichtige Auffassung meiner Mission, sondern eine absichtliche Pflichtverletzung gewesen sein würde. Ew. Königl. Hoheit werden die Existenz einiger früher gemachten Randbemerkungen auf demselben, welche mehr von der Wahrheitsliebe als von der Höflichkeit dictirt sind, gnädigst verzeihen wollen.

Als ein vom Gegner stammendes und deshalb unverwerfliches Zeugniß füge ich noch einen Artikel eines specifisch österreichischen Organs, der Augsburger Zeitung, in der Gestalt, wie ihn ein demokratisches Blatt, die Mittelrheinische Zeitung, abdruckt, unterthänigst bei. In der That bin ich in Wien nicht einmal so weit gegangen, als mir meine Instructionen, die ich während meines dortigen Aufenthaltes aus gelegentlichen Erlassen des Königl. Ministeriums entnehmen konnte, gestatteten. In denselben heißt es: „Ich solle Verhandlungen nicht suchen, sondern, nach Constatirung meiner W i l l f ä h r i g k e i t, es an mich

3. 7. 52. kommen lassen"; ferner „in der Form so freundlich und eingehend als möglich sein, an der Sache aber allen festen Engagements und allen eigentlichen (dieses Wort ist ausdrücklich hineincorrigirt) Verhandlungen entschlüpfen"; an anderer Stelle: „alles zu vermeiden, was meine Abreise als einen Bruch könnte erscheinen lassen", und endlich: „was an Instructionen fehlt, werden Sie sich selbst ergänzen; sollte man Sie zu sehr zum Verhandeln drängen, so daß Sie ohne zu verletzen nicht ausweichen können, so erbitten Sie sich Zeit zur Instructions-Einholung"

Ich war danach ganz berechtigt, auf Verhandlungen wenigstens der Form nach einzugehen, wenn ich wollte; aber ich bin niemals so weit gegangen, einzuräumen, daß ich über einen der vielen mir gemachten Vorschläge förmlich Instruction einholen würde, sondern bin nicht nur „eigentlichen", aber auch allen Verhandlungen „entschlüpft". Die von augenscheinlich sehr gut unterrichteten Correspondenten herrührenden Zeitungsartikel, nach welchen ich auf eigne Hand Punctationen abgeschlossen haben soll, sind meiner Ansicht nach absichtliche, von persönlichen oder politischen Gegnern herrührende Entstellungen. Meine „Randbemerkungen" zu den hanöverschen Vorschlägen, die ich, wie ich mit meinem Ehrenwort schriftlich bekräftige, außer Herrn v. Manteuffel keinem Menschen mitgetheilt habe, werden schon jetzt in der Augsburger Zeitung besprochen. Ich weiß nicht, wie das Factum ihrer Existenz an die Oeffentlichkeit gelangt sein kann. Vielleicht hat sie Herr v. Manteuffel, in den ich bei seinem ehrenwerthen Charakter und seinen persönlichen Beziehungen zu mir volles Vertrauen setze, dem Herrn Klentze mitgetheilt, um diesem darzuthun, daß Graf Platen andre Vorschläge machte, als die Königl. hanöversche Regirung. Von Herrn Klentze weiß ich, daß er die Intrigue und die Unwahrheit aus Geschmack an der Sache selbst liebt, und daß er uns persönlich übelwill, weil ich hier in Frankfurt seinen eifrigen Bemühungen, mich zu einer Abweichung von meiner Instruction in der hanöverschen Verfassungsfrage zu überreden, widerstanden habe.

Vielleicht geruhn Ew. Königl. Hoheit von dem anliegenden Schreiben des Herrn v. Schele Einsicht zu nehmen. Ich erhielt dasselbe in Wien, während mir der Kaiserl. Russische Geschäfts-

träger gleichzeitig eine Note des Herrn v. Budberg vorlas, nach 23 7. 52
welcher dieser aus dem Munde Sr. Majestät des Königs von Hanover, sowie von Herrn v. Schele die Erklärung empfangen haben wollte, daß Hanover den Septembervertrag als unverbindlich ansehe und auflösen werde, sobald die süddeutschen Staaten ans dem Zollverein schieden. Ich habe Herrn v. Schele, mit dem ich nahe befreundet bin, hierüber sowie über den Inhalt seines Schreibens eines Bessern zu belehren gesucht, und ihm namentlich vorgehalten, daß es kein sichreres Mittel gebe, den Zollverein zusammenzuhalten, als wenn Hanover jedem Zweifel darüber, ob es treu am Septembervertrage halten werde, ein für allemal ein Ende machte.

Ew. Königl. Hoheit wollen gnädigst verzeihn, daß ich Höchstdieselben mit dieser Auseinandersetzung belästige; ich konnte dem Verlangen nicht widerstehn, soweit es an mir liegt, den Beweis zu liefern, daß ich mich weder von meiner Dienstpflicht, noch von derjenigen politischen Richtung entfernt habe, für deren Innehaltung ich wiederholt und namentlich vor meiner Abreise nach Wien, die Ehre hatte, Ew. Königl. Hoheit gnädige Anerkennung zu empfangen.

Ehrfurchtsvoll ersterbe ich

Ew. Königl. Hoheit

unterthänigster

v. Bismarck.

Frankfurt, 23. July 1852.

Nr. 2.

Bismarck an den Prinzen von Preußen.

Durchlauchtigster Prinz,
Gnädigster Prinz und Herr,

In der Anlage beehre ich mich, mit der unterthänigsten 25. 7. 5
Bitte um demnächstige Rücksendung, den Text der letzten Erklärung Preußens in der Zoll-Conferenz ehrfurchtsvoll vorzu-

7. 52. legen, in der Voraussetzung, daß derselbe Ew. Königl. Hoheit noch nicht auf andrem Wege zugegangen ist.

Indem ich meinen unterthänigsten Dank für das gnädige Schreiben sage, welches mir Herr v. Canitz überbracht hat, bemerke ich zu demselben unterthänigst, daß ich die Erklärung, Preußen wolle die Zollfrage als eine offne und unpräjudicirte betrachtet wissen, in Folge der erhaltenen Aufträge und in Einklang mit den Erklärungen der Königlichen Regirung, einschließlich der vom 7. Juni, habe abgeben müssen. Letztere hält die Zollunion nur „zur Zeit" und „für jetzt" unmöglich. Ich habe vor meiner Abreise nach Wien gegen Herrn v. Manteuffel den Wunsch ausgesprochen, von Hause aus erklären zu dürfen, daß wir uns niemals auf die Zollunion einlassen würden, damit unsre Position klarer und günstiger werde. Er erwiderte mir, daß er selbst das auch gern gethan haben würde; es sei aber mit unsrer bisherigen, aus dem Gang der Ereignisse successive entwickelten Haltung nicht übereinstimmend. Er sei mit mir darüber einig, daß wir die Zolleinigung niemals bewilligen könnten, halte es aber politisch richtiger, bei jetziger Sachlage diese Ablehnung in jener milden Form auszusprechen. Ich habe die Ueberzeugung später gewonnen, daß, mit Rücksicht auf die Stellung unsrer Bundesgenossen, namentlich Hanovers, diese Auffassung des Herrn von Manteuffel die richtige war.

Von Herrn v. Manteuffel habe ich vorgestern ein Schreiben erhalten, aus welchem ich ersehe, daß Herr Klentze bemüht ist, Zwietracht zwischen uns beiden zu säen, und die handgreiflichsten, von Herrn v. Manteuffel sofort als solche erkannten Unwahrheiten zu diesem Zwecke nicht scheut. Indessen ist mein persönliches Verhältniß zu dem Herrn Minister-Präsidenten glücklicher Weise derart, daß volle Offenheit zwischen uns herrscht, und keiner von uns glaubt, daß der Andre ihm wissentlich Unrecht thun werde. Wenn aber auch dieses freundschaftliche und jede Verständigung leicht machende Verhältniß nicht existirte, so habe ich zwar unter allen Umständen das Bedürfniß, Ew. Königl. Hoheit zu überzeugen, daß meine Werke und meine Worte in Einklang stehn, und ich Instructionen am allerwenigsten nach der hier fraglichen Richtung hin überschreite oder lax auslege;

fern liegt es mir aber, da, wo es sich um Interessen des Landes handelt, persönliche Angelegenheiten in den Vordergrund zu stellen, oder in Geschäften mitreden zu lassen. 25. 7. 5

Die Erklärung, welche ich erbeten hatte, ist bereits in der neuesten Preußischen Zeitung erschienen.

Ehrfurchtsvoll ersterbe ich

Ew. Königl. Hoheit

unterthänigster

v. Bismarck.

Frankfurt, 25. July 1852.

Nr. 3.

Bismarck an den Prinzen von Preußen.

Durchlauchtigster Prinz,
Gnädigster Prinz und Herr,

in der heutigen Ausschußsitzung verlas Herr von Schrenk den Bericht, mit welchem der Beschlußentwurf über die dänische Antwort der Bundesversammlung vorgelegt werden soll. Es ließ sich von unserm Standpunkte aus wenig dagegen erinnern, und dieses Wenige wurde auf meinen Wunsch geändert. Die Mitglieder beider Ausschüsse waren bereit, den Vertrag sofort zu unterschreiben, nur der Gesandte von Hanover verlangte, ohne Einwendungen gegen den Inhalt zu machen, eine Frist, um seiner Regierung den Wortlaut vorlegen zu können. Die Vollziehung durch die Unterschrift wurde deshalb einstweilen bis zum Mittwoch ausgesetzt, der Entwurf aber provisorisch gedruckt. Ich habe die Ehre, Ew. Königl. Hoheit hierneben ein Exemplar vorzulegen, und berichte gleichzeitig an das Ministerium nach Berlin, da meine Expedition den Ministerpräsidenten nicht mehr in Baden treffen wird. Es wäre zu bedauern, wenn die Bemühungen Hanovers, sich eine Sonderstellung zu schaffen, uns verhinderten, die Sache schon am nächsten Donnerstag einzubringen. Den Erfolg, welchen die feste Haltung Preußens gehabt hat, würde ich noch höher anschlagen, wenn ich ihn der Bereit- 26. 7. 5

7. 58. willigkeit, sich an Preußen anzuschließen, oder einem aufrichtigen Interesse für die Sache selbst zuschreiben dürfte. Aber es wäre eine Täuschung, wenn wir dem Entgegenkommen unsrer Bundesgenossen andre Motive unterlegen wollten, als die Furcht, vor der öffentlichen Meinung gegen Preußen zurückzustehn, und wir sind ihnen daher auch keinen Dank dafür schuldig, daß sie sich widerwillig und verdrossen unsrer Politik fügen. Die letztere hat auch in Kopenhagen schon eine frühzeitige Frucht getragen. Man erfüllt dort laut der abschriftlich anliegenden Depesche sofort die wichtigste der von uns unter II 1 des Beschlußentwurfs gestellten Forderungen.

Ich habe heut dem Grafen Rechberg mitgetheilt, daß wir in der Rastatter Sache wünschen müßten, die Abstimmung über unsern Vortrag wegen Ueberweisung an die Militair-Commission in der nächsten Sitzung vorgenommen zu sehn. Er wünschte wiederum, die Sache lieber noch 8—14 Tage aufgehoben zu sehn, um abzuwarten, ob die Verhandlungen inzwischen nicht einen Ausweg darböten; auf meine Frage, welche Verhandlungen er denn meine, sagte er mir, daß Oestreich seit Wochen bemüht sei, Baden zu einer Nachgiebigkeit zu bewegen, bisher aber den gewünschten Erfolg noch nicht erreicht habe und nun fürchte, daß Preußen in einem ablehnenden Votum nur eine Beleidigung finden würde. Ich entgegnete ihm, daß seit Stellung unsres Antrages nunmehr 14, seit der Fälligkeit der Abstimmung aber 5 Wochen verflossen seien, und so dankbar ich auch für die Vertretung der Wünsche Preußens durch Oesterreich bei der Gr. Badischen Regirung bin, so lasse sich doch kaum erwarten, daß dieselbe in den nächsten 8 Tagen bessere Resultate geben werde, als in der langen Zeit, welche bisher verflossen sei. Wenn wir uns stillschweigend gefallen ließen, daß über unsern Antrag nicht abgestimmt werde, so sei das gleichbedeutend mit einer Zurücknahme desselben, und würde so aussehn, als ob wir froh wären, wenn Oestreich es einstweilen bei der von uns angefochtenen Kriegsbesatzung in statu quo beließe. Die officiösen Blätter Oestreichs hätten es ohnehin schon als einen Act schonender Großmuth bezeichnet, wenn nicht abgestimmt würde, und auf dergleichen mache Preußen keinen Anspruch.

Ich blieb dabei, daß die Abstimmung stattfinden müsse; 26. 7. 5
nach derselben werde es in den Händen von Oestreich liegen, den Verhandlungen einen Stillstand zu geben, während dessen der für Oestreich so günstige und für uns rechtswidrige gegenwärtige Zustand fortbestehn werde, so lange mir nicht etwa der Befehl zugehe, unsre früheren Anträge auf Zurückziehung der östreichischen Kriegsbesatzung zu erneuern.

Es ist ein eigenthümliches und für uns sehr befriedigendes Resultat, daß Graf Rechberg, der noch vor 6 Wochen so eilig in Betreibung dieser Angelegenheit war, setzt die Abstimmung fürchtet und zu hintertreiben sucht. Grade darin aber liegt der sicherste Beweis, daß es den preußischen Interessen entspricht, dieselbe vorzunehmen; wenn sie uns in eine schlechte Position brächte, so würde Graf Rechberg sie mit Eifer herbeiführen. Er und seine Freunde haben kein gutes Gewissen in der Sache, und es ist leicht möglich, daß die Majorität es dennoch vorzieht, für Verweisung an die Militair-Commission zu votiren. Geschieht es nicht, so bleibt den widersprechenden Regirungen jedenfalls das Gefühl, daß sie ohne Grund rücksichtslos verfahren sind und an uns ein Unrecht wieder gut zu machen haben. Graf Rechberg hat sich auf morgen bei mir angesagt, um neue Ueberredungsversuche zu machen, aber dieselben werden keinen Erfolg haben, denn es wäre meines unterthänigen Dafürhaltens ein sehr fehlerhafter Zug in dem Schachspiel, wenn wir durch irgend ein Zeichen von rückgängiger Bewegung wieder Zweifel an der Festigkeit unsrer Entschließungen in der Hauptsache hervorriefen.

Wenn Ew. Königl. Hoheit am Donnerstag hier eintreffen, so werde ich Höchstdenselben schon melden können, welchen Ausgang die Verlegenheit unsrer Gegner genommen hat

In tiefster Ehrfurcht verharre ich

Ew. Königl. Hoheit

unterthänigster

v. Bismarck.

Frankfurt, 26. July 1858.

Nr. 4.

Bismarck an den Prinzregenten Wilhelm.

(Frankfurt a. M., 5. November 1858.)

11. 58. Die nächste Abstimmung[1]) betraf die Anträge der Militair-commission wegen der an der Kehler Brücke für nothwendig erachteten Schutzmaßregeln.

In der Militaircommission waren alle Stimmen, mit Ausnahme der unsrigen, über ein etwaiges kostspieliges, unmittelbar an der Brücke belegenes Defensionswerk einig gewesen, während der diesseitige Militair-Bevollmächtigte angewiesen war, die Erbauung einer etwa 1000 Schritt rückwärts liegenden selbstständigen Befestigung zu befürworten. Wie die Bundesregirungen im Allgemeinen in technischen Fragen sich nach der Mehrheit der Militaircommission zu richten pflegen, so fielen auch in dieser alle Abstimmungen mit Ausnahme der meinigen und der von Luxemburg und der 15. Curie, für den Majoritätsantrag aus. Nur noch Waldeck hatte den Gesandten der 16. Curie ausdrücklich beauftragt, sein Einverständniß mit dem Votum der Preußischen Militairverwaltung auszudrücken.

Das Gutachten der Militaircommission ging u. A. auch dahin, daß eine Minenanlage nicht blos im diesseitigen Lande, sondern auch im ersten Strompfeiler für die Möglichkeit rascher Zerstörung der Brücke von wesentlicher Bedeutung sei, wogegen der Badische Militair-Bevollmächtigte eingewandt hatte, wie es ihm fraglich scheine, ob eine derartige Anlage mit dem mit Frankreich abgeschlossenen Vertrage vereinbar sei, und wie er die Entscheidung hierüber seiner Regirung vorbehalten müsse. Mit Rücksicht hierauf gab der badische Gesandte die Erklärung ab, daß seine Regirung wegen der Mine im ersten Strompfeiler eine Verpflichtung nicht übernehmen könne, und fügte die Voraussetzung hinzu, daß unter allen Umständen die Kosten die ausgesetzte Summe nicht übersteigen werden.

---

[1]) In der Bundestagssitzung vom 4. November 1858.

Vor der Schlußziehung machte ich unter diesen Umständen 5. 11. 5.
die Bundesversammlung darauf aufmerksam, daß die Majorität der Militaircommission wahrscheinlich nur in der Voraussetzung, daß die vorgeschlagnen Minenbauten stattfinden würden, ihr Votum abgegeben habe, und sich vielleicht für die diesseitige Separatansicht entschieden haben möchte, wenn jenes Minensystem sich als unausführbar erwiese. In den Erwägungen, welche sich hieran knüpften, kam wiederholendlich das Bedauern zum Ausdruck, daß die Brücke nicht an anderer Stelle, wo beide Ufer zu Deutschland gehörten, erbaut worden sei. Die Mehrheit glaubte aber in dem jetzigen Stadium die Beschlußfassung nicht aufhalten zu können, doch hatten meine Bemerkungen wenigstens den Erfolg, daß Baden gleichzeitig ersucht wurde, seine definitive Erklärung über die Minenanlage baldigst einzureichen, und daß, wenn diese nicht nach Wunsch ausfallen sollte, eine neue technische Erwägung vorbehalten wurde.

Nr. 5.

Bismarck an den Prinzregenten Wilhelm.

(Frankfurt a. M., 12. November 1858.)

Freiherr von Schrenk erstattete hierauf[1]) in der Holstein- 12. 11.
Lauenburgischen Verfassungsangelegenheit Namens der vereinigten Ausschüsse denjenigen Vortrag, welchen ich in meinem Berichte vom 9. d. M. bereits eingereicht habe.

Unmittelbar nach dem Schluß des Vortrages nahm der K. Dänische Gesandte das Wort zu der Erklärung, daß er auf Befehl seiner Regirung diejenigen drei Verordnungen vom 6. d. M. mitzutheilen habe, durch welche die Gesammtverfassung, die §§ 1—6 der Verfassung Holsteins und die Bekanntmachung vom 23. Juni 1856 für Holstein aufgehoben und die Holstein-

---

[1]) In der Bundestagssitzung vom 11. November 1858.

11.58. schen Stände auf den 3. Januar k. J. berufen werden. Er überreichte diese Actenstücke in amtlichen Abdrücken.

Vor der Sitzung sagte mir Graf Rechberg, er wolle, sobald die Mittheilungen des Dänischen Gesandten erfolgt sein würden, darauf antragen, die ganze Angelegenheit an die vereinigten Ausschüsse zum sofortigen Beschluß zurückzuverweisen. Ich wandte ihm dagegen ein, daß es mir geschäftsmäßiger und würdiger erscheine, die Beschlußnahme einstweilen auszusetzen. Wenn die Bundesversammlung nach einmaliger Verlesung der ihr bisher amtlich fremden Dänischen Erklärung unverzüglich dazu schreite, ihr mehrere Monate hindurch vorbereitetes Verfahren zu stören, so werde dadurch in der Oeffentlichkeit der Eindruck hervorgebracht werden, als ob dieser Vorgang auf Grund einer Verabredung mit Dänemark in Scene gesetzt worden wäre. Graf Rechberg erkannte die Richtigkeit meiner Bemerkung an, und auf meinen Wunsch übernahm er es selbst, die Aussetzung der Beschlußnahme zu beantragen. Er stellte demgemäß einen Präsidialvorschlag dahin, daß, nachdem die thatsächlichen Verhältnisse sich verändert, ein Beschluß über den vorliegenden Bericht nicht mehr angemessen erscheine, derselbe vielmehr mit der heutigen Erklärung des Dänischen Gesandten an die Ausschüsse zurück zu verweisen, die Abstimmung hierüber aber auf acht Tage auszusetzen sei. Die ganze Versammlung erklärte sich hiermit einverstanden.

Ew. K. Hoheit darf ich hierbei melden, daß ich nach der Sitzung von mehreren meiner Collegen, auch von solchen, welche in den Ausschüssen wiederholt entgegengesetzte Ansichten vertreten hatten, anerkennende Bemerkungen und Glückwünsche darüber empfing, daß der Bund dieses für sein Ansehn so günstige vorläufige Resultat ausschließlich der Festigkeit und Besonnenheit verdanke, mit welcher Preußen die ganze Angelegenheit geleitet habe, ohne sich durch die nach verschiedenen Richtungen hin auseinandergehenden Ansichten seiner Bundesgenossen beirren zu lassen. In der Stimmung der Versammlung sprach sich eine allgemeine Befriedigung über die von Deutschland einstweilen erlangte Genugthuung aus.

Nr. 6.

Bismarck an den Prinzregenten Wilhelm.

(Frankfurt a. M., 25. November 1858.)

(Sicherem Vernehmen nach sei dem bisherigen Kaiserlich Französischen Gesandten am Bunde, Grafen Montessuy, vor etwa drei Monaten das Großkreuz des Ordens vom Danebrog verliehen worden.) Es ist schwer zu sagen, in welcher Weise Graf Montessuy im Stande gewesen ist, der Ansicht, daß er der Dänischen Sache besondre Dienste geleistet habe, bei dem Kopenhagener Cabinet Eingang zu verschaffen. Jedenfalls wird mir gesagt, daß Graf Walewski diese Auszeichnung als eine intempestive betrachte, und deren einstweilige Geheimhaltung angeordnet habe. 25. 11.

Unter meinen deutschen Collegen erregt die Nachricht einiges Aufsehn, und sind insbesondre diejenigen, welche in Vertretung der Sache der Herzogthümer mehr Lauheit entwickelt haben, unangenehm von dem Gedanken berührt, daß diese Ordensverleihung, wenn sie bekannt wird, im Publikum den Eindruck machen könnte, als habe der Französische Gesandte durch erfolgreiche persönliche Einwirkung auf einzelne Mitglieder der Bundesversammlung sich besondre Verdienste um Dänemark erworben. Ein solcher Verdacht würde um deswillen ungerechtfertigt sein, weil meine betreffenden Collegen eine selbstständige Thätigkeit, über die stricte Ausführung der ihnen zugehenden Instructionen hinaus, nicht leicht entwickeln, und die meisten von ihnen in Angelegenheiten, mit deren Entscheidung irgend welche Verantwortlichkeit verbunden ist, die Darlegung eigner gutachtlicher Ansichten ihren Regirungen gegenüber vermeiden, indem sie sich darauf beschränken, in objectiver Berichterstattung über die Sachlage die Instructionsertheilung zu gewärtigen. Ein bei dem Bunde accreditirter fremder Gesandter greift darum erfahrungsmäßig fehl, wenn er glaubt, seiner Stellung eine höhere Bedeutung als die eines Beobachtungspostens verschaffen zu können, und darauf rechnet, daß

11. 58. er durch persönliche Einwirkung auf die Bundestagsgesandten für die von ihm vertretenen Bestrebungen bei den deutschen Bundesregirungen Terrain gewinnen könne. Sollte daher Herr von Bülow, der mit diesen Umständen völlig vertrant ist, die Ordensverleihung an den für solche Auszeichnungen empfänglichen Grafen Montessuy selbst veranlaßt haben, so kann dies nur in der Absicht geschehn sein, den Letztern zu bestimmen, daß er seinen Berichten nach Paris eine für Dänemark günstige Färbung giebt.

Bei dem geringen Verständniß der Franzosen für die Bundesverfassung und die innern Verhandlungen des Bundes kann es für den hiesigen Französischen Gesandten allerdings nicht schwer sein, seinen Berichten über dieselben in Paris eine gewisse Geltung zu verschaffen. Der neue Vertreter Frankreichs ist in Darmstadt geboren, durch seine verstorbene Frau, eine geborene Herz, mit der Familie Rothschild verschwägert, und durch diese Umstände, sowie durch langjährige frühere Functionen hier am Orte mit den Verhältnissen, sowie auch mit der deutschen Sprache vollständig vertraut.

Nr. 7.

Bismarck an den Prinzregenten Wilhelm.

(Frankfurt a. M., 3. December 1858.)

12. 58. In der gestrigen 38. Bundestagssitzung gab Schaumburg-Lippe eine Entgegnung auf eine Erklärung der F. Lippeschen Regirung in Betreff der Organisation der beiden Lippeschen Contingente ab.

Zwischen beiden Regirungen besteht nämlich eine Differenz darüber, ob das zwischen ihnen im Jahre 1841 auf 24 Jahre getroffene Uebereinkommen sich noch in Kraft befindet, vermöge dessen Schaumburg-Lippe die von Lippe zu stellenden Jäger in der Art übernommen hat, daß es, anstatt 210 Mann, an Jägern nur 200 Mann, und Fürstenthum Lippe den Rest von 10 Mann als Füsilire stellt. Schaumburg-Lippe will dieses

Uebereinkommen noch jetzt aufrecht halten, während Fürstenthum Lippe dasselbe auf Grund der revidirten Bundeskriegsverfassung wegen der Erhöhung des Procentsatzes des zu stellenden Contingents und wegen der anderweiten Vertheilung der Waffengattungen für aufgehoben hält. 3. 12. 5

Die ganze Differenz handelt sich also um 10 Mann mehr oder weniger und dabei um die Frage, unter welchen Umständen ein mit einem gezognen Gewehr bewaffneter Infanterist als Jäger im Sinne der Bundeskriegsverfassung angesehn werden kann.

Graf Rechberg zeigte mir kurz vor der Sitzung einen Präsidialantrag, welchen er dahin zu stellen beabsichtigte, daß die beiden Lippeschen Regirungen aufgefordert werden möchten, sich zu verständigen, oder die bundesgesetzliche Entscheidung herbeizuführen.

Nach seinen mündlichen Erläuterungen verstand er unter „bundesgesetzlicher Entscheidung" eine solche, bei welcher die Bundesversammlung auf Vorschlag der Militaircommission durch einfachen Bundesbeschluß den Streit erledigen würde. Wenn auch der vorliegende Fall ein sehr unbedeutender ist, so ist doch das Princip, welches Graf Rechberg für seine Entscheidung anruft, ein bedenkliches. Der Bund hat zunächst nur das Recht, von jeder Regirung die Stellung des Contingents in kriegsverfassungsmäßiger Stärke und Beschaffenheit zu verlangen. Dieser Anforderung wird bisher von beiden streitenden Regirungen entsprochen. Wenn dieselben dabei über die Auslegung eines zwischen ihnen bestehenden Vertrages verschiedener Meinung sind, so muß ihnen überlassen bleiben, diesen Zwist auf dem durch die Austrägalordnung vorgeschriebnen Wege zu schlichten. Die Bundesversammlung kann aber nur von dem Augenblicke an, wo eine der Regirungen ihrer Contingentspflicht nicht mehr vollständig nachkommt, direct eingreifen, indem sie dieselbe zur Erfüllung ihrer Verbindlichkeiten anhält, ohne alsdann auf die Einreden Rücksicht zu nehmen, daß die nicht erfüllten Pflichten vermöge specieller Verabredung von einer andern Regirung übernommen worden seien. Wollte man zugeben, daß in solchen Fällen die Bundesversammlung

12. 58. ihre Beschlüsse an die Stelle eines austrägalgerichtlichen Verfahrens setzt, indem sie einen Streit über die Auslegung oder die Rechtsbeständigkeit eines Vertrages zwischen zwei Regirungen durch Mehrheitsbeschluß entscheidet, so würde damit der Bundesversammlung eine richterliche Function beigelegt, für deren Ausübung dieser Körperschaft nach den collidirenden Interessen der einzelnen Regirungen nicht immer die nöthige Unparteilichkeit beiwohnen kann. Wenn das Princip in dem vorliegenden geringfügigen Falle zugelassen würde, so könnte es demnächst auch in wichtigeren Fragen nicht zurückgewiesen werden, beispielsweise in Betreff der verfassungsmäßigen Zulässigkeit oder der Auslegung einer von uns abzuschließenden Militairconvention, oder in Betreff unsrer vertragsmäßigen Rechtsverhältnisse zu den Bundesfestungen und deren Territorial-Regirungen. Ja es könnte die Befugniß der Bundesversammlung, Verträge zwischen Bundesregirungen durch Mehrheitsbeschluß auszulegen, respective für gültig oder ungültig zu erklären, ebenso gut auf alle übrigen Rechtsgebiete, wie auch auf dasjenige der militairischen Leistungen ausgedehnt werden.

Ich habe mir diese Ausführung gestattet, um darzulegen, mit wie kleinen Anfängen, und wie unerwartet nicht selten neue Principien in die Bundesverhältnisse einzuführen versucht wird. Sobald solche dann durch einen Präcedenzfall sanctionirt sind, wird die Bekämpfung derselben meist eine sehr schwierige. Eine sofortige bestimmte Opposition in Fällen, wie der vorliegende, nimmt aber leicht den Charakter kleinlicher Unverträglichkeit an. Daß vom Präsidium nicht ohne besondre Absicht verfahren wurde, läßt sich daraus abnehmen, daß Graf Rechberg diesen Antrag, für dessen Einbringung oder Annahme an und für sich, so lange beide Lippe ihr Contingent richtig stellen, keine dritte Regirung ein Interesse hat, schriftlich vorbereitet und mit andern Gesandten vorher besprochen hatte, während er mir erst bei Beginn der Sitzung denselben beiläufig zu lesen gab. Ich habe es nichts desto weniger vorgezogen, dem Präsidium nicht entgegen zu treten; sondern, als Graf Rechberg sofort nach Verlesung seines Antrags über denselben zur Abstimmung schritt, erwiderte ich, daß mir zu einem ausdrücklichen Bundesbeschlusse gegenwärtig keine Veranlassung vorzuliegen scheine, und man erwarten dürfe, daß die beiden F. Regirungen aus der zu Protocoll gegebenen Präsidialerklärung den Anlaß nehmen würden, sich entweder zu vergleichen, oder selbst das verfassungsmäßige Verfahren zur Herbeiführung einer rechtlichen Entscheidung sich anzueignen. 3.12.5

Dieser Ansicht wurde allseitig beigetreten, und jede Discussion somit vermieden.

Nr. 8.

Bismarck an den Prinzregenten Wilhelm.

(Frankfurt a. M., 17. December 1858.)

17.12. Bayern brachte[1]) in Betreff der Handelsgesetzgebung einen Antrag ein. Nach der von uns bisher in dieser Frage eingenommenen Stellung konnte das Münchener Cabinet voraussehn, daß der von ihm gestellte Antrag aus formellen Gründen für uns unwillkommen sein werde. Wenn es Bayern darum zu thun wäre, die Sache selbst zu fördern, so würde man vor Stellung des Antrags sich über die Aufnahme, welche derselbe in Berlin fände, versichert, oder doch jedenfalls den Freiherrn von Schrenk autorisirt haben, die Einbringung des Antrags noch auszusetzen, sobald von unsrer Seite der dringende Wunsch deshalb geäußert und telegraphisch nach München gemeldet war. Nachdem ich nämlich zwei Tage vor der Sitzung meinen bayerischen Collegen davon in Kenntniß gesetzt hatte, daß wir bei der bisherigen Auffassung in Betreff der Stellung der Nürnberg-Hamburger Conferenz beharren würden, und deshalb dringend wünschen müßten, daß die Einbringung des Antrages unterbliebe, nachdem ich hinzugefügt hatte, daß ein Vorgehn Bayerns auf dem beabsichtigten Wege auf die Stellung Preußens zu der ganzen Angelegenheit zurückwirken könne, hat sich Herr von Schrenk nicht ohne Widerstreben dazu verstanden, telegraphisch in Mün-

[1]) In der Bundestagssitzung vom 16. December 1858.

12.58. chen anzufragen, ob er der Vorlage des Antrags noch Anstand geben dürfe. Er hat hierauf entweder, wie er mir sagte, gar keine oder eine verneinende Antwort erhalten; jedenfalls äußerte er bereits bei unsrer ersten Unterredung, daß er auf einen Aufschub oder gar auf gänzliche Zurückhaltung des Antrags nicht zu rechnen wage, indem seine Regirung sehr bestimmt entschlossen sei, und am Tage vor der Sitzung theilte er mir mit, daß er nicht autorisirt sei, den Antrag auszusetzen.

Aus der Weigerung, uns in dem formellen Theil der Angelegenheit gefällig zu sein, möchte ich schließen, daß der Eifer der Bayerischen Regirung für die Gewinnung eines praktischen Resultates nicht so lebendig ist, wie nach den bisherigen, direct von dem König Max ausgegangenen Kundgebungen zu Gunsten der Sache angenommen werden durfte. Vielleicht ist es richtig, daß Oestreich die Ergebnisse der Conferenzverhandlungen für sich nicht annehmbar findet, daß das Wiener Cabinet aber die Schuld an dem Scheitern der Verhandlungen nicht auf sich nehmen will. und daß die Bayerischen Staatsmänner, unter Benutzung unsrer principiellen Stellung zu den Verhandlungen, die Hand dazu bieten, in den Augen ihres Königs sowohl, als des Publikums die Verantwortlichkeit für das Nichtzustandekommen einer Vereinbarung Preußen zuzuschieben. Ein sachlicher Grund ist wenigstens nicht ersichtlich, aus welchem Bayern in einer Arbeit, zu deren Vollendung unter allen Umständen Jahre erforderlich wären, plötzlich einen ungeduldigen Eingriff in die Thätigkeit der Conferenz versuchen sollte, welcher durch den Bundesbeschluß vom 18. December 1856 die volle Unabhängigkeit ihrer Berathungen und Beschlüsse zugesichert worden ist; einen Eingriff, bei welchem das Münchener Cabinet nach unsrer bisherigen Haltung mit großer Wahrscheinlichkeit voraussehn mußte, daß Preußens fernere Mitwirkung durch ihn erschwert oder gar in Frage gestellt werden würde.

Wenn meine Voraussetzungen über die eigentlichen Motive dieser Vorgänge richtig sind, so würde die angemessenste Gegenoperation darin bestehn, daß wir in der nächsten Sitzung bei der Berathung des Bayerischen Antrags, unter Bezugnahme auf unsre bisherige Stellung zur Sache, eine Erklärung etwa

des Inhalts geben, wie wir die Unterbrechung des Geschäfts- 17. 12.
ganges der Conferenz durch eingreifende Beschlüsse des Bundes nicht nur für unverträglich mit der der Conferenz ausbedungenen Selbstständigkeit ihres Geschäftsbetriebes halten, sondern auch eine nachtheilige Verzögerung des letztern davon befürchten, und daß wir zugleich andeuten, wie Preußen, wenn sein Widerspruch gegen den Bayerischen Antrag keine Beachtung fände, sich seinerseits die Entschließungen vorbehalten müsse, von welchen wir eine wirkliche Annäherung an das gemeinsam erstrebte Resultat erwarteten.

Ich vermag nicht zu beurtheilen, ob wir durch eine solche Erklärung das Eingehn der Bundesversammlung auf den Bayerischen Antrag hindern werden. Wenn ich meine Ueberzeugung aussprechen darf, so wäre dies auch nicht einmal wünschenswerth, sondern käme es vielmehr darauf an, daß wir diese oder die nächste sich darbietende Gelegenheit wahrnehmen, um die der Natur der Dinge nach Preußen gebührende Initiative zu ergreifen und, unter Verzichtleistung auf den weitschweifigen, unter allen Umständen noch mehrere Jahre in Anspruch nehmenden bundesmäßigen Geschäftsgang, unserm im nächsten Monat zusammentretenden Landtage das bisherige Elaborat der Conferenz in der Fassung, welche uns convenirt, vorlegen, und mit seiner Einführung den Anfang machen, unsern Nachbarn aber den Anschluß überlassen. Nach allen Aeußerungen, welche ich hier aus der Mitte des süddeutschen Handelsstandes vernehme, wird einer derartigen Entwicklung mit Ungeduld entgegengesehn und von Preußen erwartet, daß es diejenigen Verbesserungen ins Leben zu führen beginne, deren Verwirklichung durch den Bund in den Förmlichkeiten einer, an die Zustimmung Aller gebundenen Unterhandlung unabsehbare Schwierigkeiten zu finden droht.

In der That ist nach dem Vorbilde der Bundesverhandlungen über viel unbedeutendere und leichtere Vereinbarungen zu gewärtigen, daß die Instructionen der Regirungen, wenn schließlich ein Elaborat der Conferenz als Gegenstand für dieselbe vorliegt, zunächst dergestalt incommensurabel sein werden, daß wiederholte Zurückverweisungen an die Conferenz oder sonstige Ausschüsse erforderlich sein werden, und wenn es gegründet

12. 58. ist, daß Oestreich sich nicht in der Lage fühlt, ein gemeinsames Gesetzbuch zu acceptiren, so wird es lieber direct oder durch seine Verbündeten sachliche Schwierigkeiten jeder Art vorbringen, ehe es offen eingesteht, daß seine Verhältnisse zu heterogen sind, um eine dem übrigen Deutschland entsprechende Gesetzgebung zu ertragen.

Außerdem werden wir auf dem Wege der Vermittelung der Meinungsverschiedenheiten durch die Bundesversammlung welchen Oestreich, Bayern und die Mittelstaaten verfolgen, in vollen Widerspruch mit unsrer bisherigen principiellen Auffassung gerathen, wenn es uns nicht gelingt, die Majorität in der Bundesversammlung dafür zu gewinnen, daß das Geschäft der Ausgleichung der Meinungsverschiedenheiten und der wiederholten Instructionseinholung über deren Vermittelung gänzlich in den Schooß der Conferenz verlegt wird.

An den Freiherrn von Schleinitz erlaube ich mir über diesen Gegenstand besonders zu berichten, um durch ihn Ew. K. Hoheit weitere Befehle über die Behandlung der Sache zu erbitten.

Nr. 9.

Bismarck an den Prinzregenten Wilhelm.

(Frankfurt a. M., 24. December 1858.)

12. 58. Von Oestreich und Baden, sowie von mir wurden hierauf[1]) in der Rastatter Besatzungsangelegenheit diejenigen Erklärungen abgegeben, über welche Ew. K. Hoheit Regierung mit dem Wiener Cabinet übereingekommen ist. Auf einen mit mir vorher verabredeten Antrag des Präsidiums wurde darauf einhellig beschlossen, dem Militairausschusse zu eröffnen, wie die Bundesversammlung für jetzt einer weitern Berichterstattung über die Rastatter Besatzungsangelegenheit für jetzt nicht entgegensehe.

---

[1]) In der Bundestagssitzung vom 23. December 1858.

Nicht unbemerkt kann ich lassen, daß Graf Rechberg, der 24. 12. die Abschriften des letzten Notenaustausches bereits in Händen hatte, die ich noch von der Post erwartete, meine Zustimmung zu einer solchen Formulirung eines Bundesbeschlusses zu gewinnen suchte, durch welche der Schluß der Badisch-Oestreichischen Erklärung wörtlich resumirt worden wäre.

Nachdem ich darauf von dem Freiherrn von Schleinitz ermächtigt worden war, einem Beschluß in der Form, welche er nunmehr erhalten hat, zuzustimmen, fand sich Graf Rechberg auch mit dieser Fassung einverstanden.

In Anknüpfung an diesen Gegenstand erwähne ich der Badischen Ordensverleihungen, welche in diesen Tagen an die drei Vertreter Bayerns in der Bundesversammlung, in der Militaircommission und in der Festungsabtheilung: den Freiherrn von Schrenk, General-Major von Biel und Major Bessel stattgefunden haben. Es bilden diese drei Auszeichnungen in ihrer Gleichzeitigkeit die Anerkennung Badens für die Thätigkeit, welche die Bayerischen Organe am Bunde sowohl in der Rastatter Besatzungsfrage, in welcher Herr von Schrenk das Referat hatte, als auch in Betreff des Brückenbaues bei Kehl entwickelt haben.

Für Letztere hatte der General von Biel das Referat in der Militaircommission, und hat sowohl zur Beschleunigung der Berichterstattung, als auch besonders dazu beigetragen, daß Bayern nicht das Gegenproject einer Brücke bei Germersheim amtlich aufstellte oder zur Bedingung seiner Zustimmung machte. Ferner hat der K. Sächsische Militair-Bevollmächtigte als Referent in der Rastatter Besatzungsfrage das Commandeurkreuz des Zähringer Löwen-Ordens erhalten, ein Officier, dessen Unbekanntschaft mit der Fortification seine Ernennung zum Berichterstatter in jener Frage nur für diejenigen erklärlich machte, welchen es bekannt war, daß der Kaiserlich Oestreichische Oberst von Rziowsky die nöthigen Arbeiten unter dem Namen des Obersten von Spiegel anfertigte.

Es folgte die Abstimmung über die Anträge, welche die vereinigten Ausschüsse in der Holsteinisch-Lauenburgischen Verfassungssache wegen vorläufiger Sistirung des eingeleiteten Exe-

12. 58. cutionsverfahrens in der Sitzung vom 9. d. M. gestellt haben. Dieselben wurden einstimmig angenommen. Nur Holstein enthielt sich der Abstimmung, indem es sich die Rechtfertigung gegen die Motive des Ausschusses reservirte, und die Hoffnung ausdrückte, daß das angestrebte Ziel auf dem eingeschlagnen Wege werde erreicht werden.

Sachsen fügte seinem consentirenden Votum den Wunsch bei, daß die dänische Regirung die für die Stände beabsichtigten Vorlagen vorher der Bundesversammlung zu geeignetem Gebrauch mittheilen möchte. Ein Antrag war hiemit nicht verbunden. Bei dieser Gelegenheit erlaube ich mir darauf aufmerksam zu machen, wie die Postzeitung, das Organ der hiesigen Oestreichischen Gesandtschaft, nunmehr beginnt, öffentlich das System zur Geltung zu bringen, durch welches die Zurückhaltung der Oestreichischen Politik in allen Berathungen über die Holsteinsche Frage bisher bedingt war. In Nr. 343, in einem aus Wien datirten Artikel, als dessen Verfasser der in der Wiener Staatskanzlei auf dem Felde der Publicistik thätige Freiherr Max von Gagern bezeichnet wird, erklärt dieses Blatt nunmehr, daß alle Angriffe, welche die Dänische Presse gegen die bisherige Behandlung der Holsteinschen Sache richtete, keineswegs den Bund, sondern allein Preußen treffen könnten, da der Bund, einschließlich Oestreich, in dieser ganzen Sache Preußen beständig zu Willen, und die Bundespolitik wesentlich eine Preußische gewesen sei, indem die Anträge Preußens nirgends auf Hindernisse gestoßen wären, sondern die Politik des Bundes geleitet hätten.

Es ist diese Erscheinung eine bemerkenswerthe für denjenigen, welcher mit den Redactionsverhältnissen der Postzeitung vertraut ist; die raisonnirenden Artikel des Blattes werden ganz unabhängig von dem angeblichen Einsendungsort, den sie an der Spitze tragen, zum Theil in Wien von dem erwähnten Herrn von Gagern, die besser redigirten von Herrn von Biegeleben bearbeitet, zum Theil werden sie hier, unter Leitung des Oestreichischen Geschäftsträgers bei der Freien Stadt, Legationssecretär Braun, von dem lediglich zum Behuf publicistischer Arbeiten hier anwesenden F. Liechtensteinschen Bundestagsgesandten, Dr. von Linde, oder von dem ehemaligen Pfarrer Jürgens, einem

Agenten der Wiener Preßstelle, geschrieben. Diese beiden nebst andern Literaten vereinigen sich fast täglich zu Conferenzen, in welchen das Material für die Postzeitung, das Journal de Francfort und andre von Oestreich abhängige Blätter im Südwesten Deutschlands bearbeitet wird. Die Postzeitung ist, so oft sie auch das Gegentheil behauptet, ein unmittelbares und ausschließliches Organ des Wiener Cabinets, und Correspondenzen anderweiten Ursprungs finden nur Aufnahme, wenn sie der Tendenz entsprechen oder farblos sind. Wenn daher in jüngster Zeit, und namentlich in Betreff der Regirung Ew. K. Hoheit, eine Polemik zwischen der Postzeitung und Wiener Blättern stattgefunden hat, so ist dies lediglich eine Vertretung der doppelten Zwecke der Wiener Politik in dialogischer Form, bei welcher die Artikel für und wider, die Angriffe der Postzeitung auf Ew. K. H. Ministerium, wie die Vertheidigung desselben durch die Wiener Blätter aus derselben Quelle stammen. 24. 12.

Nr. 10.

Bismarck an den Prinzregenten Wilhelm.

(Frankfurt a. M., 30. December 1858.)

(Bei Gelegenheit der Festlichkeiten in Darmstadt habe ihn die Frau Prinzessin Carl von Hessen in einer besondern Audienz empfangen, bei welcher dieselbe namentlich die Zukunft ihrer Söhne, der Prinzen Ludwig und Heinrich, besprach.) 30. 12.

J. K. Hoheit behandelte den Abgang beider Prinzen nach Potsdam behufs Eintritt in das 1. Garde-Regiment zu Fuß als eine abgemachte Sache, obschon in den amtlichen Kreisen von Darmstadt diese Absicht theils noch unbekannt schien, theils bezweifelt wurde. Der Großherzog hat dem Plane anfangs bestimmt widersprochen, mit dem Bemerken, daß er mit seiner Gesammtpolitik nicht im Einklang stehe; Se. K. Hoheit lege den höchsten Werth auf die Beziehungen zu Preußen, könne aber Oestreich „nicht vor den Kopf stoßen“; es solle daher wenigstens einer der beiden Prinzen in Kaiserliche Dienste gehen.

12. 58. J. K. H. die Frau Prinzessin Carl hat demnächst aber dringend gebeten, die beiden jungen Herren nicht zu trennen, und sich besorgt über die Einwirkung ausgesprochen, welche das Oestreichische Garnisonleben in kleinen Provinzialstädten unter öfterem Wechsel auf die Prinzen haben müsse, wenn dieselben sich dem militairischen Berufe mit dem wünschenswerthen Ernst widmen sollten. Gegen den Vorschlag des Prinzen Alexander, den einen seiner Herren Neffen zu sich in seine Italienische Garnison zu nehmen, hat J. K. Hoheit geltend gemacht, daß die Anschauungen, welche die Prinzen dort, vom Standpunkte der Oestreichischen Militairs aus, gewinnen würden, keine richtige Vorschule für den Beruf eines deutschen Fürsten bilden, daß sie dagegen in Preußen Zustände kennen lernen und studiren könnten, welche den heimathlichen gleichartiger wären; daß Sie auf den Schutz, die Aufsicht und das Wohlwollen, deren die Prinzen sich in der Nähe des verwandten Preußischen Hofes erfreuen würden, den höchsten Werth legen müsse, und daß Sie in der ganzen Welt kein Officiercorps wisse, in dessen Gesellschaft Sie Ihre Herren Söhne mit mehr Beruhigung wissen würde, als dasjenige unsrer Garde im Allgemeinen, insbesondre aber des 1. Regiments in Potsdam.

Die mütterliche Sorge und Beredtsamkeit scheint einen entschiedenen Sieg über die politischen Rücksichten davongetragen zu haben; wenigstens sagte mir J. K. Hoheit, daß der Großherzog schon bei Seiner Anwesenheit in Wien den Kaiser auf den Eintritt beider Herren in das Preußische Heer vorbereitet, und dagegen den des Prinzen Wilhelm, des jüngsten Neffen Sr. K. Hoheit, in den Oestreichischen Dienst für die Zukunft versprochen habe. Bei Sr. K. H. dem Großherzog ist die Rücksicht auf die Wünsche beider Eltern der Prinzen schließlich das entscheidende Moment gewesen, aber erst nach Ueberwindung der Abneigung, welche J. K. H. die Großherzogin gegen den Plan hatte. Auch wäre Letzterer schon zur wirklichen Ausführung gebracht worden, wenn nicht der bei uns eingetretene Cabinetswechsel den Oestreichischen und katholischen Einflüssen am Hofe einen Vorwand zur Verzögerung geboten hätte, indem man behauptete, daß zunächst abgewartet werden müsse, wie sich die Politik Preußens zu dem übrigen Deutschland stellen werde. Jetzt indessen

sprach, wie gesagt, die Frau Prinzessin von dem Eintritt der 30. 12.
Prinzen in das 1. Garde-Regiment wie von einer Thatsache, zu welcher nur noch die Genehmigung Ew. K. Hoheit zu erbitten sei und ohne Verzug werde nachgesucht werden.

Nr. 11.

Bismarck an den Prinzregenten Wilhelm.

(Frankfurt a. M., 25. Februar 1859.)

In Bezug auf die allgemeinen politischen Vorfälle habe ich 25. 2.
in Unterhaltungen mit andern Gesandten zu bemerken Gelegenheit gehabt, daß die Neigung, den Bund oder einzelne Mitglieder zu kriegerischen Manifestationen zu drängen, geringer geworden ist, während sie vor acht und vor vierzehn Tagen bei der großen Mehrzahl meiner Collegen einen zum Theil sehr lebhaften Ausdruck gefunden hatte. Nur der Graf Stollberg spricht in derselben Weise wie früher, aber noch heftiger für die Nothwendigkeit der Demonstrationen gegen Frankreich im allgemeinen deutschen Sinne. Dagegen äußerte sich Freiherr von Schrenk, welcher persönlich über die von seiner Regirung angenommene Linie hinaus zu Oestreich neigt, in scharfer Kritik über die aufregende und herausfordernde Sprache der östreichischen Presse, einschließlich der Augsburger Zeitung. Auch von andern, der Regel nach mit Oestreich stimmenden Gesandten wurde mir die Besorgniß ausgesprochen, daß der herausfordernde Ton der deutschen Presse die Wirkung haben werde, die öffentliche Meinung in Frankreich, welche bisher für den Frieden gestimmt sei, den kriegerischen Dispositionen zugänglicher zu machen. Einer meiner Collegen, welcher bisher niemals zu den Gegnern Oestreichs gehörte, ging so weit, die Ansicht auszusprechen, daß es gegenwärtig Oestreich sei, welches den Krieg wünsche. Die Oestreichische Armee sei dermalen in einem vorzüglichen Zustande, könne aber bei dem sich dem Bankrott nähernden Geldmangel nicht noch mehrere Jahre in demselben erhalten werden. Ebenso sei gegenwärtig ein nationaler Aufschwung in Deutschland für den Krieg vorhanden. Früher

2.59. oder später werde man diesen Krieg jedenfalls führen müssen, sowohl was die innere Lage Deutschlands, als was die Dispositionen Rußlands und Englands anlangt. Man könnte dieser Argumentation hinzufügen, daß der Ausbruch des Krieges Oestreich aller Schwierigkeiten einer Reform seiner Italienischen Politik überheben, und ihm für seine Finanzen die Bahn der Zwangsanleihe und solcher Maßregeln in Betreff der bisherigen Staatsschulden eröffnen würde, welche einem Staatsbankrott mehr oder weniger verwandt sind. Ich darf einstweilen dieser Auffassung keinen andern Werth beilegen, als den eines Symptoms der Stimmungen in den hiesigen politischen Kreisen.

In der Militaircommission wird, wie ich äußerlich vernehme, von Seiten des Präsidiums im Wege vertraulicher Verständigung in Betreff der Bundesfestungen und des eventuellen Commandos der gemischten Armeecorps dahin gewirkt, der Haltung des Bundes-Kriegswesens einen demonstrativen Charakter zu verleihen.

Nr. 12.

Bismarck an König Wilhelm.

(Petersburg) 2/1. 1861.

Ew. Majestät

1.61. wollen mir allergnädigst gestatten, daß ich als treuer Diener des Königlichen Hauses Allerhöchstdemselben den allerunterthänigsten Ausdruck der Theilnahme zu Füßen lege, mit welcher die Herzen aller Unterthanen Ew. Majestät durch die heut eingegangene Trauerbotschaft erfüllt sein werden.

Abgesehn von den Gefühlen ehrfurchtsvoller Anhänglichkeit, mit welchen bei uns im Lande Gott sei Dank jeder Mann von Ehre zu seinem Landesherrn aufblickt, ist Ew. Maj. nunmehr in Gott ruhender Herr Bruder mir persönlich jederzeit ein besonders gnädiger Herr gewesen, und Ew. Majestät haben geruht, mir in derselben gnädigen Gesinnung so mannigfache Beweise des Allerhöchsten Wohlwollens und Vertrauens zu geben,

daß ich neben der Versicherung der unwandelbaren und dienst- 2. 1. 6
eifrigen Treue, mit welcher ich Ew. Majestät, so lange ich lebe, in Ehrfurcht ergeben sein werde, den Ausdruck tiefgefühlter Dankbarkeit vor den Stufen des Thrones niederlegen darf.

Gott gebe Ew. Majestät eine lange und gesegnete Regirung und gestatte mir, meine Söhne zu ebenso treuen Dienern des erhabnen König-Hauses zu erzichn, wie ich selbst es zu sein bestrebt bin.

v. Bismarck.

Nr. 13.

Denkschrift Bismarcks für König Wilhelm.

Juli 1861.

So lange das Bündniß der drei östlichen Großmächte be- Juli 61
stand, war die Aufgabe des Deutschen Bundes in der Hauptsache darauf beschränkt, das im Jahre 1815 gegen Frankreich und die Revolution errichtete Defensivsystem zu vervollständigen. Hinter dem Bunde stand die vereinigte Macht von Preußen, Oestreich und Rußland, und die Bundescontingente wurden für den Kriegsfall zwar als Zuwachs in Betracht gezogen, aber die Mängel ihrer Organisation, die Möglichkeit des Abfalls der einzelnen bei unglücklicher Kriegführung fielen neben den massenhaften Streitkräften der drei großen Militairmächte der heiligen Allianz nicht entscheidend ins Gewicht.

In der Anlehnung des Bundes an die drei östlichen Mächte fand Deutschland Bürgschaften des Friedens und der Sicherheit, über welche manche drückende Folgen der Zerrissenheit seines Gebietes vergessen werden konnten. Nachdem diese Bürgschaften mit der Auflösung der heiligen Allianz geschwunden sind, machen sich der Bevölkerung in verstärktem Maße alle die Uebelstände fühlbar, welche aus der unnatürlichen Mannigfaltigkeit der Landesgränzen im Innern Deutschlands hervorgehn und verstärkt werden durch die in frühern Zeiten unbekannte Höhe, auf welche das Souveränetätsbewußtsein der Einzelstaaten sich

Juli 61. heut zu Tage gesteigert hat. In den kleinern Staaten ist das demüthigende Gefühl des Mangels an Würde und Sicherheit nach Außen und die Empfindung des Druckes vorherrschend, welchen die Beschränktheit der politischen Lebenskreise auf die Strebsameren und Befähigteren ihrer Angehörigen ausübt. Das preußische Volk dagegen fühlt die Ungerechtigkeit, welche darin liegt, daß Preußen, nachdem Oestreichs innere Zustände die Bereitschaft des Kaiserlichen Bundes-Contingentes für die Stunde der Gefahr als sehr zweifelhaft erscheinen lassen, mit den Kräften von 18 Millionen unter höchster Anspannung aller Kräfte für die Vertheidigung des Gebietes von mehr als 40 Millionen der Hauptsache nach einstehn soll, daß es dabei in seiner Gesammtheit kein stärkeres Recht am Bunde hat, als die kleinen Nachbarstaaten, die es schützt, durch die es aber im Frieden seine materielle Entwicklung beschränkt, seinen Verkehr eingeengt sieht, und von denen es im Kriege, sobald er unglücklich verliefe, verlassen werden würde. In der gesammten deutschen Bevölkerung nährt und steigert sich das Mißvergnügen durch das niederschlagende Gefühl, daß eine große und kräftige Nation durch die Mängel ihrer Gesammtverfassung verurtheilt ist, nicht nur auf die ihr gebührende Geltung in Europa zu verzichten, sondern in steter Sorge vor dem Angriff von Nachbarn zu leben, denen sie unter Umständen mehr als gewachsen sein würde. Je mehr dieses Gefühl und die Erkenntniß seiner Ursachen das allgemeine Bewußtsein durchdringen, um so schärfer und zuletzt gefährlicher kehrt sich seine Spitze gegen die Gesammtheit der deutschen Regirungen. Von den letztern wird erwartet, daß sie mit mehr practischem Erfolge als bisher dem Ziele einer regeren Einigung Deutschlands zustreben, und diese Erwartung erscheint auch der conservativsten Auffassung nicht unberechtigt, soweit es sich darum handelt, die Wehrkraft Deutschlands einheitlicher und straffer zusammenzufassen und der allgemeinen Wohlfahrt diejenige freie Bewegung im Gebiete aller materiellen Interessen zu sichern, welche für Handel und Verkehr durch den Zollverein angebahnt ist. Mit der jetzigen Bundesverfassung ist es nicht möglich, den bestehenden Uebelständen abzuhelfen. Die Gränzen, innerhalb deren der Bundestag durch Majoritäten beschließen kann, sind sehr eng, und außerhalb derselben würde selbst eine besser intentionirte Majorität als die jetzige durch den Widerspruch Einzelner gelähmt werden. Dänemark oder Luxemburg sind berechtigt, jeden Fortschritt zu hemmen. In Erkenntniß dieses Uebels wurde daher innerhalb der letzten zehn Jahre von der Coalition, in welche Oestreich mit den Mittelstaaten getreten war, vielfach versucht, in ihrem Interesse die Competenz der Majoritäts-Beschlüsse zu erweitern. Dieses Auskunftsmittel ist aber für Preußen in der jetzigen Bundesverfassung nicht annehmbar. Bei Erweiterung der Befugnisse der Majorität wäre das Veto gegen Majoritätsbeschlüsse, welches in den Händen eines zu selbständiger Politik nicht befähigten Kleinstaates oder im Besitz einer außerdeutschen Macht als Abnormität erscheint, für die Großmacht Preußen unentbehrlich. Preußen kann nicht in Deutschland die Rolle einer beherrschten Minorität übernehmen, wenn der Bundesbehörde wesentliche Attributionen der Militair- und Finanzgesetzgebung für Deutschland beigelegt würden. Dem Bundesstaate, welcher an Macht alle übrigen zusammengenommen aufwiegt, gebührt ein vorwiegender Einfluß auf die gemeinsamen Angelegenheiten, und seine Bevölkerung würde darauf nicht verzichten wollen.

Juli 61

Eine andre Vertheilung der Stimmrechte am Bunde, eine stärkere Betheiligung der mächtigern Mitglieder, bietet immerhin nur ein unzulängliches Correctiv der bestehenden Mängel. Bei gerechter Vertheilung müßten beide Großmächte zusammen die geborne Majorität bilden, und nach der Bevölkerung und nach dem Machtverhältniß müßte Preußen mehr Stimmen haben als die Gesammtheit der übrigen rein deutschen Staaten (18 Million gegen 17½). Abgesehn von dieser Schwierigkeit würde durch die mechanische Operation der Zählung der vertragsmäßigen Stimmen eine lebensfähige und am Tage der Gefahr haltbare Einigung schwerlich erreicht werden. Um einem solchen Ziele näher zu treten, ist vielleicht eine nationale Vertretung des deutschen Volkes bei der Bundes-Centralbehörde das einzige Bindemittel, welches den divergirenden Tendenzen dynastischer Sonderpolitik ein ausreichendes Gegengewicht zu geben vermag. Nachdem eine Volksvertretung,

Juli 61. zum Theil mit sehr weitgehenden Befugnissen, in jedem deutschen Staate besteht, kann eine analoge Einrichtung für die Gesammtheit unmöglich an und für sich als eine revolutionaire angesehn werden.

Die Form und die Competenz einer solchen Vertretung könnte nur durch eingehende Erwägung, durch Verständigung zwischen den Bundesstaaten festgestellt werden. Die weitesten Gränzen ihrer Wirksamkeit würden immer nur die Bestimmungen über die Wehrkraft des Bundes und die Zoll- und Handelsgesetzgebung mit dem Gebiete der verwandten materiellen Interessen umfassen, so daß die Regirungsgewalt im Innern jedem Staate unverkümmert bliebe. Für die Intelligenz und die conservative Haltung einer solchen Vertretung würde es einige Bürgschaft gewähren, wenn ihre Mitglieder nicht direct von der Bevölkerung, sondern von den einzelnen Landtagen erwählt würden. Eine solche deutsche Gesammtvertretung dürfte zugleich mit einiger Sicherheit dahin führen, daß der bedauerlichen Tendenz der meisten deutschen Landtage, sich vorwiegend kleinlichen Reibungen mit der eignen Regirung zu widmen, eine heilsame Ableitung auf breitere und gemeinnützigere Bahnen gegeben würde, und die subalternen Streitigkeiten der Ständesäle einer mehr staatsmännischen Behandlung deutscher Gesammtinteressen Platz machten. Das verfassungsmäßige Recht Preußens, einen dahin gerichteten Antrag in der Bundesversammlung zu stellen, ist ebenso unzweifelhaft als die Ablehnung desselben, zu welcher der Widerspruch jedes einzelnen Bundesstaates ausreichen würde.

Die ehrliche Betheiligung Oestreichs an derartigen Einrichtungen würde selbst dann noch kaum ausführbar werden, wenn zwischen den deutschen und den nichtdeutschen Provinzen des Kaiserstaates das Verhältniß einer bloßen Personalunion herzustellen wäre. Auch von den übrigen Bundesstaaten ist die Zustimmung mit der verfassungsmäßigen Stimmen-Einhelligkeit jedenfalls nicht zu erwarten, und der Bundestag in seiner jetzigen Zusammensetzung wäre kaum geeignet, um mit parlamentarischen Körperschaften zu verhandeln. Die practische Verwirklichung einer deutschen Nationalvertretung hat demnach auf dem bundesverfassungsmäßigen Wege bisher wenig Wahrscheinlichkeit und könnte nur mit einer Umgestaltung der Centralbehörde Hand in Hand gehn. Minder hoffnungslos wäre vielleicht das Bestreben, auf dem Wege, auf welchem der Zollverein entstand, die Herstellung anderweiter nationaler Einrichtungen zu bewirken. Juli 61

Ob und wie der Zollverein sich bei Ablauf der jetzigen Periode erneuern läßt, kann nur der Erfolg ausweisen. Wünschenswerth ist aber gewiß, daß er nicht in seiner jetzigen Verfassung fortbestehe, vermöge welcher das Widerspruchsrecht des Einzelnen jede Entwicklung unsrer Handelsgesetzgebung abschneidet. Auch hier dürfte, neben Einführung des Beschlußrechtes wenigstens einer Zweidrittel-Majorität, die Lösung der weitern Schwierigkeiten am leichtesten dadurch gefunden werden, daß Ausschüsse von mehr oder weniger starker Mitgliederzahl aus den Ständeversammlungen der einzelnen Staaten zusammentreten und durch ihre Berathungen und Beschlüsse die Meinungsverschiedenheiten der Regirungen auszugleichen suchen. Ein solches „Zollparlament" kann unter Umständen und bei geschickter Leitung das Organ werden, auch auf andern Gebieten Vereinbarungen anzubahnen, welchen deutsche Staaten um so leichter beizutreten geneigt wären, wenn sie stets kündbar bleiben. Die ersten Anfänge der Zolleinigung mit Darmstadt sind kaum erheblicher gewesen, als es in ihrer Art die Militair-Conventionen mit Coburg-Gotha und andern ähnlich disponirten kleinen Staaten sein würden. Die Einwirkung der bestehenden parlamentarischen Körperschaften stellt in jetziger Zeit schnellere Fortschritte für nationale Bestrebungen der Art in Aussicht als vor dreißig Jahren, und äußre Ereignisse können förderlichen Einfluß üben. Als letztes, vielleicht spät erreichbares Ziel würden dabei gemeinschaftliche Heeres-Einrichtungen vorschweben, denen die gemeinschaftlichen Einnahmen aus den Zöllen und den verwandten Abgaben als Budget und eine gemeinsame Gesetzgebung für Handel und Verkehr als Ergänzung dienten, alles auf vertragsmäßiger und kündbarer Basis, unter Mitwirkung einer aus den Landtagen combinirten Volksvertretung. Ehe Preußen mit derartigen Bestrebungen außerhalb des Bundestages offen hervorträte, würde es sich jedenfalls empfehlen, ähnliche Reformen in Frankfurt auf bundesverfassungsmäßigem Wege zu beuli 61. antragen. Der erste Schritt dazu wäre die offne und amtliche Erklärung, daß die bestehende Bundes-Verfassung sich nicht bewährt hat und eingreifender Umgestaltung bedarf. Daß dem so sei, wird allgemein erkannt, aber keine Bundesregirung hat es bisher amtlich ausgesprochen.

Eine offizielle Erklärung Preußens, dahin gehend: daß wir die jetzige Bundes-Verfassung den Bedürfnissen der Bundesgenossen und der deutschen Nation nicht entsprechend und der Reform für bedürftig halten, daß wir entschlossen sind, dem Bunde Vorschläge für eine solche Reform zu machen, durch welche die Mitwirkung einer nationalen Vertretung in Aussicht genommen wird, daß wir die freie Einwilligung unsrer Mitverbündeten in unsre Anträge durch Verhandlung erstreben, und wenn wir sie sofort nicht erlangen, von der Zeit erwarten wollen in der Hoffnung, daß richtigere Ansichten sich Bahn brechen werden, daß wir, bis dieses Ziel erreicht sein werde, in freiwilligen und kündbaren Vereinigungen neben dem Bunde Surrogate für die fehlenden Bundesinstitutionen herzustellen suchen werden — eine derartige Erklärung würde als erster Schritt zu bessern Einrichtungen tiefen Eindruck in Deutschland machen und besonders der Regirung Preußens ihre Aufgabe im Innern den Kammern und den Wahlen gegenüber wesentlich erleichtern. Die Fassung der Erklärung müßte auf die doppelte Wirkung berechnet sein, einmal daß die deutschen *Fürsten* über die Tragweite unsrer Pläne beruhigt werden und erkennen, daß wir nicht auf Mediatisirung, sondern auf freie Verständigung zum Nutzen Aller ausgehn, und zweitens, daß im *Volke* der entmuthigenden Besorgniß entgegengetreten wird, als fände Preußen den Gang der deutschen Entwicklung mit dem heutigen Bundestage abgeschlossen und strebe nicht fortwährend ernstlich nach fortschreitender Reform desselben. Eine fertige Vorlage von Reformplänen, ein ausgearbeiteter Entwurf einer neuen Bundes-Verfassung erscheint erst dann Bedürfniß, wenn das Maß des Erreichbaren sich aus den Verhandlungen mit den andern Bundesregirungen erkennen läßt. Nur die Constatirung der Ansicht im Schoße der Bundesversammlung, daß die *jetzigen* Einrichtungen unzulänglich sind, daß wir nicht davor zurückschrecken, das Element einer

National-Vertretung in die zukünftige Combination mit aufzu- Juli 61
nehmen, daß aber unsre Aenderungsvorschläge nicht über das Bedürfniß, das heißt nicht über das Gebiet der Militaireinrichtungen und der materiellen Interessen hinausgreifen werden, und daß wir, den Verträgen und dem Rechte treu bleibend, nur von der freien Entschließung unsrer Bundesgenossen die allmähliche Verwirklichung der Pläne erwarten, welche wir dem Interesse aller Betheiligten gleich förderlich und durch die gerechten Ansprüche des deutschen Volkes auf Sicherheit und Wohlfahrt für geboten erachten.

Eine Anzeige in Betreff der Militär-Convention mit Sr. Hoheit dem Herzoge von Gotha würde einen zweckmäßigen Anknüpfungspunkt für eine principielle Erklärung im obigen Sinne darbieten. Die Kgl. Regirung wird dann in der Lage sein, ihren Bundesgenossen von Neuem und in überzeugender Weise darzuthun, daß sie weder eigennützige Zwecke noch Umgestaltungen erstrebt, welche dem Recht und der Geschichte Deutschlands widersprechen, sondern daß sie in der Consolidirung des Bundes nur die Mittel sucht, den gesammten Rechtsbestand der deutschen Staaten gegen äußere Gefahren wirksamer zu schützen, und daß sie diesen nach der Natur der Dinge ihr vorzugsweise obliegenden Beruf mit gleicher Treue für die Rechte ihrer Bundesgenossen wie für die eignen erfüllen wird.

Nr. 14.

Bismarck an König Wilhelm.

Immediatbericht über den Handelsvertrag mit Frankreich.

Berlin, 25. December 1862.

Die französische Regirung ist mit unsern Vorschlägen 25. 12. 6
einverstanden; weil dieselben aber für uns einstweilen Vortheile gewähren, deren Aequivalente Frankreich erst in den andern, jetzt noch nicht ausführbaren Vertragsbestimmungen zu finden hatte, so wünschte das französische Cabinet, daß wir bei dieser Gelegenheit die Zusicherung geben, die Verträge vom 2. August für

12. 62. Preußen jedenfalls in Zukunft aufrecht erhalten und ausführen zu wollen, wenn auch die übrigen Zollvereins-Staaten ihren Beitritt verweigern.

Ich habe mir erlaubt, in dem anliegenden mémoire die Gründe zu entwickeln, aus welchen ich den Vorschlag nicht nur für annehmbar halte, sondern als einen für uns sehr erwünschten betrachte. Derselbe wird aber bei einigen Räthen des Finanz- und Handelsministeriums vermuthlich einen Widerstand finden, welchen ich theils dem Mangel an politischer Conception, theils denselben liberalen Tendenzen zuschreibe, welche Seite 7 und 8 des mémoire in Betreff der oppositionellen Presse angedeutet sind.

v. Bismarck.

Promemoria,

betreffend die Gründe für das Eingehn auf den Wunsch Frankreichs auf eine feste Bindung Preußens an die Handelsverträge v. 2. August 1862.

Um den französischen Handelsvertrag bei den Zollvereinsregirungen zur Annahme zu bringen, haben wir mit Recht jeden Zweifel an unsrer eignen Festigkeit in Betreff der Durchführung des Vertrags zu zerstören gesucht. Bei diesen Bestrebungen konnten wir die Annahme des Vertrages noch im Laufe der jetzigen Zollvereinsperiode im Auge haben, so lange der Widerspruch der Mehrzahl unter den bedeutenderen Vereinsregirungen sich nicht so scharf ausgeprägt hatte, wie dies seitdem der Fall gewesen ist. Es kann kaum noch gehofft werden, daß eine allseitige Annahme des Vertrags, wenn sie überhaupt stattfindet, anders als im letzten Augenblick vor der Erneuerung des Zollvereins von uns durchgesetzt werden wird. Wenn man auch annehmen könnte, daß die dissentirenden Regirungen ihren Widerspruch gegen den Vertrag selbst früher fallen lassen würden, als bis ihnen, durch Erneuerung des Zollvereins ohne sie, die letzte Hoffnung auf ein Nachgeben Preußens benommen sein wird, so muß man doch in Betracht ziehn, daß inzwischen noch ein andres Moment hinzutreten wird, welches das Widerstreben jener Regirungen, auf unsre Bedingungen für die Erneuerung des Zollvereins einzugehn, unzweifelhaft verstärken muß. 25. 12.

Ich betrachte es als einen feststehenden Grundsatz, daß wir den Zollverein in seiner jetzigen Verfassung, wo durch das Widerspruchsrecht jedes einzelnen Mitgliedes die Handelsgesetzgebung jedesmal für die Dauer der Verträge gelähmt ist, nicht erneuern werden. Die dem Zollverein an und für sich nothwendigen Reformen stehn in der engsten Verbindung mit unsern Bedürfnissen und Bestrebungen auf dem Gebiete der deutschen Politik. In der jetzigen Bundesverfassung fehlt für letztere jeder den preußischen Interessen entsprechende Anknüpfungspunkt. Durch sie ist das Bundesverhältniß eine Quelle nicht der Kräftigung, sondern der Lähmung der Macht und Bedeutung Preußens geworden. Die Möglichkeit und Sicherheit des Bundes beruht in der Hauptsache auf Preußen, während wir aus dem Bundesverhältniß kein Aequivalent ziehn, welches uns für die eigne Gebundenheit und für unsre vertragsmäßige Wehrlosigkeit gegen die Intriguen unsrer Gegner im Bunde entschädigen könnte. Im Kriegsfalle ist der Beistand Preußens für die übrigen Bundesgenossen entscheidend und zuverlässig; der ihrige für uns aber schwach und unsicher. Die kleinern Staaten werden, ohne aufrichtige und nachhaltige Hingebung für die gemeinschaftliche Sache, ihre sehr mäßigen Streitkräfte bei den unsrigen belassen, so lange uns keine militairischen Unfälle treffen; so bald aber letztere eintreten, wird die Bundestreue der minder mächtigen Dynastieen unsicher, ihre Bereitwilligkeit zu Separatverträgen mit dem Feinde wahrscheinlich werden. Von Oestreich ist anzunehmen, daß es mit uns verbündet sein wird, so oft die Interessen des Kaiserlichen Hauses es mit sich bringen, daß es aber, wenn letzteres nicht der Fall ist, zweifellos Mittel finden wird, sich dem Zwange zu entziehn, welchen der Buchstabe der Bundesacte auf die Entschließungen des Wiener Cabinets üben könnte. Schon jetzt wird es als etwas Natürliches behandelt, daß Oestreich selbst in einem Kriege, in welchem es aufrichtig unser Bundesgenosse sein würde, durch die Hülfsbedürftigkeit seiner italienischen und ungarisch-polnischen Länder verhindert

12. 62. werden könnte, für den Schutz des deutschen Bundesgebietes etwas Erhebliches zu thun, oder auch nur sein vertragsmäßiges Bundescontingent zu stellen.

Die Vortheile des Bundesverhältnisses für Preußen werden von allen antipreußischen Organen geflissentlich überschätzt und unser eignes deutsches Gefühl ist die Ursache, daß wir uns mit einiger Leichtigkeit einreden lassen, Preußen sei in seiner Existenz gefährdet, wenn es den in den Bundesverträgen begründeten theoretischen Anspruch auf den Beistand der übrigen deutschen Staaten aufgäbe.

Ich glaube umgekehrt nicht zu weit zu gehn, wenn ich behaupte, daß es eins der glücklichsten Ergebnisse für uns sein würde, wenn wir unsre Befreiung aus dem Netze der Bundesverträge erlangen könnten. Bestände der Bund nicht, so würden sich die naturgemäßen Beziehungen Preußens zu seinen minder mächtigen Nachbarn von selbst in der Weise gestaltet haben, wie die früheren Oestreichs zu den kleinen italienischen Staaten.

Die Ueberzeugung von der Richtigkeit dieser Ansicht ist bisher von allen Schattirungen der liberalen Parteien im Landtage und in der Presse vertreten, und sogar behauptet worden, daß der Bund oder doch der Bundestag gar nicht mehr zu Recht bestehe. Wenn in jüngster Zeit die Oppositionspresse gegen die Königliche Regirung für den Bund, und sogar in einer ehrvergessenen Weise für die preußenfeindlichen Bestrebungen der Würzburger Partei nimmt, und dabei offenbar nach einem gemeinschaftlichen Plane von dem Centralcomitee der Fortschrittspartei geleitet wird, so liegt in diesen unpatriotischen Bestrebungen unsrer Gegner nur ein neuer Fingerzeig für die Richtigkeit der aufgestellten Ansicht. Die revolutionäre Partei fürchtet sich davor, daß von Königlicher und conservativer Seite das, auch von ihr erkannte politische Bedürfniß einer würdigeren Gestaltung der Beziehungen Preußens zu Deutschland befriedigt werden könne. Sie sieht vorher, daß das Vorgehn der Regirung nach dieser Richtung dem preußischen Nationalgefühl eine Anregung geben, und Spaltung in das Lager der Opposition bringen werde. Sie will sich selbst die Operationen auf diesem günstigen Terrain vorbehalten.

Wenn Preußen seit Friedrich Wilhelm I. bis zum Jahre 1815 25. 12.
ein unzweifelhaft stärkeres Gewicht in die Wagschale europäischer Fragen legte als jetzt, so kann ich diese Erscheinung nicht ausschließlich der Persönlichkeit Friedrichs des Großen zuschreiben, sondern suche ihre Ursache vornehmlich in dem Umstande, daß die Gebundenheit Preußens durch die Bundesverträge, und sein theilweises Aufgehn in einer von Oestreich und andern Gegnern geleiteten Bundestagspolitik, unsre Bedeutung als europäische Macht beeinträchtigt haben. Der Verband des Deutschen Reiches war viel zu locker, um eine analoge Wirkung zu üben. Eine andre Ursache der Verminderung unsres Einflusses nach Außen liegt in der vermehrten Abhängigkeit der Regirungsgewalt von parlamentarischen Reibungen, von der wechselnden öffentlichen Meinung, und von der verfassungsmäßig befestigten Beamtenrepublik im Staate. Diese Seite der Sache soll hier nicht erörtert werden.

Nicht zu bezweifeln ist, und alle preußischen Bestrebungen auf dem Gebiete deutscher Politik gehn stillschweigend von dieser Voraussetzung aus, daß das dem preußischen Staate innewohnende Gewicht, mag nun der Deutsche Bund fortbestehn oder nicht, nur neben und außer letzterem seine volle Schwerkraft verwerthen kann. Der Weg dazu ist durch den Zollverein angebahnt. Dieselbe Einrichtung, auf welcher das gemeinschaftliche Zollsystem der Vereinsstaaten beruht, würde auch unter den dermaligen Umständen die zweckmäßigste Unterlage für gemeinsame Behandlung der materiellen und schließlich auch der politischen Interessen der deutschen Staaten gewähren. Die Bestimmung des Zeitpunktes, wann ein Programm nach dieser Richtung hin offen aufgestellt werden soll, hängt von dem Ermessen Seiner Majestät des Königs ab. Lange können wir das Hervortreten damit, dem Verfahren der Oestreich-Würzburgischen Bundesmajorität gegenüber, nicht mehr aufschieben. Und selbst dann, wenn der Zollverein, wie bisher, nur zum Träger des Zollsystems bestimmt bliebe, könnten wir, wie schon erwähnt, ihn in seiner bisherigen Verfassung nicht beibehalten. Die vor zunehmenden Aenderungen würden, welches auch ihre specielle Gestaltung sein möchte, sich immer das Ziel stecken, Majori

12. 62. täts abstimmungen als verbindlich für die Minorität einzuführen, und eine Vertretung der vereinsstaatlichen Bevölkerung herzustellen, welcher die Aufgabe zufiele, die politischen Divergenzen der Regirungen zu vermitteln, und das Zustimmungsrecht sämmtlicher Landesvertretungen in den Einzelstaaten zu ersetzen.

Daß preußische Vorschläge dieser Art bei vielen Vereinsregirungen einen lebhaften Widerstand finden werden, ist vorauszusehn, und es liegt keine Wahrscheinlichkeit vor, daß dieser Widerstand anders und früher als durch den Ausschluß der Betheiligten aus dem von uns neu zu errichtenden Zollverein gebrochen werden wird. Selbst wenn einzelne der bisher dem französischen Vertrage widersprechenden Regirungen Neigung hätten, ihren Widerspruch vor 1866 fallen zu lassen, so würde dies immer unter der Voraussetzung geschehn, daß der Zollverein mit uns demnächst in derselben Gestalt wie bisher erneuert werde. Da wir diese Voraussetzung nicht erfüllen können, so ist auch keine Aussicht, den Handelsvertrag in der jetzigen Zollvereinsperiode zur Annahme zu bringen. Es könnte auch den Interessen keiner der Betheiligten entsprechen, irgend welche anderweite Rücksichten dem dürftigen Erfolge zu opfern, daß etwa von 1864 an der Handelsvertrag ins Leben träte, ohne daß die Fortdauer des damit geschaffenen Verhältnisses über den 1. Januar 1866 hinaus an Wahrscheinlichkeit gewönne.

Ich glaube hiernach annehmen zu können, daß unsre Thätigkeit wesentlich darauf gerichtet sein muß, die Verwirklichung unsrer Absichten für die Zeit vom 1. Jannar 1866 an nach Möglichkeit sicher zu stellen, ohne uns durch die Rücksicht auf Scheinerfolge für die Zwischenzeit irre machen zu lassen. Diese Zwischenzeit wird mit diplomatischen Kämpfen über die Gestaltung der auf 1865 folgenden Zukunft unter allen Umständen ansgefüllt sein. In diesen Kämpfen wird Preußens Stellung in dem Maße stark sein, als unser Vertragsverhältniß zu Frankreich für die Dauer gesichert und unumstößlich erscheint.

Das Handelssystem, welches durch die Verträge Frankreichs mit England, Belgien, Preußen und der Schweiz geschaffen wird,

hat eine Bedeutung, welche es der Mehrzahl der Zollvereins- 25. 12.
staaten für die Dauer fast unmöglich macht, demselben ihrerseits nicht anzugehören. Wird nun durch den definitiven Abschluß des Vertrags zwischen Preußen und Frankreich eine Lage geschaffen, vermöge welcher der Zollanschluß an Preußen die alleinige Thür bildet, durch welche die dazwischen liegenden deutschen Staaten dem Gesammtsysteme beitreten können, so sind wir in einer sehr günstigen Lage, um jene Staaten zur Annahme unsrer Bedingungen für die Erneuerung des Zollvereins zu vermögen.

Einige der mittelstaatlichen Regirungen haben bereits versucht, directe Verhandlungen mit Frankreich anzuknüpfen, auf welche letzteres nicht eingegangen ist.

Frankreich macht uns jetzt, in Anknüpfung an den von uns angeregten Additionalvertrag, den Vorschlag, schon jetzt die definitive Verpflichtung zur Einführung der Verträge vom 2. August gegenseitig zu übernehmen. Wenn wir diesen Vorschlag ablehnen, so geben wir damit einen unzweideutigen Beweis, daß die Entschiedenheit, mit welcher wir öffentlich behaupten, an dem Handelsvertrage festzuhalten, und den Zollverein nur mit denen fortzusetzen, welche ein Gleiches thun, keine so unbedingte ist, wie wir glauben zu machen wünschen. Wir würden damit gleichzeitig der französischen Regirung einen Anlaß geben, der Festigkeit unsrer Entschließungen zu mißtrauen, und sich den Weg zu directen Verhandlungen mit den andern Zollvereinsstaaten offen zu halten. Die letztern werden in ihrem Widerstande gegen uns bestärkt, wenn irgend ein Zeichen von Unentschiedenheit in unsern Entschlüssen zu ihrer Kenntniß gelangt; sie werden in ihren Hoffnungen auf Ersatz aber irre werden müssen, wenn unser Verhältniß zu Frankreich durch definitiven Abschluß sicher gestellt wird.

Ich halte hiernach die Annahme des von Frankreich vorgeschlagenen Zusatzes zu dem Additionalvertrage nicht nur für unbedenklich, sondern für einen wesentlichen Vortheil.

Fraglich ist mir nur, ob es sich nicht empfiehlt, von Frankreich in einem Separatartikel die Zusicherung zu verlangen, daß Frankreich directe Handelsverträge mit den bisherigen Zoll-

12\. 62. vereinsstaaten, so lange die Verträge vom 2. August zwischen uns in Kraft sind, nicht abschließen darf.

Nr. 15.

Bismarck an König Wilhelm.

Preßverordnung.

Aus dem Bericht des Staatsministeriums an Se. Majestät den König.

Berlin, den 1. Juni 1863.

6\. 63. Das Staatsministerium hält es unter den gegenwärtigen Verhältnissen für die dringende und unerläßliche Aufgabe der Staatsregirung, ihrerseits auf jede Weise dahin zu wirken, daß die leidenschaftliche und unnatürliche Aufregung, welche in den letzten Jahren in Folge des Parteitreibens die Gemüther ergriffen hat, einer ruhigeren und unbefangeneren Stimmung weiche. Hierzu scheint vor Allem erforderlich, daß der aufregenden und verwirrenden Einwirkung der Tagespresse kräftig und wirksam entgegengetreten werde.

Die Erfahrung der jüngsten Zeit hat von Neuem überzeugend dargethan, daß die durch das Preßgesetz vom 12. Mai 1851 lediglich in die Hand der Gerichte gelegte Einwirkung hierzu nicht ausreicht.

Je mehr die Staatsregirung sich genöthigt sah, den unberechtigten und übertriebenen Erwartungen und Forderungen der Parteien Widerstand zu leisten, desto leidenschaftlicher und rückhaltloser mißbrauchte ein Theil der Presse die derselben gewährte Freiheit zur heftigsten und selbst gehässigsten Opposition gegen die Regirung Ew. Königlichen Majestät und zur Untergrabung aller Grundlagen eines geordneten Staatswesens, sowie der Religion und der Sittlichkeit. An der beklagenswerthen Verwirrung der Gemüther, welcher die jetzige Lage der Staatsverhältnisse zuzuschreiben ist, trägt unzweifelhaft die völlig ungezügelte Einwirkung der Presse einen großen Theil der Schuld.

1. 6. 63

Die positive Einwirkung gegen die Einflüsse derselben vermittelst der conservativen Presse kann schon deshalb den wünschenswerthen Erfolg nur theilweise haben, weil die meisten der oppositionellen Organe durch eine langjährige Gewöhnung des Publikums und durch die industrielle Seite der betreffenden Unternehmungen eine Verbreitung besitzen, welche nicht leicht zu bekämpfen ist.

Die Einwirkung der Justizbehörden aber auf Grund des Preßgesetzes vom 12. Mai 1851 und des Strafgesetzbuches hat sich als unzureichend erwiesen, um die Ausschreitungen der Presse erfolgreich zu hindern. Der Kampf wird Seitens der Letzteren zum Theil auf eine Weise geführt, bei welcher die Remedur durch die Rechtspflege kaum möglich ist. Die gehässigsten Angriffe und Insinuationen gegen die Staatsregirung, ja gegen die Kroue selbst, werden mit Vorbedacht so gefaßt, daß sie zwar für Jedermann leicht verständlich, auch für die große Masse des Volkes zugänglich und von verderblichster Wirkung sind, ohne jedoch jederzeit den Thatbestand einer strafbaren Handlung, wie ihn der Richter seiner Rechtsprechung zu Grunde legen muß, nachweisbar darzustellen. Oft auch bieten ganze Artikel für sich nicht die Handhabe zur gerichtlichen Verfolgung, während doch der Zusammenhang derselben mit der ganzen sonstigen Haltung des Blattes die klare Ueberzeugung von der verwerflichen und staatsgefährlichen Absicht gewährt. Es existirt eine Anzahl gerade in den untern Schichten der Bevölkerung viel gelesener Blätter, welche auf solche Weise täglich die verderblichsten Auffassungen und Darstellungen verbreiten und augenfällig einen vergiftenden Einfluß auf die öffentliche Stimmung und die Sittlichkeit des Volkes üben.

Gegen diese gefährliche Einwirkung der Presse kann eine Remedur nur eintreten, wenn neben der gerichtlichen Verfolgung einzelner straffälliger Kundgebungen ein Blatt auch wegen seiner Gesammthaltung zur Rechenschaft gezogen werden kann, wenn der Staatsregirung die Möglichkeit gegeben wird, der sichtlich und fortdauernd verderblichen Haltung eines Blattes ein Ziel zu setzen.

Als Kriterien einer solchen Haltung sind ausdrücklich die=

1. 6. 63. selben Ausschreitungen angenommen, welche nach dem Strafgesetzbuch ein gerichtliches Einschreiten begründen, nur eben mit dem Unterschiede, daß letzteres auf die einzelnen Aeußerungen gerichtet ist, in welchen ein bestimmter Thatbestand vorliegt, während bei dem administrativen Verfahren das Vorhandensein der Ausschreitung nach den im Strafgesetz erwähnten Richtungen aus der Gesammthaltung des Blattes, und zwar aus seiner dauernden Gesammthaltung während einer längeren Zeit entnommen werden soll.

Das Staatsministerium verkennt nicht die Bedeutung der in Rede stehenden Verordnung gegenüber den bisherigen Bestimmungen über die gesetzliche Regelung der Preßfreiheit.

Dasselbe ist aber zugleich überzeugt, daß die Staatsregirung zur Ergreifung derartiger Maßregeln behufs Aufrechterhaltung der öffentlichen Sicherheit nicht blos durch Artikel 27 und 63 der Verfassungsurkunde vom 31. Januar 1850 unzweifelhaft berechtigt ist, sondern daß durch die Einführung der beabsichtigten Verordnung auch der freien Meinungsäußerung, welche die Verfassung gewährleisten will, in Wahrheit kein Eintrag geschieht.

Indem den verwerflichen Ausschreitungen einer zügellosen Presse Einhalt gethan wird, wird die Preßfreiheit selbst auf den Boden der Sittlichkeit und der Selbstachtung zurückgeführt werden, auf welchem allein sie gedeihen und sich dauernd befestigen kann.

Nr. 16.

Bericht an König Wilhelm.

Berlin, 15. September 1863.

9. 63. Euer Majestät Allerhöchsten Befehlen entsprechend, beehrt sich das Staatsministerium, über die von der Kaiserl. Oestreichischen Regirung angeregte Bundesreformfrage in Nachstehendem unterthänigst zu berichten.

Die erste Anregung zu einer dem nationalen Bedürfniß entsprechenden Ausbildung der Bundesverfassung ist von Preußen ausgegangen, ehe die Ereignisse von 1848 hereinbrachen. Die 15. 9. ernsten Erfahrungen, die darauf gefolgt sind, haben weder in den Regenten, noch in dem Volke Preußens das Bestreben vermindert, dem berechtigten Verlangen nach Verbesserung der bestehenden Einrichtungen Befriedigung zu verschaffen; aber sie haben die Schwierigkeiten richtiger erkennen lassen und heilsame Lehren gegeben, die zur Vorsicht mahnen müssen in einer großen Sache. Sie haben auch gezeigt, daß es nicht wohlgethan ist, das vorhandene Maß des Guten zu unterschätzen, und das Vertrauen auf bestehende Institutionen zu untergraben, ja diese selbst zu erschüttern, ehe das Bessere mit Sicherheit in Aussicht steht.

Diese Erwägungen ließen es Ew. Majestät als geboten erscheinen, in Zeiten, welche jedem Theilnehmer des Bundes den Muth der äußern und innern Sicherheit, die ihm derselbe bisher gewährte, besonders anschaulich machen, die wünschenswerthen Reformen nur mit sorgfältiger Schonung des vorhandenen Maßes von Einigkeit und von Vertrauen auf die Bürgschaften der bestehenden Bundesverträge anzustreben. Wir haben aus den uns von dem Minister der auswärtigen Angelegenheiten vorgelegten Actenstücken ersehen, daß dieselbe Vorsicht von andrer Seite nicht beobachtet, die Aenderung der Bundesverfassung vielmehr aus Gründen verlangt worden ist, deren Darlegung das Vertrauen auf den Werth und den Bestand der Bundesverträge schwer erschüttern und Zweifel an denselben hervorrufen mußte, welche noch heut der Widerlegung harren.

Um so dringender wäre zu wünschen gewesen, daß die Einleitung von Verhandlungen zur Verbesserung und Befestigung der so gelockerten Beziehungen auf Wegen erfolgt wäre, welche einen befriedigenden Abschluß mit möglichster Sicherheit in Aussicht stellten. Unter denselben lag ohne Zweifel der Versuch einer Verständigung Preußens und Oestreichs über die Grundzüge der zu machenden Vorschläge am nächsten, und konnte das Kaiserl. Oestreichische Cabinet einer bundesfreundlichen Aufnahme derselben von Seiten Eurer Majestät gewiß sein. Statt dessen ist von Oestreich einseitig die demnächst in Frankfurt vorgelegte Reformacte ausgearbeitet und über den Inhalt derselben Ew. Majestät am 3. August d. Js. so unvollständige Mittheilung

9. 63. gemacht worden, daß sich darauf ein Urtheil über die Tragweite der Vorschläge nicht begründen ließ. Nur die beabsichtigte Form der Verhandlung war klar und gab Ew. Majestät zu dem gerechten Bedenken Anlaß, welches Allerhöchstdieselben gegen das Beginnen des Werkes durch einen schleunig einzuberufenden Fürstencongreß in dem Schreiben vom 4. August dieses Jahres an Se. Majestät den Kaiser von Oestreich ausgesprochen haben.

Nicht wenige Tage einer unvorbereiteten Besprechung und nicht der edelste persönliche Wille der Fürsten konnten ein Werk zum Abschluß bringen, dessen Schwierigkeiten nicht allein in den verschiedenen persönlichen Ansichten, sondern in Verhältnissen liegen, welche tief im Wesen der deutschen Nation wurzeln und Jahrhunderte hindurch in wechselnden Formen sich immer von Neuem geltend gemacht haben.

Nichtsdestoweniger haben Ew. Majestät Ihre Bereitwilligkeit ausgesprochen, im Interesse eines so großen Werkes auch auf einen ohne Preußens Mitwirkung vorbereiteten Versuch desselben einzugehen, und den Aufschub der vorgeschlagnen Fürstenversammlung bis zum 1. October d. Js. verlangt, ein Aufschub, welcher neben wesentlichen, außerhalb der Sache liegenden Hindernissen der Betheiligung Ew. Majestät durch die für einen Congreß zahlreicher Souveraine nothwendigen geschäftlichen Vorbereitungen bedingt war. Wenn ungeachtet dieses Entgegenkommens Ew. Majestät und nachdem Allerhöchstdero wohlbegründete Weigerung, am 16. August dieses Jahres in Frankfurt zu erscheinen, dem Kaiserl. Oestreichischen Cabinette bekannt war, die Einladung zu diesem Tage dennoch unter einem der ersten Mittheilung an Ew. Majestät vorhergehenden Datum an alle Genossen des Bundes erlassen wurde, so können wir uns des Eindrucks nicht erwehren, als ob dem Kaiserl. Oestreichischen Cabinette von Hause aus nicht die Betheiligung Preußens an dem gemeinsamen Werke, sondern die Verwirklichung des Separatbündnisses als Ziel vorgeschwebt habe, welches schon in der ersten an Ew. Majestät gelangten Mittheilung vom 3. August für den Fall in Aussicht genommen wurde, daß Preußen sich den Anträgen Oestreichs nicht anschließen werde.

Die letzteren sind auch bis zum heutigen Tage nicht amtlich

zur Kenntniß der Königlichen Regirung gelangt, dagegen ist 15. 9. 6
Ew. Majestät durch das von einem Theile der in Frankfurt a. M. versammelt gewesenen Fürsten und den Vertretern der Freien Städte an Allerhöchstdieselben gerichtete Schreiben vom 1. September dieses Jahres das von den hohen und höchsten Unterzeichnern dieses Schreibens bedingungsweise angenommene Ergebniß der Frankfurter Verhandlungen mitgetheilt worden.

Der vorliegende Entwurf löst diese Schwierigkeit durch den einfachen Mechanismus einer Mehrheits-Abstimmung im Schooße des Directoriums und durch eine Erweiterung des Bundeszweckes bis zu dem Maße, daß die Politik jeder dieser beiden Mächte in der durch das Centralorgan des Bundes zu bestimmenden Gesammtpolitik des letztern aufzugehn habe. In der Theorie ist diese Lösung eine leichte, in der Praxis ist ihre Durchführung unmöglich und trägt den Keim der Voraussetzung in sich, daß das neue Bundesverhältniß in vergleichungsweise kürzerer Zeit als das alte, um uns der Worte des Kaiserlich Oestreichischen Promemoria zu bedienen, den Eindruck von Resten einer wankend gewordenen Rechtsordnung machen werde, welcher der bloße Wunsch, daß die morschen Wände den nächsten Sturm noch anshalten mögen, die nöthige Festigkeit nimmermehr zurückgeben könnte.

Um einer beklagenswerthen Eventualität vorzubeugen, erscheint es uns unerläßlich, daß der Bund durch eigne Action in die Beziehungen der europäischen Politik nur mit dem Einverständnisse der beiden Großmächte eingreife, und daß jeder der Letztern ein Veto mindestens gegen Kriegserklärungen, so lange nicht das Bundesgebiet angegriffen ist, zustehe.

Dieses Veto ist für die Sicherheit Deutschlands selbst unentbehrlich. Ohne dasselbe würde je nach den Umständen die eine oder die andre der beiden Großmächte in die Lage kommen, sich der andern durch eine Majorität weniger Stimmen verstärkten, ja selbst mit der andern zusammen, sich der Majorität dieser Stimmen unterwerfen zu sollen — und doch der Natur der Dinge nach, und ihrer eignen Existenz halber, sich nicht unterwerfen zu können. Man kann sich einen solchen Zustand auf die Dauer nicht als möglich denken. Es können Institutionen

9. 63. weder haltbar sein noch jemals werden, welche, das Unmöglichste von Preußen oder Oestreich fordernd — nämlich, sich fremden Interessen dienstbar zu machen —, den Keim der Spaltung unverkennbar in sich tragen. Nicht auf der gezwungnen, oder geforderten, und doch nicht zu erzwingenden Unterordnung der einen Macht unter die andre, sondern auf ihrer Einigkeit beruht die Kraft und die Sicherheit Deutschlands. Jeder Versuch, eine große politische Maßregel gegen den Willen der einen oder der andern durchzusetzen, wird uns sofort die Macht der normalen Verhältnisse und Gegensätze zur Wirksamkeit hervorrufen.

Es wäre eine verhängnißvolle Selbsttäuschung, wenn Preußen zu Gunsten einer scheinbaren Einheit Beschränkungen seiner Selbstbestimmung sich im Voraus auflegen wollte, welche es im gegebenen Falle thatsächlich zu ertragen nicht im Stande wäre.

Der Anspruch jeder der beiden Großmächte auf ein derartiges Veto ist um so weniger ein unbilliger zu nennen, als die Berechtigung, eine Kriegserklärung zu hindern, verfassungsmäßig jeder Minorität beiwohnt, welche $^1/_3$ der Stimmen auch nur um eins übersteigt, ein solches Dritttheil aber, sobald ihm keine der beiden Großmächte angehört, niemals eine Bevölkerung repräsentiren kann, welche der der preußischen oder östreichischen Bundesländer gleichkäme. Die vier Königreiche, Baden und beide Hessen bilden zusammen das an Volkszahl stärkste Dritttheil der Plenarstimmen, welches sich ohne Bethätigung einer der Großmächte combiniren läßt; sie haben zusammen 12 916 000 Einwohner und 25 Stimmen im Plenum, also 3 über $^1/_3$. Es bestehn 23 Stimmen im Plenum, welche zusammen nur 2 400 000 Einwohner ihrer Staaten vertreten, und jeder Kriegserklärung ihr gemeinsames Veto entgegensetzen können. Um wie viel mehr hat Preußen, mit einer Bevölkerung von $14^1/_2$ Millionen im Bunde, auf dasselbe Recht Anspruch.

Aber nicht blos da, wo es auf Verhütung von Unternehmungen ankommt, durch welche die Festigkeit des gemeinsamen Bundes in Frage gestellt werden kann, sondern auch in Betreff der Betheiligung an der regelmäßigen Thätigkeit des Bundes erscheint es nothwendig, daß die Formen der Bundesverfassung den Ausdruck der wirklichen Verhältnisse und Thatsachen seien. 15. 9. 6

Preußen ist als deutsche Macht nicht nur Oestreich ebenbürtig, sondern es hat innerhalb des Bundes die größere Volkszahl. Die formale Gleichstellung Preußens und Oestreichs ist daher schon zu verschiedenen Epochen Gegenstand der Verhandlungen gewesen, und bei Gründung der provisorischen Bundes-Central-Commission, in Folge der Uebereinkunft vom 30. September 1849, haben beide deutsche Großmächte in völlig gleicher Stellung die Ausübung der Centralgewalt für den Deutschen Bund, Namens sämmtlicher Bundes-Regirungen, übernommen. Auf dem Gebiete, in welchem bisher die Competenz des Bundes sich bewegte, steht der Vorsitz dem Kaiserlich Oestreichischen Hofe vertragsmäßig in Form der geschäftlichen Leitung der Bundesversammlung zu. Die neu zu schaffenden Institutionen aber auf dem Gebiete umfassender Erweiterungen der Attribute und Befugnisse des Bundes, und für Organe, welche den Bund wesentlich nach Außen zu vertreten bestimmt sind, kann Preußen eine bevorzugte Stellung Oestreichs nicht zulassen, sondern erhebt den Anspruch auf eine vollkommene Gleichheit.

Daß es sich in dem Reform-Entwurfe, ungeachtet der Bezeichnung des Vorsitzes als einer nur formalen Leitung der Geschäfte, nicht um eine wesentliche Aeußerlichkeit handelt, wird um so mehr einleuchten, wenn man sich erinnert, daß selbst unter den alten Verhältnissen Preußen sich gegen eine ungerechtfertigte Ausdehnung der Bedeutung des Präsidialrechts hat verwahren müssen, welche dasselbe zu einem wesentlich politischen Vorrecht Oestreichs und zu einem charakteristischen Ausdruck der deutschen Einheit stempeln wollte.

Nach solcher Erfahrung würde die preußische Regirung nicht der Verständigung ein erlaubtes Opfer — und zwar ein Opfer an Oestreich, nicht an Deutschland — bringen, sondern ein Unrecht am eignen Lande begehn, wenn sie bei erweiterter Competenz des Bundes und bei erhöhter Bedeutung der dem Präsidium vorbehaltenen diplomatischen Beziehungen nach Außen auf den Anspruch der Gleichstellung verzichtete.

Indem wir Ew. Majestät die Parität Preußens mit

5. 9. 63. Oestreich und die Beilegung eines Veto in den oben bezeichneten Grenzen als unsers allerunterthänigsten Dafürhaltens nothwendige Vorbedingung der Zustimmung zu einer Erweiterung des Bundeszweckes und der Competenz der Bundes-Centralbehörde bezeichnen, verkennen wir nicht, daß damit die Aufgabe einer Vermittlung der divergirenden dynastischen Interessen behufs Erleichterung der einheitlichen Action des Bundes nicht gelöst wird. Den Streit derselben durch die Majoritäts-Abstimmungen der im Directorium vertretenen Regirungen kurzer Hand zu entscheiden, scheint uns weder gerecht noch politisch annehmbar. Das Element, welches berufen ist, die Sonder-Interessen der einzelnen Staaten im Interesse der Gesammtheit Deutschlands zur Einheit zu vermitteln, wird wesentlich nur in der Vertretung der deutschen Nation gefunden werden können. Um die Institution der letztern in diesem Sinne zu einer fruchtbringenden zu machen, wird es nothwendig sein, sie mit entsprechenderen Attributionen auszustatten, als dies nach dem Frankfurter Entwurf der Fall sein soll, und ihre Zusammensetzung so zu regeln, daß die Bedeutung eines jeden Bundeslandes den seiner Wichtigkeit angemessenen Ausdruck darin finde.

Die ausgedehnten Befugnisse, welche in der Reformacte dem aus wenigen und ungleichen Stimmen zusammengesetzten Directorium, mit und ohne Beirath des Bundesrathes, gegeben werden; die unvollkommene und den wirklichen Verhältnissen nicht entsprechende Bildung der an Stelle einer National-Vertretung vorgeschlagnen „Versammlung von Bundes-Abgeordneten", welche durch ihren Ursprung auf die Vertretung von Particular-Interessen, nicht von deutschen Interessen hingewiesen ist, und die auf einen kleinen Kreis verhältnißmäßig untergeordneter Gegenstände beschränkte und demnach vage und unbestimmte Befugniß auch dieser Versammlung — lassen jede Bürgschaft dafür vermissen, daß in der beabsichtigten neuen Organisation des Bundes die wahren Interessen und Bedürfnisse der deutschen Nation und nicht particularistische Bestrebungen zur Geltung kommen werden.

Diese Bürgschaft kann Ew. Majestät Staats-Ministerium nur in einer wahren, aus directer Betheiligung der ganzen Nation hervorgehenden National-Vertretung finden. Nur eine solche Vertretung wird für Preußen die Sicherheit gewähren, daß es nichts zu opfern hat, was nicht dem ganzen Deutschland zu Gute komme. Kein noch so künstlich ausgedachter Mechanismus von Bundesbehörden kann das Spiel und Widerspiel dynastischer und particularistischer Interessen ausschließen, welches sein Gegengewicht und sein Correctiv in der National-Vertretung finden muß. In einer Versammlung, die aus dem ganzen Deutschland nach dem Maßstab der Bevölkerung durch directe Wahlen hervorgeht, wird der Schwerpunkt, so wenig wie außer Deutschland, so auch nie in einen einzelnen, von dem Ganzen sich innerlich loslösenden Theil fallen; darum kann Preußen mit Vertrauen in sie eintreten. Die Interessen und Bedürfnisse des preußischen Volkes sind wesentlich und unzertrennlich identisch mit denen des deutschen Volkes; wo dies Element zu seiner wahren Bedeutung und Geltung kommt, wird Preußen niemals befürchten dürfen, in eine seinen eignen Interessen widerstrebende Politik hineingezogen zu werden eine Befürchtung, die doppelt gerechtfertigt ist, wenn neben einem Organismus, in welchem der Schwerpunkt außerhalb Preußens fällt, die widerstrebenden particularistischen Elemente principiell in die Bildung einer Volksvertretung hineingebracht werden.

15. 9. 6

Wir haben uns erlaubt, im Vorstehenden nur die wesentlichsten Mängel hervorzuheben, ohne deren Beseitigung, unsers allerunterthänigsten Dafürhaltens, eine Bundesreform der vorgeschlagenen Art für Preußen nicht annehmbar ist. Auch halten wir eine Kritik der Einzelheiten des vorliegenden Entwurfs für unfruchtbar, so lange eine Verständigung über jene Hauptpunkte nicht erreicht ist. Wir stellen deshalb Ew. Majestät allerunterthänigst anheim, über die letztern zunächst mit Allerhöchstdero Bundesgenossen in Unterhandlung zu treten und, sobald Ew. Majestät der Geneigtheit begegnen, auf die vorstehend angedeuteten Grundlagen einzugehn, die Kaiserlich Oestreichische Regirung zu ersuchen, in Gemeinschaft mit Ew. Majestät Regirung Ministerial-Conferenzen zu anderweiter Feststellung eines demnächst den deutschen Fürsten und Freien Städten zur Genehmi-

9. 63. gung vorzulegenden Reformplanes zu berufen. Von dem Beschlusse der deutschen Souveraine wird es alsdann abhängen, ob sie über dasjenige, was sie der Nation darzubieten beabsichtigen, die Aeußerung der letztern selbst durch das Organ gewählter Vertreter vornehmen, oder ohne deren Mitwirkung die verfassungsmäßige Einwilligung der Landtage jedes einzelnen Staates herbeizuführen versuchen wollen.

Für Ew. Majestät Regirung wird der nahe bevorstehende Zusammentritt des Landtages die Gelegenheit darbieten, die Auffassung der preußischen Landesvertretung in Betreff des Inhalts der vorliegenden Reformacte und der von der Königlichen Regirung derselben gegenüber vertretenen Grundsätze kennen zu lernen, und wie wir nicht zweifeln, werden die Kundgebungen der preußischen Landesvertretung schon jetzt mit Bestimmtheit erkennen lassen, daß nur solche Aenderungen der bestehenden Bundesverträge auf ihre demnächstige verfassungsmäßige Zustimmung zu rechnen haben, vermöge deren die Würde und die Machtstellung Preußens und die Interessen der gesammten deutschen Nation in gleichem Maße ihre Berücksichtigung finden. Das preußische Volk bildet einen so wesentlichen Bestandtheil des deutschen und ist in seinen Bedürfnissen und Interessen, wie in seinen Wünschen und Gesinnungen, mit der Gesammtheit der deutschen Nation so innig verwachsen, daß die Stimme des preußischen Landtages die bisher fehlenden Anhaltspunkte für die Beurtheilung der Aufnahme der beabsichtigten Institutionen von Seiten des deutschen Volkes gewähren wird.

Nr. 17.

König Wilhelm an Bismarck.

Babelsberg, den 7. November 1863.

11. 63. Anliegend sende ich Ihnen meine Antwort an meinen Sohn den Kronprinzen auf sein Memoir vom September. Zur besseren Orientirung sende ich Ihnen das Memoir wiederum mit, sowie Ihre Notizen, die ich bei meiner Antwort benutzte.

Nr. 18.

Bismarck an König Wilhelm.

Aus einer Denkschrift über die schleswig-holsteinsche Frage.

(Berlin, December 1863.)

Wir können, wenn die Dänische Verfassung am 1. Jannar in Kraft tritt, nicht unthätig bleiben. Es bieten sich in diesem Falle drei Wege. Auf dem ersten würde man sich nach der Forderung der öffentlichen Meinung von dem Londoner Vertrage lossagen, und mit gesammter Heeresmacht in Schleswig einbrechen. Das wäre offener Krieg, und zwar Bundeskrieg, und lediglich der Ausgang des Kampfes entschiede über das Schicksal der Herzogthümer; aber allerdings würden wir dabei mit den Großmächten und insbesondere mit England in gefährliche Spannung gerathen.

Dec. 63

Der zweite Weg bestünde in der Lossagung vom Londoner Protocoll ohne den Beginn einer kriegerischen Action. Dann möchte der Bund Entschluß über die Erbfolgefrage fassen, und wenn er für Augustenburg entschiede, den Prinzen im Bundeslande Holstein einsetzen. Aber Schleswig bliebe dann besitzlos, denn hier haben wir kein andres Recht der Einmischung als aus den Verträgen von 1852, die mit unsrer Lossagung vom Londoner Protocoll unsrerseits zerrissen wären. Zur Prüfung des Erbrechts auf Schleswig wäre der Bund incompetent, und wäre auch Augustenburgs Anrecht unbestreitbar, so wäre immer der Bund nicht verpflichtet, einem deutschen Fürsten ein außerdeutsches Land zu erobern; sonst hätte er Neuenburg für Preußen, Toscana für Oestreich behaupten müssen. Dieser Weg würde also nur bis zur Eider führen, wenn man nicht einfach eine von allen Mächten als rechtlose Aggression ausgelegte Erklärung der Eroberung zu Hülfe nähme. Wir würden Holstein von Dänemark abreißen, was vielleicht ohne Kampf durch bloße Unterhandlung erreichbar wäre, und Schleswig, das rechte Object des Dänisirungseifers, Preis geben. England würde auf solcher Basis sich nie an einer Conferenz betheiligen.

Bleibt der dritte Weg. Oesterreich und Preußen äußern

Dec. 63. sich gar nicht über den Londoner Vertrag, sondern gehn zur Action über, um die Erfüllung der dänischen Verpflichtungen von 1852 zu erzwingen. Also am 1. Jannar ein Ultimatum dieses Sinnes, vom Bunde, oder wenn dieser nicht will, von beiden Mächten, oder auch gar kein Ultimatum, und sofortiges Einrücken, um das Streitobject, dessen Dänemark sich eben bemächtigen will, dem Gegner zu entziehn. Das wäre Krieg mit Dänemark, welcher dann rasch und energisch zu führen wäre; die andern Mächte hätten dabei keinen Titel zur Einmischung; höchstens Schweden käme vielleicht in das Feld. Unsre Stellung in der Conferenz würde durch den Besitz des Streitobjectes nicht ungünstiger werden.

Nr. 19.

König Wilhelm an Bismarck.

(Berlin, den 16. Jannar 1864.)

. 1. 64. Mein Sohn kam heute Abend noch zu mir, um mir die Bitte des Erbprinzen von Augustenburg vorzutragen, aus den Händen des Herrn Samwer ein Schreiben desselben entgegenzunehmen, und ob ich nicht dieserhalb seine Soirée besuchen wolle, wo ich ganz unbemerkt den pp. Samwer in einem abgelegenen Zimmer finden könne. Ich lehnte dies ab, bis ich den Brief des Prinzen gelesen haben würde, weshalb ich meinem Sohn aufgab, mir denselben zuzusenden. Dies ist geschehen und lege ich den Brief hier bei. Er enthält nichts Verfängliches außer am Schluß, wo er mich fragt, ob ich dem pp. S. nicht einige Hoffnung geben könne? Vielleicht könnten Sie mir eine Antwort morgen noch fertigen lassen, die ich dem pp. S. mitgeben kann. Weun ich ihn incognito bei meinem Sohne doch noch sehen wollte, so könnte ich ihm keine andere Hoffnung geben, als die, welche in der Punctation angedeutet sind, d. h., daß man nach dem Siege sehen würde, welche neuen Basen für die Zukunft aufzustellen wären, und den Ausspruch in F. a/M. über die Succession abzuwarten.

W.

Nr. 20.

König Wilhelm an Bismarck.

(Berlin, den 18. Januar 1864.)

Ich berichte Ihnen, daß ich mich doch entschloß, den Sammer bei meinem Sohn zu sehen etwa 6—10 Minuten in dessen Gegenwart. Ich sprach ihm ganz im Sinne der projectirten Antwort, aber noch etwas kühler und sehr ernst. Vor Allem sagte ich bestimmt, daß der Prinz keinesfalls nach Schleswig einfallen dürfe. 18. 1. 6

W.

Nr. 21.

Bismarck an König Wilhelm.

(Gastein, den 3. August 1864.)

Sodann berührte er[1]) die Zollfrage und sprach den Wunsch aus, daß Ew. Majestät doch nicht mit derselben Entschiedenheit wie bisher jede Verständigung ablehnen möchte. Diese Angelegenheit wird überhaupt hier mit großer Lebhaftigkeit aufgefaßt, und die Kaiserliche Regirung hat dabei das Verhältniß zum eignen Lande im Auge, und glaubt sich berechtigt, die im Jahre 1853 in Aussicht gestellten künftigen Verhandlungen noch jetzt zu fordern, obgleich dieselben im Jahre 1860 hätten stattfinden sollen, und damals von Oestreich selbst nicht angeregt worden sind. Ich habe Se. Majestät auf die materiellen Schwierigkeiten aufmerksam gemacht, indem ich zugleich den guten Willen der Regirung Ew. Majestät zu jeder materiell möglichen Verständigung als außer allem Zweifel hinstellte. 3. 8. 64

So viel ich hier habe bemerken können, wirkt in dieser Beziehung der Minister des Innern von Schmerling am ungünstig sten ein, und stützt sich dabei auf die Presse. Diese letztere ist hier schlimmer als ich mir vorgestellt hatte, und in der That noch schlimmer und von böserer Wirkung als die Preußische.

---

[1]) Der Kaiser von Oesterreich.

Nr. 22.

Bismarck an König Wilhelm.

Biarritz, 10. October 1864.

10. 64. Da sich eine sichre Gelegenheit nach Paris darbietet, so erlaube ich mir, meiner telegraphischen Antwort von gestern Abend Nachstehendes hinzuzufügen.

Wenn es sich um eine wirkliche materielle Concession handelte, die Oestreich uns dadurch abnöthigen wollte, daß man mit dem Abgange des Grafen Rechberg droht, so würde ich befürworten, dieselbe abzulehnen und es auf den Ministerwechsel ankommen zu lassen. Die Frage aber, ob an einem bestimmten Termine über die Zollvereinigung verhandelt werden soll, ohne daß ein Ergebniß dieser Verhandlungen nothwendig wäre, ist an sich und im Vergleich mit den großen politischen Interessen, welche unsre Allianz mit Oestreich hat, eine geringfügige; sie wird völlig nichtssagend, sobald der Artikel 31 des französischen Handelsvertrages festgehalten wird, nach welchem die Zolleinigung Oestreich nicht gewährt werden könnte, ohne zugleich auf Frankreich Anwendung zu finden. Sollte von uns bei dieser Gelegenheit eine Abänderung des französischen Vertrags gefordert werden, so geht mein Votum dahin, dieses Verlangen unbedingt abzulehnen, selbst wenn der Rücktritt des Grafen Rechberg die Folge davon wäre.

Ist es aber nur die Absicht, daß neben vollständiger Aufrechterhaltung des französischen Vertrags Verhandlungen über die alsdann unmögliche Zolleinigung in Aussicht genommen werden sollen, so fragt es sich, aus welchen Gründen man in Wien von einem so werthlosen Erfolge eine Ministerkrise abhängig machen will. Zunächst drängt sich mir die Vermuthung auf, daß in der uns gestellten Alternative ein Fühler liegt, um zu sehen, welchen Werth wir noch auf die französische Allianz legen. Da Graf Rechberg für den Träger des preußischen Bündnisses gilt, so würde man, wenn wir ihn mit Leichtigkeit fallen lassen, darin einen Beweis sehen, daß wir uns Frankreich so weit genähert haben, um Oestreichs nicht mehr zu bedürfen oder

doch, daß es in unsrer Absicht läge, diese Richtung einzuschlagen; 10. 10.
man würde dann vielleicht auch in Wien die Anlehnung an Frankreich versuchen, zu diesem Behufe sich zur Anerkennung Italiens entschließen und die Verständigung Englands mit Frankreich auf dieser Basis herbeizuführen bemüht sein. Die fortdauernde Gereiztheit der englischen Staatsmänner gegen uns, die lange Anwesenheit Lord Clarendons in Wien, bieten Anknüpfungspunkte für eine solche Vermuthung.

Erschiene dieser Plan als zu tief angelegt, um wahrscheinlich zu sein, so möchte ich glauben, daß es sich einfach um ein Manöver der Schmerlingschen Partei zur Beseitigung des Grafen Rechberg handelt. Schon in Wien war ich zu der Annahme berechtigt, daß gelegentlich einer Kaiserlichen Conseil-Sitzung der Grundsatz, daß Oestreich nicht hinter den Vertrag von 1853 zugedrängt werden dürfe, zu einer Cabinetsfrage für den Grafen Rechberg gemacht worden ist. Der Kaiser ist für die Presse empfänglich, die unter Schmerlings Leitung nie nachgelassen hat, die Zolleinigung als eine nationale Ehrensache und als Mittel gegen die finanziellen Schäden Oestreichs darzustellen.

Vielleicht ist es auf diesem Wege gelungen, nachdem der praktische Kern der Frage durch die Vollziehung unsrer Zollverträge beseitigt ist, den Kaiser an der formalen Außenseite der Sache festzuhalten und dieselbe noch jetzt zum Sturze des Grafen Rechberg auszubeuten. Mit diesem System würde die Vermuthung im Einklang stehn, zu welcher uns das Verhalten des Barons Hock bei Einleitung der Prager Verhandlungen Anlaß gab, nämlich die, daß derselbe im Interesse der Schmerlingschen Politik bemüht gewesen sei, diese Verhandlungen zum Nachtheile des Grafen Rechberg zu hindern oder scheitern zu lassen.

Selbst wenn die ganze Sache nur ein diplomatisches Manöver wäre, um die geforderte Concession bei uns durchzusetzen, so daß auch nach Ablehnung derselben Graf Rechberg ruhig im Amte bliebe, so würde Letzterer doch, nachdem er bei dieser Gelegenheit gesehen hätte, wie wohlfeil wir ihn fallen lassen, kein volles Vertrauen mehr zu der preußischen Allianz haben, welche bisher die Basis seiner Stellung im Kampfe gegen Schmerling bildete.

10. 64. Gewinnt die Schmerlingsche Politik in Wien die Oberhand, so müssen wir, außer dem Streben nach Anlehnung an die Westmächte, auf die Herstellung der intimeren Beziehungen zwischen Oestreich und den Mittelstaaten gefaßt sein; vermuthlich würde Oestreich alsdann in der Holsteinschen Sache mit Anträgen im mittelstaatlichen Sinne am Bunde vorgehn. In diesem Falle müßten wir unserm Abkommen mit dem Erbprinzen von Augustenburg vorher die möglichste Festigkeit geben. So lange unsre Interessen nicht vollständig sicher gestellt sind, würden wir den Besitz von Schleswig festzuhalten haben, um uns ein außerhalb des Bundes belegenes Pfand unsrer Ansprüche zu sichern; genommen kann uns dieses Pfand nicht werden, da Schleswig, abgesehn von allen europäischen Schwierigkeiten, nicht ohne Preußens Einwilligung Bundesland werden kann.

Immerhin aber entziehn sich die Folgen, welche ein äußerlich erkennbarer Bruch mit Oestreich haben würde, zu sehr der Berechnung, daß ich nicht dazu rathen sollte, der Erhaltung des bestehenden Verhältnisses das Opfer zu bringen, welches in der Zusage jener von Hause aus todtgebornen Verhandlungen über Zolleinigung liegen kann.

Nr. 23.

Bismarck an König Wilhelm.

Biarritz, 16. October 1864.

10. 64. Nachdem mir die auf die Zollverhandlungen mit Oestreich bezüglichen Schriftstücke zugegangen sind, erlaube ich mir zur Unterstützung der in meinem Bericht vom 10. d. Ms. entwickelten Auffassung noch Nachstehendes anzuführen.

Auf die Wünsche des Grafen Rechberg einzugehn, bringt für uns keine Art von Gefahr oder politischem Nachtheil mit sich; wir bleiben vollständig Herr unsrer Entschließungen, wenn wir nur Verhandlungen in Aussicht stellen, welche ohne unsre freiwillige

Zustimmung kein Ergebniß haben können. Die analoge Zusage 16. 10.
von 1853 hat uns keinen Nachtheil gebracht und die jetzt zu gebende wird es noch weniger können, da sie sich in folgenden Punkten von der früheren zu unserm Vortheil unterscheidet: Zunächst bildet sie nicht den Preis, für welchen wir die Erneuerung des Zollvereins und die Zustimmung Oestreichs zu derselben erkaufen, sondern der Zollverein ist bereits, ohne dieser Zustimmung zu bedürfen, erneuert worden, und wir geben durch die zu machende Concession dem Kaiser von Oestreich einen vollständig freiwilligen Beweis der bundesfreundlichen Gesinnungen, von welchen wir beseelt sind. — Es wird ferner nach den in Prag getroffenen Verabredungen diesmal zweifellos festgestellt werden, daß die Autonomie Preußens und die freie Bewegung seiner Handelspolitik durch die Verabredungen mit Oestreich in keiner Weise beschränkt werde. Endlich bietet der mit Frankreich abgeschloßne Handelsvertrag gegen alle uns unbequemen Bestrebungen Oestreichs eine feste Stellung, welche früher nicht vorhanden war. Nach dem Artikel 31 dieses Vertrags können wenigstens die außerdeutschen Landestheile Oestreichs in kein näheres Verhältniß zu dem Zollverein treten, als Frankreich, und Verhandlungen über eine Zolleinigung mit Gesammt-Oestreich würden nur unter Zuziehung Frankreichs und derjenigen Staaten, auf welche außerdem der Art. 31 Anwendung fände, mit Aussicht auf praktischen Erfolg geführt werden können. Wenn das Versprechen von 1853 mit Rücksicht hierauf in irgend einer Form erneuert wird, so vermag ich keinen politischen Nachtheil zu entdecken, welcher für uns daraus hervorgehen könnte. Selbst die Gegner der Regirung Ew. Majestät, welche in bewußter Weise bemüht sind, die Schwierigkeiten unsrer auswärtigen Politik zu vermehren, werden einen Nachtheil, der aus dem Versprechen, zu verhandeln, hervorgehn könnte, nachzuweisen außer Stande sein, und der ruhigen öffentlichen Meinung kann an sich ein schlechtes Verhältniß zu Oestreich nicht als nützlich oder auch nur als gleichgültig vorschweben.

Es ist möglich, daß unsre Beziehungen zu Oestreich auch durch eine Ablehnung der jetzigen Wünsche des Kaiserhofes nicht sofort in dem Maße getrübt werden, wie es den Anschein hat, und daß

10. 64. Graf Rechberg dennoch im Amte bleibt. Nachdem uns aber das Gegentheil hiervon in positiver und nach manchen anderweiten Anzeichen auch glaubwürdiger Weise erklärt worden ist, so wird unsre Ablehnung dem Kaiser und dem Grafen Rechberg immer den Eindruck machen, daß wir uns mit großer Leichtigkeit zum Fallenlassen des östreichischen Bündnisses entschließen und die Erhaltung des letztern nicht einmal durch eine für uns selbst bedeutungslose Concession erlaufen mögen.

Diese Erfahrung wird von Herrn von Schmerling und seiner Partei ohne Zweifel benutzt werden, um den Kaiser zu bestimmen, daß er sich bei Zeiten auf den Eintritt ungünstigerer Beziehungen zu Preußen einrichte und vorsehe, und namentlich seinen Verhältnissen zu den deutschen Mittelstaaten und zu Frankreich die diesem Zweck entsprechende Richtung gebe. Eine derartige Wendung der öffentlichen Politik wird früher oder später vielleicht ohnehin eintreten, und wir werden ihr alsdann mit den entsprechenden Mitteln begegnen müssen, nicht aber sie leichtsinnig fördern.

In dem Bestreben, Preußen um möglichst alle, auch um die indirekten Früchte unsrer Siege zu bringen, wird Oestreich an fast allen europäischen Höfen bereitwillige Helfer finden. Diesen Weg zu gehn, wird Oestreich vielleicht durch die Erwägung abgehalten, daß es in auswärtigen Verwickelungen der Hülfe bedürfen könne, welche unser Bündniß dem Kaiser sichert. Wird nun jetzt der Beweis geliefert, daß dieses Bündniß ein lockeres sei, indem wir keinen Anstand nehmen, den notorischen Vertreter desselben, den Grafen Rechberg, fallen zu lassen, während wir ihn ohne ein wirkliches Opfer von unsrer Seite halten könnten, so steht zu vermuthen, daß das Kaiserliche Cabinet lieber versuchen werde, die Gefahren, welche Oestreich bedrohen könnten, durch Nachgiebigkeit gegen andre Mächte zu vermeiden, als es darauf ankommen zu lassen, ob Preußen den nöthigen Beistand vorkommenden Falls wirksam leisten werde. Schwindet bei dem Kaiser das Vertrauen auf Preußen, so werden die Rathschläge des Herrn von Schmerling die Oberhand gewinnen. In den Bestrebungen dieses Staatsmannes liegt die Verbindung Oestreichs mit den beiden Westmächten, wie sie zur Zeit der polnischen Frage vorübergehend zu bestehen schien. Der nächste

Schritt würde in der Anerkennung Italiens durch Oestreich 16. 10.
liegen, und Herr von Schmerling befürwortet ihn schon jetzt.
Demnächst würde die schleswig-holsteinsche Frage, d. h. der möglichst vollständige Ausschluß Preußens von irgend welchem Vortheil in den Herzogthümern, das Feld sein, auf welchem Oestreich sich mit den Westmächten zu verständigen suchen würde. Daß die Bestrebungen Oestreichs in dieser Richtung bei der Majorität des Bundes und bei den Mittelstaaten Anklang finden würden, dürfte nicht zweifelhaft sein. Wenn sich auch die angedeutete Richtung der östreichischen Politik unter der Leitung Schmerlings nur als eine wahrscheinliche bezeichnen läßt, und wenn es auch fraglich bleibt, ob dieselbe, namentlich in Paris, von Erfolg begleitet sein würde, so stehen doch die Unbequemlichkeiten und Gefahren, welche uns aus diesen Eventualitäten erwachsen können, in einem großen Mißverhältnisse zu der Geringfügigkeit der Concession, welche von uns verlangt wird. Ich würde keinen Augenblick zweifelhaft sein, bei Ew. Majestät ebenso entschieden als ehrfurchtsvoll die Zurückweisung der östreichischen Zumuthungen zu beantragen, sobald dieselben eine solche Gestalt annehmen, daß unsre Zustimmung eine Aenderung oder eine Verzögerung der Ausführung der französischen Verträge mit sich brächte; ich kann im Gegentheil nur befürworten, daß unsre Bemühungen bei den Verhandlungen mit den Vereinsstaaten dahin gerichtet werden, die Verträge mit Frankreich noch vor Ablauf der jetzigen Vereinsperiode in Vollzug zu setzen. Ich vermag von hier aus nicht zu beurtheilen, ob wir die von Oestreich gewünschten Zugeständnisse zu *diesem* Zwecke nützlich machen können. Abgesehn hiervon aber kann ich nur meinen Antrag wiederholen, in Berücksichtigung der Gesammtlage unsrer auswärtigen Beziehungen, die Bewilligung der östreichischen Forderungen zu befehlen, insoweit letztere mit der unverkürzten und unverzögerten Durchführung der französischen Handelsverträge vereinbar sind und sich auf die Zusicherung von solchen Verhandlungen beschränken, wie sie ohne Beeinträchtigung des Artikels 31 des französischen Handelsvertrages geführt werden können.

Nr. 24.

Bismarck an König Wilhelm.

Berlin, 18. December 1864.

Ew. Majestät

12. 64. melde ich allerunterthänigst, daß ich dem Feldmarschall Allerhöchstdero Befehle mündlich mitgetheilt habe. Derselbe forderte mich dabei auf, bei Ew. Majestät die Frage einer Amnestie in Anregung zu bringen. Wenn es in Allerhöchstdero Intention liegt, darauf einzugehn, so möchte ich ehrfurchtsvoll anheimstellen, die Absicht eines Gnaden-Actes in Anknüpfung an die heutige Feier etwa in der Allgemeinheit andeuten zu wollen, welche die Bestimmung der zu begnadigenden Kategorien noch vollständig offen ließe und eine vorgängige geschäftsmäßige Prüfung derselben behufs Vorbereitung der definitiven Allerhöchsten Entscheidung nicht ausschlösse.

v. Bismarck.

Antwort des Königs

auf den Rand des Briefes geschrieben.

12. 64. Einverstanden und wollen Sie mir heute eine Ordre in diesem Sinne vorlegen, damit sie, von heute datirt, morgen im Staats-Anzeiger erscheinen kann.

W. 18./12. 64.

Nr. 25.

König Wilhelm an Bismarck.

Berlin, 24. December 1864.

12. 64. Ich sende Ihnen gerade diesen Stock, damit Sie sich beim Anblick dieses Kranzes stets erinnern, daß Sie es gewesen, welcher diese Lorbeeren gepflanzt hat....

Nr. 26.

Bismarck an König Wilhelm.

Berlin, 24. December 1864.

Ew. Majestät

sage ich meinen ehrfurchtsvollen und wärmsten Dank dafür, daß Allerhöchstdieselben meiner heut in Gnaden gedacht haben. Möge Gott mir soviel Kraft geben, als ich guten Willen habe, den Stab, dessen Symbol Ew. Majestät mir als ein lebenslänglich theures Andenken heut schenken, nach Allerhöchst Ihrem Willen zum Heile unsers Vaterlandes zu führen. 24. 12.

Ich habe das gläubige Vertrauen zu Gott, daß Ew. Majestät Stab im deutschen Lande blühen werde, wie der Stecken Arons laut dem 4. Buch Mosis im 17. Kapitel, und daß er zur Noth sich auch in die Schlange verwandeln werde, welche die übrigen Stäbe verschlingt, wie es im 7. Kapitel des 2. Buches erzählt ist. Verzeihn Ew. Majestät meinem dankbaren Gefühle diese Bezugnahme.

Angesichts des Weihnachtsfestes habe ich das Bedürfniß, Ew. Majestät zu versichern, daß meine Treue und mein Gehorsam gegen den Herrn, den Gott mir auf Erden gesetzt hat, auf derselben festen Grundlage beruhn, wie mein Glaube.

In tiefster Ehrfurcht und unwandelbarer Treue ersterbe ich

Ew. Majestät

alleruntertänigster

v. Bismarck.

Nr. 27.

Bismarck an König Wilhelm.

Berlin, 19. Februar 1865.

Ew. Majestät

lege ich unter den Anlagen einige heut eingegangne Depeschen mit der ehrfurchtsvollen Anfrage vor, ob ich mich morgen zu einer von Ew. Majestät allergnädigst zu bestimmenden Stunde zum Vortrag einfinden kann. 19. 2. 6

v. Bismarck.

Nr. 28.

König Wilhelm an Bismarck.

).2.65. Ich werde Sie heute um 4 Uhr erwarten. Was halten Ihre Collegen von Ihrer Ansicht in der Cartell-Frage?

W. 19./2. 65.

Nr. 29.

Bismarck an König Wilhelm.

Gastein, 1. August 1865.

8.65. Eure Majestät wollen mir huldreich verzeihn, wenn eine vielleicht zu weit getriebene Sorge für die Interessen des allerhöchsten Dienstes mich veranlaßt, auf die Mittheilungen zurückzukommen, welche Eure Majestät soeben die Gnade hatten, mir zu machen. Der Gedanke einer Theilung auch nur der Verwaltung der Herzogthümer würde, wenn er im Augustenburgischen Lager ruchbar würde, einen heftigen Sturm in Diplomatie und Presse erregen, weil man den Aufang der definitiven Theilung darin erblicken und nicht zweifeln würde, daß die Landestheile, welche der ausschließlich preußischen Verwaltung anheimfallen, für Augustenburg verloren sind. Ich glaube mit Eurer Majestät, daß J. M. die Königin die Mittheilungen geheim halten werde; wenn aber von Coblenz im Vertrauen auf die verwandschaftlichen Beziehungen eine Andeutung an die Königin Victoria, an die kronprinzlichen Herrschaften, nach Weimar oder Baden gelangte, so könnte allein die Thatsache, daß von uns das Geheimniß, welches ich dem Grafen Blome auf sein Verlangen zusagte, nicht bewahrt worden ist, das Mißtrauen des Kaisers Franz Joseph wecken und die Unterhandlung zum Scheitern bringen. Hinter diesem Scheitern steht aber fast unvermeidlich der Krieg mit Oestreich; Eure Majestät wollen es nicht nur meinem Interesse für den allerhöchsten Dienst, sondern meiner Anhänglichkeit an Allerhöchstdero Person zu Gute halten, wenn ich von dem Eindrucke beherrscht bin, daß Eure Majestät in einen Krieg mit einem andern Gefühl und mit freierem Muthe hineingehn werden, wenn die Nothwendigkeit dazu sich aus der Noth der Dinge und aus den monarchischen Pflichten ergiebt, als wenn der Hintergedanke Raum gewinnen kann, daß eine vorzeitige Kundwerdung der beabsichtigten Lösung den Kaiser abgehalten habe, zu dem letzten für Eure Majestät annehmbaren Auskunftsmittel die Hand zu bieten. Vielleicht ist meine Sorge thöricht und selbst wenn sie begründet wäre und Eure Majestät darüber hinweggehn wollten, so würde ich denken, daß Gott Eurer Majestät Herz lenkt, und meinen Dienst deshalb nicht minder freudig thun, aber zur Wahrung des Gewissens doch ehrfurchtsvoll anheimgeben, ob Eure Majestät mir nicht befehlen wollen, den Feldjäger telegraphisch von Salzburg zurückzurufen. 1. 8. 65.

Die äußere Veranlassung dazu könnte die ministerielle Expedition bieten, und es könnte morgen ein andrer an seiner Statt oder derselbe rechtzeitig abgehn. Eine Abschrift dessen, was ich an Werther über die Verhandlung mit Graf Blome telegraphirt habe, lege ich allerunterthänigst bei. Zu Eurer Majestät bewährter Gnade habe ich das ehrfurchtsvolle Vertrauen, daß Allerhöchstdieselben, wenn Sie meine Bedenken nicht gutheißen, deren Geltendmachung dem aufrichtigen Streben verzeihn wollen, Eurer Majestät nicht nur pflichtmäßig, sondern auch zu Allerhöchstdero persönlicher Befriedigung zu dienen.

Nr. 30.

König Wilhelm an Bismarck.

(Gastein, 1. August 1865.)

Einverstanden. — Ich that der Sache deshalb Erwähnung, weil in den letzten 24 Stunden ihrer nicht mehr Erwähnung geschah, und ich sie als ganz aus der Combination fallengelassen ansah, nachdem die wirkliche Trennung und Besitzergreifung an die Stelle getreten war. Durch meine Mittheilung an die Königin wollte ich den Uebergang dereinst anbahnen zur Besitzergreifung, die sich nach und nach aus der Administrations- 1. 8. 65

8. 65. Theilung entwickelt hätte. Indessen dies kann ich auch später so darstellen, wenn die Eigenthumstheilung wirklich erfolgt, an die ich noch immer nicht glaube, da Oesterreich zu stark zurückstecken muß, nachdem es sich für Augustenburg und gegen Besitznahme, wenn freilich die einseitige, zu sehr avancirte.

W.

Nr. 31.

König Wilhelm an Bismarck.

Berlin, den 15. September 1865.

9. 65. Mit dem heutigen Tage vollzieht sich ein Act, die Besitzergreifung des Herzogthums Lauenburg, als eine Folge meiner, von Ihnen mit so großer und ausgezeichneter Umsicht und Einsicht befolgten Regierung. Preußen hat in den vier Jahren, seit welchen ich Sie an die Spitze der Staats-Regierung berief, eine Stellung eingenommen, die seiner Geschichte würdig ist und demselben auch eine fernere glückliche und glorreiche Zukunft verheißt.

Um Ihrem hohen Verdienste, dem ich so oft Gelegenheit hatte, meinen Dank auszusprechen, auch einen öffentlichen Beweis desselben zu geben, erhebe ich Sie hiermit mit Ihrer Descendenz in den Grafen Stand, eine Auszeichnung, welche auch immerhin beweisen wird, wie hoch ich Ihre Leistungen um das Vaterland zu würdigen wußte.

Ihr

Wohlgeneigter König

Wilhelm.

Nr. 32.

Graf Bismarck an König Wilhelm.

(Biarritz, 11. October 1865.)

Ich habe in Paris zunächst den Staatsminister Rouher

10. 65. besucht, und bei demselben eine unsern Interessen durchaus

günstige Stimmung vorgefunden, auf welche ich deshalb einen 11.10. besondern Werth legen darf, weil Rouher das persönliche Vertrauen des Kaisers in höherm Maße zu besitzen scheint, als Drouyn de Lhuys, und jedenfalls aufrichtiger ist als der Letztere. Er hatte gehört, daß es zweifelhaft sei, ob ich bei meiner Anwesenheit von nur einem Tage in Paris dem auswärtigen Minister meinen Besuch machen würde. Er redete mir lebhaft zu es zu thun, damit die Beseitigung der durch das Circular vom 29. August geschaffenen Verstimmung nicht durch persönliche Verletzung des Herrn Drouyn de Lhuys erschwert wurde. Ohnehin entschlossen, den fraglichen Besuch zu machen, ließ ich Herrn Rouher, der ein politischer und persönlicher Gegner von Drouyn de Lhuys ist, das Verdienst, mich dazu überredet zu haben. Es schien mir um so nothwendiger, den Vorgang vom 29. August der Vergessenheit zu übergeben, nachdem ich von Herrn Rouher mit Bestimmtheit erfahren hatte, daß der Kaiser selbst jenes Circular vor dem Abgang in seinem Wortlaute gesehn und gebilligt hat.

Die Zuvorkommenheit, mit welcher Herr Drouyn de Lhuys mich demnächst empfing, war darauf berechnet, jede Empfindlichkeit über das Circular zu beseitigen. Der kaiserliche Minister erklärte den Ursprung dieser feindlichen Kundgebung aus der Befürchtung, daß Preußen sich, ohne Frankreich Dank dafür zu schulden, der Herzogthümer bemächtigen und, verstärkt durch die Mittel dieser neuen Erwerbung, sich demnächst einer antifranzösischen Politik wieder zuwenden werde. Er sagte, daß Preußen aus der wohlwollenden Haltung Frankreichs baaren Gewinn zöge, während die Vortheile, welche Frankreich aus guten Beziehungen zu Preußen erwachsen könnten, von einer ungewissen Zukunft abhingen. Auf meinen Wunsch deutete er die Vortheile, welche Frankreich erhoffen könne, in demselben Sinne näher an, wie dies in den kurz vor meiner Abreise von Berlin Ew. Majestät von mir gemeldeten Aeußerungen des Geschäftsträgers Lefebvre geschehen war. Jede Begehrlichkeit nach preußischen oder deutschen Landestheilen stellte er auf das Bestimmteste in Abrede. Ich erwiderte ihm, daß wir der Geschichte der Zukunft ihren Lauf nicht vorzeichnen und sie nicht nach Willkür erfinden, sondern nur ihre Entwicklung abwarten und benutzen könnten; wir

10. 65. unsrerseits hofften und wünschten, daß dies in einer Weise geschehn würde, vermöge deren die natürlichen guten Beziehungen zwischen Frankreich und Preußen erhalten und gefördert werden könnten.

Trotz der geflissentlichen, ich möchte sagen: übertriebenen Freundlichkeit, mit welcher der Minister den üblen Eindruck seiner Depesche zu verwischen suchte, habe ich doch keine volle Überzeugung von der Aufrichtigkeit seines Wohlwollens für uns gewonnen, sondern halte die Kundgebungen des letztern nur für den Ausfluß bestimmter kaiserlicher Befehle.

Am Tage nach meiner Ankunft in Biarritz wurde ich vom Kaiser in besondrer Audienz empfangen. . . . Es war ersichtlich, daß der Kaiser selbst lebhaft gewünscht hätte, das Circular vom 29. August ungeschehn machen zu können. Er schien nicht zu wissen, daß ich von seiner vorgängigen Billigung desselben Kenntniß hatte, denn er hob hervor, daß er die auswärtigen Geschäfte zwar in Situationen von Bedeutung unmittelbar in die Hand nehme, sich aber um die Einzelheiten des gewöhnlichen Geschäftsganges, so lange die Wichtigkeit derselben sich ihm nicht erkennbar gemacht habe, wenig kümmern könne. Er tadelte wiederholt die Veröffentlichung des Actenstücks und die Uebereilung, mit welcher es, ohne vorgängigen Gedankenaustausch mit Ew. Majestät Vertreter, abgefaßt worden sei. Auf diese Weise habe man in Paris die Tragweite des Gasteiner Abkommens für die Gesammtpolitik Preußens überschätzt, zumal man nicht hätte glauben können, daß ein für Preußen so günstiges Resultat durch keine geheimen Zugeständnisse an Oestreich erkauft worden sei. Der Kaiser ließ durchblicken, was Drouyn de Lhuys mir mit voller Bestimmtheit angedeutet hatte, daß die östreichischen Mittheilungen, welche durch ganz vertrauliche Canäle (anscheinend durch Ihre Majestät die Kaiserin) an ihn gelangt seien, der Voraussetzung einer geheimen, gegen Frankreich gerichteten coalitionistischen Verständigung der deutschen Mächte Vorschub geleistet hätten. Se. Majestät legte mir nochmals mit einiger Feierlichkeit die Gewissensfrage vor, ob wir Oestreich keine Garantie wegen Venetien geleistet hätten. Ich verneinte es mit der Versicherung, daß der Kaiser meiner Aufrichtigkeit um so

gewisser sein könne, als solche Verabredungen, wenn sie getroffen 11. 10.
würden, doch nicht lange geheim blieben, und ich das Bedürfniß hätte, bei ihm den Gedanken an meine Zuverlässigkeit zu erhalten; außerdem hielte ich auch für die Zukunft ein Abkommen für unmöglich, vermöge dessen wir Oestreich in die Lage setzten, nach Belieben einen Krieg herbeizuführen, welchen Preußen ohne eignen Vortheil zu dem seinigen zu machen gezwungen sein würde.

Der Kaiser versicherte demnächst, daß er keine Pläne anzuregen beabsichtige, durch welche der europäische Friede gestört werden könne, und daß Herr Lefebvre, dessen Briefe über unsre Unterredungen er erhalten habe, in seinen Eröffnungen weiter als in seinen Instructionen gegangen sei. Fast in denselben Worten, mit denen ich den Gedanken gegen den Minister Drouyn de Lhuys ausgesprochen, und welche dieser inzwischen ohne Zweifel gemeldet hatte, sagte er: man müsse die Ereignisse nicht machen wollen, sondern reifen lassen; dieselben würden nicht ausbleiben, und alsdann den Beweis liefern, daß Preußen und Frankreich diejenigen Staaten in Europa seien, deren Interessen sie am meisten auf einander anwiesen, und daß er jederzeit bereit sein würde, die Freundschaft und die Sympathie zu bethätigen, von der er für Preußen erfüllt sei. Der Kaiser knüpfte hieran die Frage, auf welchem Wege wir glaubten, uns mit Oestreich über Holstein auseinander zu setzen. Ich erwiderte offen, daß wir hofften, Holstein durch Geldentschädigung zu erwerben und zu behalten. Se. Majestät machte hiezu keine Einwendung, und erklärte ausdrücklich sein Einverständniß zu den Motiven, mit welchen ich die Besorgniß des Ministers Drouyn de Lhuys wegen des Wachsens der preußischen Macht ohne Aequivalent für Frankreich widerlegte, indem ich hervorhob, daß der Erwerb der Elbherzogthümer an sich noch keine Machtverstärkung Preußens sei, sondern im Gegentheil die Kräfte unsers Vaterlandes nach mehr als einer Richtung, behufs Entwickelung unsrer Marine und unsrer Defensivstellung gegen Norden hin, in einem Maße festlege, welches durch den Zuwachs von einer Million Einwohner nicht aufgewogen würde. Der Erwerb der Herzogthümer sei nur ein Angeld (arrhes) für die Erfüllung der Aufgabe, welche

10. 65. die Geschichte dem preußischen Staate gestellt habe, und bei deren weiterer Verfolgung wir freundschaftlicher Beziehungen zu Frankreich bedürften. Es scheine mir im Interesse der französischen Politik zu liegen, den Ehrgeiz Preußens in Erfüllung nationaler Aufgaben zu ermutigen; denn ein strebsames Preußen werde stets hohen Werth auf Frankreichs Freundschaft zu legen haben, während ein entmuthigtes seinen Schutz in defensiven Bündnissen gegen Frankreich suchen würde. Diese Argumentation bezeichnete der Kaiser als eine für ihn vollständig einleuchtende und sympathische.

Dieser wesentliche Inhalt der Unterredung mit Sr. Majestät wiederholte sich in verschiedenen Wendungen während der ersten Audienz, und während noch längerer Gespräche, die ich später nach einem Dejeuner mit dem Kaiser hatte. Bei letzterer Gelegenheit erkundigte er sich lebhaft nach der Richtung, welche Ew. Majestät Regirung Angesichts der Wirren in den Donaufürstenthümern einhalten würde. Die Aussicht, daß diese Länder dermaleinst dazu dienen könnten, Oestreich für Venetien zu entschädigen, ließ sich besonders im Hinblick auf bestimmte Andeutungen, welche der Geschäftsträger Lefebvre mir früher gegeben, im Hintergrunde erkennen. Ich entgegnete, daß unser directes Interesse an dem Schicksal der Donaufürstenthümer bisher nicht über die Sicherstellung des deutschen Verkehrs in denselben hinausgehe, und daß unsre Mitwirkung zu etwaiger Neugestaltung der Zukunft jener Länder durch die Nothwendigkeit bedingt sei, mit Rußland über eine für uns verhältnißmäßig weniger wichtige Frage nicht in Verwicklungen zu gerathen. Die Zuverlässigkeit unsrer freundschaftlichen Verhältnisse zu Rußland, und die Bedeutsamkeit unsrer nachbarlichen Beziehungen machten es uns zur Pflicht, das seit lange zwischen beiden Höfen bestehende Vertrauen nicht zu untergraben. Der Kaiser schien der Wahrheit dieser Bemerkung Gerechtigkeit widerfahren zu lassen.

Er entwickelte ferner, wie Ew. Majestät es seitdem in den Zeitungen gelesen haben werden, das Interesse, welches Europa daran habe, die Quelle ansteckender Krankheiten zu verstopfen, welche, wie gegenwärtig die Cholera, ihren Ursprung aus den

Wallfahrten nach Mekka entnähmen, und sich durch die heim- 11. 10.
kehrenden Pilger dem Westen mittheilen. Se. Majestät glaubte, daß durch gemeinsame Schritte der europäischen Mächte Gefahren dieser Art erheblich vermindert werden könnten, und sprach die Hoffnung aus, daß Preußen geneigt sein würde, hiezu mitzuwirken. Obschon sich die Gefahr nicht verkennen läßt, daß durch die Eingriffe in die Wallfahrtsangelegenheiten der Fanatismus der Muhamedaner erregt, und der Orient, absichtlich oder unabsichtlich, in Aufruhr versetzt werden kann, so glaubte ich doch in allgemeinen Worten die Ueberzeugung aussprechen zu sollen, daß Ew. Majestät sich bei jedem Werke der Civilisation in jener Richtung bereitwillig betheiligen würden, so weit Preußen in der Lage sei, einen Einfluß in diesen entfernteren Gegenden zu üben. Ich vermuthe, daß hierüber eine amtliche Eröffnung Frankreichs an die übrigen Regirungen ergehen wird.

Nach meinen allgemeinen Wahrnehmungen darf ich die gegenwärtige Stimmung des hiesigen Hofes als eine uns äußerst günstige bezeichnen. Graf Goltz und Herr von Radowitz, welche morgen ihre Rückreise nach Paris antreten, erfreuen sich der besondern Gnade der Kaiserin, und sind die einzigen Fremden, welche täglich zu den engern Kreisen des kaiserlichen Hofes zugezogen werden. Die Gesundheit des Kaisers und des kaiserlichen Prinzen läßt nichts zu wünschen übrig, wenn man von der bekannten Schwierigkeit absieht, mit welcher der Kaiser sich zu Fuße bewegt.

Nr. 33.

Graf Bismarck an König Wilhelm.

Berlin, 31. Januar 1866.

Ew. Majestät

beehre ich mich, da ich leider noch am Ausgehn verhindert bin, 31. 1. 6
die hauptsächlichen heut eingegangnen Depeschen allerunterthänigst zu übersenden und erlaube mir auf diesem Wege zugleich eine vom französischen Botschafter vertraulich an mich gerichtete Anfrage ehrfurchtsvoll vorzutragen. Derselbe beabsichtigt am

1. 1. 66. nächsten Dienstag wiederum eine Soirée mit Theatervorstellung zu geben, und fragt mich, ob Ew. Majestät und Ihre Majestät die Königin wohl geruhn würden, seine ehrfurchtsvolle Einladung dazu anzunehmen. Nach dem Balle bei Graf Goltz und mit Rücksicht auf die politische Situation würde ich es im dienstlichen Interesse mit allerunterthänigstem Danke anerkennen, wenn Ew. Majestät die Gnade hätten einzuwilligen. Sollten Ew. Majestät geneigen, darauf einzugehn, so würde der Botschafter sehr dankbar sein, wenn ich ihm einen Wink darüber zugehn lassen könnte, ob auf den Einladungen die Anwesenheit Ew. Majestät durch Erwähnung der „Uniform" anzudeuten sein, und ob er zunächst eine Demarche bei Ihrer Majestät der Königin durch die Oberhofmeisterin zu machen haben würde. Wegen der Vorbereitungen und Absendung der Einladungen wäre es erwünscht, wenn ich den Botschafter bald mit der versprochenen vertraulichen Information versehn könnte.

v. Bismarck.

Nr. 34.

König Wilhelm an Graf Bismarck.

Berlin, den 5. April 1866.

4. 66. Sehr unangenehm bin ich berührt durch die Bayerische Schwenkung, die, wenn auch nur Württemberg hinzutritt, fast 100 000 Manu mehr gegen uns, alliirt mit Oesterreich, entgegenstellen werden, d. h. wir müssen nun auch das 7. Korps gegen Süden disponible haben, wodurch also unsere, durch Moltke berechnete gleiche Stärke in Böhmen, wenn das 7. und 8. Corps mit herangezogen würde, um 60 000 Mann vermindert wird, welche wir jenen 100 000 M. im Süden nur entgegenstellen können. Sie wollen dies gleich an Moltke und Roon mittheilen.

Ihre Sprache gegen Hannover ist völlig correct, wie aber wird die Antwort sein? sie kann uns wiederum 10 000 M. kosten!

Wilhelm.

Nr. 35.

Graf Bismarck an König Wilhelm.

Berlin, 22. April 1866.

Ew. Majestät

lege ich ehrfurchtsvoll den anliegenden heut von Manteuffel erhaltenen Brief vor. Ich kann mich dem darin enthaltenen Gedankengange und der Schlußauffassung, daß wir *keine* Pferde verkaufen sollten, nur allerunterthänigst anschließen. Ew. Majestät wollen sich überzeugt halten, daß es meinem Gefühle, ich kann sagen, meinem Glauben widerstrebt, die höchsten landesväterlichen Entschließungen über Krieg und Frieden in zudringlicher Weise beeinflussen zu wollen; es ist das ein Gebiet, auf dem ich Gott allein getrost überlasse Ew. Majestät Herz zum Wohle des Vaterlandes zu lenken, und mehr beten als rathen möchte. Die Ueberzeugung darf ich dabei aber doch nicht verhehlen, daß uns, wenn es *jetzt* gelingt, den Frieden zu erhalten, die Kriegsgefahr später, vielleicht in Monaten unter *ungünstigeren* Verhältnissen bedrohn werde. Der Friede läßt sich auf die Dauer nur halten, wenn *beide* Theile ihn wollen; Oestreich mag *jetzt* aus Opportunitätsrücksichten wünschen, ihn nicht gestört zu sehn. Aber wer wie Ew. Majestät allerunterthänigster Diener, seit 16 Jahren mit der östreichischen Politik intim zu thun gehabt hat, kann nicht zweifeln, daß in Wien die Feindschaft gegen Preußen zum obersten, man möchte sagen, alleinigen Staatszweck geworden ist. Sie wird sich activ bethätigen, sobald das Wiener Cabinet die Umstände günstiger findet als jetzt. Sie in Italien, Frankreich günstiger zu *gestalten*, wird das nächste Streben Oestreichs sein. Vielleicht aber ist Haß, Kampflust, Geldverlegenheit schon jetzt zu groß, um auf unsre gestrige Antwort einzugehn. Dann haben Ew. Majestät jedenfalls die Genugthuung, für den Frieden gethan zu haben, was mit Ehren thunlich war.

22. 4. 6

v. Bismarck.

Nr. 36.

Graf Bismarck an König Wilhelm.

Berlin, 2. Mai 1866.

Ew. Majestät

5. 66. unterbreite ich ehrfurchtsvoll eine Mittheilung aus Wien, welche soeben eingetroffen ist. Sie eröffnet keine Aussicht, daß Oestreich entwaffnen will, sondern sie scheint nur anzudeuten, daß es eine Verzögerung von einigen Tagen zu bewirken wünscht, um seine Rüstungen zu vollenden und dann einen andern Ton gegen Ew. Majestät anzuschlagen in dem Glauben, dann vor uns einen Vorsprung erlangt zu haben, den wir nicht einholen könnten.

Ich erhalte von der Börse Mittheilungen, wonach finanzielle Maßregeln von ruinirender Art beabsichtigt seien, und daß hier der Handelsstand, einschließlich seiner Vertretungskörper, die Unthätigkeit der Königlichen Familie Angesichts der überlegenen Rüstungen Oestreichs als unverständlich und im höchsten Grade beunruhigend und nachtheilig für das Land erachtet. Diese Empfindung, welche bei Ew. Majestät Ministern schon vorher bestand, ist nunmehr in der Stadt allgemein geworden, seit die Thatsachen, welche vorher nur der Regirung bekannt waren, ihren Weg in die Oeffentlichkeit gefunden haben. Diese Empfindung würde sicherlich heftigen Ausdruck finden, sofern, was Gott verhüten möge, der Ausgang zeigen sollte, daß thatsächlich etwas versäumt worden, um für den Schutz des Landes zu sorgen.

v. Bismarck.

Nr. 37.

Graf Bismarck an König Wilhelm.

(Berlin, 12. Juni 1866.)

6. 66. Die Kriegsfrage selbst ist heute als unwiderruflich entschieden zu betrachten. Die Anträge vom Bunde, sowie die Erklärungen des Grafen Mensdorff lassen keinen Zweifel mehr

zu. Letzterer hat dem Freiherrn von Werther gesagt, daß er 12. 6. 6
den Krieg jetzt als unvermeidlich ansehe, und der Antrag auf Mobilmachung sämmtlicher Armeecorps des Bundes außer den preußischen, um gegen Preußen wegen Friedensbruchs einzuschreiten, ist eine offne Kriegserklärung. Er bezweckt eine Execution gegen Preußen ohne die im Bundesrecht vorgesehnen Formen der Execution. Die Würde der Monarchie und das Nationalgefühl des preußischen Volkes verlangen nicht nur, daß Preußen einem Bunde, in dem ein solches Verfahren möglich geworden, nicht mehr angehöre, sondern, daß diesem Versuche der Execution durch eine entsprechende Action geantwortet werde. Der angedrohten Bundesexecution muß eine thätige preußische Execution gegenübertreten, und diese muß der Erklärung über den Bundesbruch und die Auflösung des Bundes auf dem Fuße folgen.

Für diese preußische Execution bieten sich zwei Wege dar.

(Der erste unter der Voraussetzung, daß die übrigen deutschen Staaten neutral bleiben. Dann wären, um so stark wie möglich in Oestreich einzubrechen, alle preußischen Streitkräfte nach Schlesien zu ziehen, auch die jetzt noch im Westen und an den Grenzen der Monarchie stehenden Truppentheile, die Division Manteuffel bei Hamburg, 14000 Manu, die 13. Division bei Minden, 14000 Mann, die aus den Bundesfestungen abgerückten Truppen, 19000 Manu, bei Coblenz und Wetzlar, die 14., 15. und 16. Division, vom Rhein an die Elbe gezogen, bei Torgau 40000 Mann. Vgl. Sybel a. a. O. Bd. IV, S. 437.)

Der andere Weg würde von der Voraussetzung ausgehn, daß auf die Neutralität der deutschen Regirungen nicht gerechnet werden dürfe, und daß es daher nothwendig sei, ihre Action durch ein entschiedenes Eintreten zu paralysiren, ehe sie im Stande sind, dieselbe zu beginnen. Für diesen Fall ist die oben angeführte zerstreute Aufstellung der preußischen Truppen in Coblenz und Wetzlar, an der Weser und Elbe, als ein providentieller Umstand zu betrachten, weil sie stark genug sind, und gerade an den entscheidenden Punkten stehn, um die in Betracht kommenden Staaten sofort mit geschloßnen Massen anzufassen und aufzurollen.

2.6.66. Sollte die Entscheidung für diesen Weg ausfallen, so ist folgende Entwicklung in das Auge zu fassen.

Am Tage nach der Abstimmung in Frankfurt, also am Freitag den 15. Juni, werden die Regirungen von Nassau, Kurhessen, Hannover und Sachsen gleichzeitig durch die diplomatischen Vertreter schriftlich, und eintretenden Falles durch Andringen bei den Souverainen selbst aufzufordern sein:

ihre Rüstungen sofort einzustellen und ihre mobilen Truppen zu entlassen, und gleichzeitig den von Preußen vorgelegten Bundesreformvorschlag, welcher in der Bundestagssitzung vom 14. Juni eingebracht sein wird, anzunehmen. Für den Fall der Bejahung würde ihnen der Landbesitz und ihre Souverainetät zugesichert, für den Fall der Verneinung oder einer ausweichenden Antwort von Preußen der Krieg erklärt.

Den diplomatischen Agenten würden die betreffenden Noten von hier schon jetzt zugesandt werden. An die Militairbehörden müßte im Voraus die Weisung ergehn, auf telegraphische, von den Gesandten ihnen zukommende Nachricht über den Ausfall der Antwort sogleich einrücken zu können.

Im Herzothum Nassau, welches von Wetzlar und Coblenz aus angefaßt werden kann, würde mit der Occupation des Landes sofort die Einsetzung einer Verwaltung im Namen Preußens, womöglich durch einen Landeseingebornen, und die Berufung der Stände behufs Anerkennung dieser Verwaltung zu verbinden sein.

In Kurhessen würde der Königliche Gesandte dem Kurfürsten für den Fall der Bejahung neben der Zusicherung der Integrität seines Landes eine bestimmte Aussicht auf die hessendarmstädtischen Territorien nördlich des Maines eröffnen, für den Fall der Verneinung dagegen mit Absetzung drohen, und mit dem Einrücken preußischer Truppen würde die Proclamation des Prinzen Friedrich Wilhelm von Hessen als Regenten sich verbinden.

Für Hannover würde die Erhaltung der Souverainetät und die Integrität ebenfalls an die Bedingung der Annahme des Reformprojects und sofortiger Entlassung der Truppen geknüpft werden, mit der Ablehnung würde das Schicksal des Landes vom

Kriegsglück abhängig werden. Die Weisungen an die Militair- 12. 6. 6
behörden müßten so combinirt sein, daß der Stoß gleichzeitig von Minden und durch General von Manteuffel von der Elbe her erfolgte. Nach der Besitznahme würden die hanoverschen Truppen nach Abgabe der Waffen in die Heimat entlassen, die Verwaltung des Landes von Preußen übernommen.

Die Forderung an Sachsen würde nicht minder kategorisch gestellt werden, und bei Ablehnung derselben die Besetzung des Landes durch die an der Grenze bereitstehende Armee erfolgen.

Für die Einschlagung dieses Weges spricht der Umstand, daß nach Allem, was hier bekannt ist, sämmtliche deutsche Staaten noch nicht fertig gerüstet sind, und es in den nächsten Tagen noch nicht sein können, daß Preußen dagegen durch seine Rüstungen und die Stellung seiner Truppen — wobei die friedliche Occupation Holsteins und die ohne Blutvergießen an der Elbe gewonnene Stellung ein wichtiges Moment ist — sich im Stande befindet, ihnen zuvorzukommen, und zuerst alle in seinem Rücken befindlichen Gefahren zu beseitigen, ehe die großen Operationen nach dem Süden hin beginnen. Der Angriff, dem es in der letzten Richtung zu begegnen hätte, würde dann nur von Bayern und Oestreich ausgehen können, dem sich vielleicht noch Württemberg anschließen dürfte, da das Großherzogthum Hessen durch Kurhessen neutralisirt werden würde. Württemberg dürfte zu einer augenblicklichen oder raschen Action kaum im Stande sein, und auch Bayern ist nicht fertig gerüstet.

v. Bismarck.

Nr. 38.

Graf Bismarck an König Wilhelm.

Nikolsburg, 24. Juli 1866.

Ew. Königliche Majestät

bitte ich ehrfurchtsvoll, mir allergnädigst zu gestatten, in Betreff 24. 7. 6
der Verhandlungen mit Oestreich über eine Basis für den Frieden Folgendes allerunterthänigst vorzutragen.

7. 66. Es scheint mir von der größten Wichtigkeit, daß der gegenwärtige günstige Augenblick nicht versäumt werde. Durch die von Ew. K. Majestät ausgesprochene Annahme en bloc der Vorschläge des Kaisers der Franzosen ist die von der letztern Seite her drohende Gefahr einer Parteinahme Frankreichs gegen Preußen, welche aus einer diplomatischen Pression leicht in eine wirkliche active Theilnahme umschlagen konnte, beseitigt worden. Es ist in Folge der auf Befehl Ew. Majestät dem Grafen Goltz ertheilten Instructionen gelungen, vom Kaiser Napoleon darüber hinaus noch die bestimmte Zusicherung, welche Graf Goltz am 23. d. telegraphisch gemeldet hat, zu erlangen, daß er die direkte Annexion von vier Millionen in Norddeutschland nicht nur geschehn lasse, sondern selbst empfehlen werde, ohne daß dabei von Compensationen für Frankreich Erwähnung geschehen ist. Das Schwanken des Kaisers in den letzten Wochen und der Druck der öffentlichen Meinung in Frankreich lassen aber nur zu sehr befürchten, daß, wenn die augenblicklichen Zugeständnisse nicht in Thatsachen verwandelt werden, ein neuer Umschwung Statt finden könnte.

Auf eine Unterstützung weitgehender, oder auch nur dieser preußischen Forderungen Seitens der andern Großmächte läßt sich nicht rechnen. Ew. Majestät haben aus dem Briefe Sr. M. des Kaisers von Rußland ersehn, mit welcher Besorgniß Höchstderselbe den Bedingungen Preußens entgegen sieht. Auch sein Minister, Fürst Gortschakoff, hat dem Verlangen, diese Bedingungen kennen zu lernen, sowohl gegen Ew. Majestät Gesandten in Petersburg, als durch Baron Oubril in Berlin Ausdruck gegeben. Die verwandtschaftlichen Beziehungen des russischen Kaiserhauses zu den deutschen Dynastien erwecken die Besorgniß, daß bei weitern Verhandlungen die Sympathien für dieselben schwer ins Gewicht fallen dürften. In England fängt die öffentliche Meinung an, sich den Waffenerfolgen Ew. Majestät zuzuwenden, von der Regirung aber läßt sich ein Gleiches nicht sagen, und nur annehmen, daß sie vollendete Thatsachen anerkennen werde.

Von Oestreich ist durch die doppelte Erklärung, daß es aus dem Deutschen Bunde anstrete, und eine Reconstruction desselben ohne seine Theilnahme und unter Preußens Führung zu- 24.7.6 lasse, — und daß es Alles anerkennen werde, was Ew. Majestät in Norddeutschland zu thun für gut befinden werde, alles Wesentliche gewährt, was Preußen von ihm zu fordern hat. Die Erhaltung des Königreichs Sachsen ist der gemeinsame Wunsch Oestreichs und Frankreichs. Wenn Oestreich dafür, wie es scheint, seine andern Verbündeten in Norddeutschland völlig aufopfert, so scheint es klug, diesem Wunsche Rechnung zu tragen, und eine Convention mit Sachsen, welche die gesammte Kraft des Landes Ew. K. Majestät zur Verfügung stellt, etwa auf Grund der am 22. Februar 1865 für Schleswig-Holstein aufgestellten Bedingungen, dürfte dem politischen Interesse und Bedürfniß genügen. Der Ausschluß Oestreichs aus dem Bunde, in Verbindung mit der Annexion von Schleswig-Holstein, Hanover, Kurhessen, Oberhessen und Nassau, und mit einem solchen Verhältniß Sachsens zu Preußen, darf als ein Ziel angesehn werden, so groß, wie es bei dem Ausbruch des Krieges niemals gesteckt werden konnte.

Weun dieses Ziel durch einen raschen Abschluß von Präliminarien auf dieser Basis gesichert werden kann, so würde es nach meinem allerunterthänigsten Dafürhalten ein politischer Fehler sein, durch den Versuch, einige Quadratmeilen mehr von Gebietsabtretung, oder wenige Millionen mehr zu Kriegskosten von Oestreich zu gewinnen, **das ganze Resultat** wieder in Frage zu stellen, und es den ungewissen Chancen einer verlängerten Kriegführung oder einer Unterhandlung, bei welcher fremde Einmischung sich nicht ausschließen lassen würde, auszusetzen.

Das Auftreten der Cholera in der Armee, die Gefahren, daß ein Augustfeldzug im hiesigen Klima Seuchen zum Ausbruch bringt, fallen auch gegen Fortsetzung der Operationen ins Gewicht.

Falls Ew. K. Majestät dieser Auffassung Allerhöchst Ihre Billigung zu Theil werden lassen, werde ich um Allerhöchstdero Ermächtigung nachzusuchen haben, dem Landtage die erforderliche Gesetzvorlage über die Erweiterung der Grenzen der Monarchie durch Einverleibung von Hanover, Kurhessen, Nassau, das groß-

1. 7. 66. herzoglich-hessische Gebiet Oberhessen und Schleswig-Holstein zu machen, und dadurch diese ganze Erwerbung als ein fait accompli hinzustellen, welches, da es Oestreichs Anerkennung und Frankreichs Zustimmung erlangt hat, von keiner irgend Gefahr drohenden Seite angefochten werden kann.

Ich halte es für meine Pflicht gegen Ew. K. Majestät, Allerhöchstderselben diesen allerunterthänigsten Vortrag schriftlich und in amtlicher Weise zu erstatten, da die Entscheidung des Augenblicks nach meinem Ermessen von einer unberechenbaren Wichtigkeit ist. Ich fühle die ganze Verantwortlichkeit gegen Ew. K. Majestät für den Rath, welchen ich zu ertheilen berufen bin, und habe daher das Bedürfniß, amtlich zu constatiren, daß, wenn ich auch jede von Ew. Majestät befohlene Bedingung in den Verhandlungen pflichtmäßig vertreten werde, doch jede Erschwerung des beschleunigten Abschlusses mit Oestreich behufs Erlangung nebensächlicher Vortheile gegen meinen ehrfurchtsvollen Rath und Antrag erfolgen würde.

Nr. 39.

König Wilhelm an Graf Bismarck.

Berlin, den 12. Februar 1867.

2. 67. Im Rückblick auf den entscheidenden Wendepunkt, an welchen die Geschicke Preußens durch die ruhmwürdigen Kämpfe des vergangenen Jahres gelangt sind, wird es den spätesten Geschlechtern unvergessen sein, daß die Erhebung des Vaterlandes zu neuer Macht und unvergänglichen Ehren, daß die Eröffnung einer Epoche reicher und mit Gottes Hülfe segensvoller Entwickelung wesentlich Ihrem Scharfblicke, Ihrer Energie und Ihrer geschickten Leitung der Ihnen anvertrauten Geschäfte zu danken war.

Diesen Ihren Verdiensten von höchster Auszeichnung habe Ich durch Verleihung einer Dotation von Vierhundert Tausend Thalern eine erneute Anerkennung zu gewähren beschlossen. Der Finanzminister ist angewiesen, diese Summe zu Ihrer Verfügung zu stellen.

Es würde Meinen Wünschen entsprechen, wenn Sie diese Dotation, deren Verleihung Meinen und des Vaterlandes Dank bethätigen soll, durch fideicommissarische Anordnungen zu einem Grund- oder Capitalbesitze bestimmten, welcher mit dem Ruhme Ihres Namens auch Ihrer Familie dauernd erhalten bliebe. 12.2.6

Ihr dankbarer und treu ergebener König

Wilhelm.

Nr. 40.

König Wilhelm an Graf Bismarck.

In Ausführung der Bestimmungen der Verfassung des Norddeutschen Bundes (IV. Artikel 15 und 17) ernenne ich Sie hierdurch zum Bundeskanzler des Norddeutschen Bundes. 14.7.6

Bad Ems, den 14. Juli 1867.

Wilhelm.

An den Präsidenten des Staats-Ministeriums
und Minister der auswärtigen Angelegenheiten,
Grafen von Bismarck-Schönhausen.

Nr. 41.

König Wilhelm an Graf Bismarck.

Auf Ihren Bericht vom 10. d. Ms. genehmige Ich die Errichtung einer Behörde für die dem Bundeskanzler obliegende Verwaltung und Beaufsichtigung der durch die Verfassung des Norddeutschen Bundes zu Gegenständen der Bundesverwaltung gewordenen, beziehungsweise unter die Aufsicht des Bundespräsidiums gestellten Angelegenheiten, sowie für die Ihnen, als Bundeskanzler zustehende Bearbeitung der übrigen Bundesangelegenheiten. 12.8.6

Diese Behörde soll den Namen „Bundeskanzler-Amt“ führen und unter Ihrer unmittelbaren Leitung stehen.

8. 67. Zum Präsidenten derselben will Ich den Wirklichen Geheimen Ober-Regierungsrath und Ministerial-Direktor Delbrück ernennen.

Bad Ems, den 12. August 1867.

Wilhelm.

An den Kanzler des Norddeutschen Bundes.

Nr. 42.

Graf Bismarck an König Wilhelm.

Auszug aus dem Immediatbericht über den Nothstand in Ostpreußen.

(Berlin, 6. Jannar 1868.)

1. 68. (Die demokratische Partei bemühe sich, den gegenwärtig in der Provinz Preußen herrschenden Nothstand für ihre Zwecke auszubeuten, und sie greife dabei namentlich zu dem Mittel, den Nothstand selbst in den grellsten Farben zu schildern und die Maßregeln der Regirung als unzweckmäßig und unzureichend darzustellen.)

Nach dem, was mir auf außeramtlichem Wege bekannt geworden ist, könnte man die Annahme für berechtigt halten, daß die Schilderung vielfach übertrieben ist und daß, wenn auch der Nothstand in einzelnen Gemeinden eine ungewöhnliche Höhe erreichen mag, dies doch nach den Gegenden und Kreisen wesentlich verschieden ist.

Möglich bleibt dabei dennoch, daß stellenweis die Noth das hier vorausgesetzte Maß überschreitet, und namentlich habe ich kein volles Vertrauen zu den Antworten, die ich amtlich auf meine Erkundigungen über die vorhandenen Getreidebestände und deren Vertheilung über das Land erhalten habe.

Es scheint, daß aus den ostpreußischen Häfen bis zum Schlusse der Schifffahrt Getreide ansgeführt wurde; die Marktpreise für Roggen stehn in den größeren Städten der Provinz niedriger als in Berlin und in Pommern, deshalb kann doch das Brotkorn in einzelnen Kreisen der Provinz fehlen.

Zu meinem Bedauern haben sich indeß die amtlichen Organe

der Staatsverwaltung bisher unzureichend erwiesen, den thatsächlichen Zustand im Detail genau und zweifellos festzustellen. (Es empfehle sich deshalb das Auskunftsmittel, zu welchem Friedrich der Große in analogen Fällen zu greifen pflegte: nämlich die Civilverwaltung durch Organe der Militairverwaltung secundiren zu lassen.) 6. 1. 68.

Als brauchbare Organe der Militairverwaltung glaube ich für den vorliegenden Zweck außer den Intendanturbeamten alle ältesten Officiere jeder Garnison bezeichnen zu dürfen, und die Fragen, um deren präcise Beantwortung es sich handelt, würden etwa dahin zusammen zu fassen sein:

1. Wie hoch die Marktpreise von Roggen und Kartoffeln in jeder Garnison stehn und welches daselbst das Gewicht eines gewöhnlichen Viergroschenbrotes ist, und wie hoch diese Preise und dieses Gewicht in andern Jahren waren.
2. Welche Zufuhr auf den Wochenmärkten stattfindet und wie groß der äußerlich erkennbare Vorrath an Roggen und Kartoffeln im Kreise, welcher Unterschied im Einschnitt auf den nächst gelegenen Ritter- und Bauergütern gegen sonst stattgefunden hat.
3. Ob sich unter der arbeitenden Bevölkerung, einschließlich des kleineren Handwerkerstandes, besondre Nothstandserscheinungen bemerkbar gemacht haben.

Nr. 43.

Graf Bismarck an König Wilhelm.

(Berlin, 3. März 1868.)

Nachdem der Zollvereinigungsvertrag vom 8. Juli v. J. mit dem 1. Januar d. J. zur Wirksamkeit gelangt war, trat die Nothwendigkeit einer baldigen Berufung der durch diesen Vertrag geschaffenen legislativen Organe dringend hervor. Die Erweiterung des Zollvereinsgebietes gegen Norden, die Zoll- und Handelsverhältnisse zu Oestreich, wichtige Fragen der inneren Besteuerung und des Zolltarifs erforderten im gemeinsamen Interesse eine rasche Erledigung. 3. 3. 68

3. 3. 68. Nicht minder dringend war die Berufung der legislativen Organe des Norddeutschen Bundes. Der Reichstag hatte in seiner letzten Session den lebhaften Wunsch zu erkennen gegeben, nicht wieder, wie im verflossenen Jahre, im Herbst berufen zu werden, und es war die Berechtigung dieses Wunsches von den verbündeten Regirungen nicht verkannt worden, es mußte daher auch für den Reichstag eine frühe Berufung im Frühjahr um so mehr in Aussicht genommen werden, als demselben mehrere umfangreiche Vorlagen gemacht werden müssen.

Diese Verhältnisse führten zu der Frage, welche legislativen Organe, diejenigen des Zollvereins oder diejenigen des Norddeutschen Bundes, zuerst zu berufen seien. Eure Königliche Majestät entschieden für die Priorität des Bundesraths des Zollvereins und des Zollparlaments. Allerhöchstdieselben waren bei dieser Entscheidung durch den Wunsch geleitet, die den Institutionen des Zollvereins vertragsmäßig gesicherten Eigenthümlichkeiten auch äußerlich in selbstständiger Gestaltung hervortreten zu lassen und dem die Gesammtheit der deutschen Staaten umfassenden Gemeinwesen den Vortritt zu gewähren. Es wurde daher der Bundesrath des Zollvereins durch die Allerhöchste Verordnung vom 22. v. Mts. auf den 2. d. Mts. berufen und die Berufung des Zollparlaments auf den 20. d. Mts. in Aussicht genommen.

Inzwischen ist bekannt geworden, daß die Wahlen zum Zollparlament im südlichen Theile Hessens erst auf den 19. d. Mts. angesetzt sind und in Württemberg nicht vor dem 24. d. Mts. werden stattfinden können. Es muß daher entweder das Zollparlament ohne Theilnahme der württembergischen und eines Theiles der hessischen Abgeordneten eröffnet, oder, statt in der zweiten Hälfte des März, erst im April berufen werden.

Die Wahl der ersten Alternative vermag ich bei Ew. Majestät nicht zu befürworten. So unerwünscht der durch die Verspätung der Wahlen in Württemberg und Hessen bedingte Aufschub auch ist, so erfordert doch das Interesse der neuen Institution, daß dieselbe unter Theilnahme aller dazu Berufenen ins Leben trete. Ich kann deshalb nur ehrfurchtsvoll bean-

tragen, die Berufung des Zollparlaments unter den obwaltenden 3. 3. 68
Umständen zu verschieben, den dadurch frei werdenden Zeitraum aber zur Berufung des Reichstags des Norddeutschen Bundes zu benutzen. Denn wenn das Zollparlament erst im April zusammentritt, würde der Reichstag, sofern er dem Parlamente folgen sollte, bis in den Sommer versammelt bleiben müssen.

Bei Ew. Königlichen Majestät stelle ich daher den ehrfurchtsvollen Antrag:

durch Vollziehung der anliegenden beiden Verordnungen den Bundesrath des Norddeutschen Bundes auf den 7. d. Mts. und den Reichstag auf den 23. d. Mts. berufen zu wollen.

v. Bismarck.

Nr. 44.

König Wilhelm an Graf Bismarck.

Nur dem Inhalt nach bekannt.

Berlin, den 22. März 1868.

Der König ernennt gelegentlich seines Geburtstages den 22. 3. 6
Grafen Bismarck zum erblichen Mitgliede des Herrenhauses. Die Berufung in das Herrenhaus soll erfolgen, sobald der Graf sein Majorat (Varzin) begründet haben wird.

(Neue Preuß. Ztg. vom 26. März 1868.)

Nr. 45.

König Wilhelm an Graf Bismarck.

(Berlin, den 22. Februar 1869.)

Ueberbringer dieser Zeilen hat mir Mittheilung von dem 22. 2. 6
Auftrage gemacht, den Sie ihm für Sich gegeben haben. Wie können Sie nur daran denken, daß ich auf Ihren Gedanken eingehen könnte! Mein größtes Glück ist es ja, mit Ihnen zu leben und immer fest einverstanden zu sein. Wie können Sie Sich Hypochondrien darüber machen, daß meine einzige Différenz Sie bis zum extremsten Schritt verleitet! Noch aus

2\. 69. Varzin schrieben Sie mir in der Différenz wegen der Deckung des Deficits, daß Sie zwar andrer Meinung wie ich seien, daß Sie aber bei Uebernahme Ihrer Stellung es sich zur Pflicht gemacht hätten, daß, wenn Sie pflichtmäßig Ihre Ansichten geäußert, Sie Sich meinen Beschlüssen fügen würden. Was hat denn diesmal Ihre so edel ausgesprochene Absicht von vor 3 Monaten so gänzlich verändert? Es giebt nur eine einzige Différenz, ich wiederhole es, die in F. a/M. Die Usedomiana habe ich gestern noch ganz eingehend nach Ihrem Wunsch besprochen schriftlich; die Hausangelegenheit wird sich schlichten; in der Stellenbesetzung waren wir einig, aber die Individuen wollen nicht. Wo ist da also Grund zum Extrême?

Ihr Name steht in Preußens Geschichte schöner als der irgend eines Preußischen Staatsmanns. Den soll ich lassen? Niemals. Ruhe und Gebeth wird alles ansgleichen.

Ihr treuster Freund

W.

Nr. 46.

Graf Bismarck an Konig Wilhelm.

Berlin, 23. (24.) Februar 1869.

2\. 69. Das sehr gnädige Schreiben, mit welchem Ew. Majestät mich beehrt haben, würde mich tief beschämen, wenn die Gründe, welche mich nach schwerem Kampfe zu der gefaßten Entschließung bestimmt haben, diejenigen wären, welche Ew. Majestät anführen. Eine einzelne Meinungsverschiedenheit in einer verhältnißmäßig so untergeordneten Frage, wie es die Frankfürter ist, würde mich niemals zu einem so ernsten und meinem eignen Gefühle so sehr widerstrebenden Schritte bestimmt haben. Die Auffassung meiner Stellung im Dienste Ew. Majestät, welche ich von Varzin aus bekannte, ist noch heute die meinige, auch wenn Ew. Majestät im Frankfurter Falle nicht die Gnade gehabt haben, mich zur pflichtmäßigen Aeußerung meiner Ansicht zu berufen, bevor Allerhöchstdieselben Ihre Entschließungen faßten. Meine Bereitwilligkeit, mich den Befehlen Ew. Majestät unterzuordnen, nachdem Allerhöchstdieselben meine Gegengründe erwogen haben würden, ist in diesem Falle nicht in Frage gekommen. Die Entschließungen Ew. Majestät sind durch andre, dem Ministerium nicht angehörige Organe vorbereitet und nach Frankfurt gemeldet worden. 23. 2. 6

Demungeachtet würde die Frage, ob der Stadt Frankfurt durch Ew. Majestät Huld ein Geschenk zugewandt wird, dessen Höhe nach meiner Auffassung mit den Rücksichten auf die Steuerpflichtigen nicht vereinbar und durch die Politik nicht geboten war, mich nicht veranlaßt haben, Ew. Majestät zum ersten Male in meinem Leben um meine Entlassung aus dem Dienste zu bitten. Mein einziges Motiv dazu ist die Unzulänglichkeit meiner Kräfte und meiner Gesundheit für die von Ew. Majestät geforderte Art des Dienstes.

Ew. Majestät wollen Sich huldreichst erinnern, daß ich zu Aufang des December 1865 zuerst nachhaltig erkrankte und seitdem unter stets wachsender Geschäftslast niemals meine Herstellung habe vollständig abwarten können. Wenn ich vor nicht ganz drei Monaten glaubte, den Geschäften bei regelmäßigem Verlaufe derselben, wenigstens für die Parlamentszeit wieder gewachsen zu sein, so hat sich dies als ein Irrthum, als eine Ueberschätzung meiner Kräfte herausgestellt. Die Gesammtheit der mir obliegenden Dienstgeschäfte ist selbst dann nur mit Aufwand jeder Kraft zu erledigen, wenn mir von Allerhöchstdero Seite jede Erleichterung gewährt wird, welche in der Auswahl des mitarbeitenden Personals, in dem vollsten Maße des Allerhöchsten Vertrauens und in der dadurch gestatteten Freiheit der Bewegung liegen kann. Unmöglich aber wird die Leistung, wenn sie nicht von einheitlichem Zusammenwirken aller der berufenen Organe mit Ew. Majestät getragen wird, und wenn Geschäfte, welche regelmäßig erledigt sind, zur wiederholten Behandlung unter erneutem Dissense der Betheiligten gelangen müssen. Es ist an sich leichter, Entschließungen zu fassen und auszuführen, als die Richtigkeit derselben überzeugend nachzuweisen.

Die schwere Hemmung, welche in der Friction des künstlichen Räderwerks eines constitutionellen Staates liegt, hat bisher den regelmäßigen Gang der Geschäfte nicht auffällig gestört. Die

2. 69. Aufgabe, über schwierige Fragen die Uebereinstimmung zwischen Ew. Majestät und acht Ministern herzustellen und, nachdem sie gewonnen, die Fühlung mit drei parlamentarischen Körperschaften zu erhalten, die nöthige Rücksicht auf verbündete und fremde Regirungen zu nehmen, hat bisher annähernd gelöst werden können. Meines ehrfurchtsvollen Dafürhaltens lag die entscheidende Vorbedingung dieser Lösung in dem Umstande, daß Ew. Majestät bisher niemals, so lange ich die Ehre habe, in Allerhöchstdero Dienste zu sein, eine nach Anhörung der Minister gefaßte Entschließung späterhin wieder in Zweifel gezogen, und daß Ew. Majestät für die Arbeiten eines jeden verantwortlichen Ressorts vor Festlegung oder Abänderung einer Entschließung jederzeit den von Ew. Majestät selbst dazu verordneten Rath gehört haben. Wenn in jüngster Zeit außerordentliche Einflüsse Ew. Majestät Interesse für einzelne locale Fragen lebhaft anzuregen verstanden haben, ohne gleichzeitig einer Verantwortlichkeit für die Gesammtheit der Geschäfte unterworfen zu sein, und wenn auf diesem Wege Entschließungen, welche Ew. Majestät auf Vortrag der Minister gefaßt und kundgethan haben, modificirt werden und in erneuter Verhandlung wochenlang die Arbeitskraft der Minister in Anspruch nehmen, so wird dadurch die Geschäftslast der von Ew. Majestät berufenen Minister über die Möglichkeit der Leistung gesteigert. Auch die anstrengendste Arbeit hinterläßt das Gefühl, daß die laufenden Geschäfte unerledigt bleiben.

Die Entmuthigung, mit welcher mich diese Wahrnehmung erfüllt, wird vermehrt durch den Umstand, daß in den Personalfragen Ew. Majestät Allerhöchstes persönliches Wohlwollen für jeden Ihrer Diener gegenüber dem strengen Bedürfnisse des Dienstes ein Gewicht hat, welches die Interessen derer benachtheiligt, welche die unvollkommenen Leistungen Anderer zu übertragen haben. Um die Entlassung Usedoms habe ich Ew. Majestät zuerst im Jahre 1864 gebeten und die meisten der jetzt actenmäßig constatirten Beschwerden über diesen Gesandten schon damals und seitdem öfter geltend gemacht. Meine Ew. Majestät vorgetragenen Correspondenzen mit Usedom über seine Pflichtwidrigkeiten aus den Jahren 1864 bis jetzt füllen Actenbände, an denen ich viele Stunden und manchen Tag unter körperlichen Leiden und in schwerem Drange andrer Geschäfte zu arbeiten gehabt habe. Am Sonntag vor 8 Tagen erlaubte ich mir Ew. Majestät mündlich zu erklären, daß meine Ehre mir verbiete, mit dem Grafen Usedom länger zu dienen, und ich glaube, daß Ew. Majestät unter kameradschaftlichen Verhältnissen im Militair in Stellungen, welche minder bedeutend für die Geschicke des Landes sind, dieser Auffassung sofort beigetreten sein und mir gestattet haben würden, danach zu verfahren. 23. 2. 6

In Bezug auf den Unterstaatssecretär Sulzer stammen die ersten Anträge auf seine Ersetzung wegen Unbrauchbarkeit aus dem Anfange des Jahres 1863. Ew. Majestät erinnern sich vielleicht der schwierigen Verhandlungen, welche vor einigen Jahren nicht zu seiner Entlassung, wie das Ministerium beantragte, sondern zur Verminderung seiner Functionen führten. Jetzt erliegt der Minister des Innern aus Mangel an Unterstützung der Last der Arbeit, und von dem Tage ab, wo er erkrankt, was, wie ich fürchte, bald wieder bevorsteht, hört jede Thätigkeit des Ministeriums des Innern gänzlich auf, weil keine geschäftliche Vertretung existirt. Diese Sachlage hat die Arbeiten bezüglich der Kreisordnung für mich in einem nicht zu beschreibenden Maße gesteigert.

Ew. Majestät wollen mir glauben, daß ich unter dem Druck dieser Verhältnisse schwer gelitten, und daß ich meinen eignen erschöpften Kräften jede in der Möglichkeit liegende Anstrengung zugemuthet habe, bevor ich den Wunsch aussprechen konnte, aus Ew. Majestät Dienst zu scheiden. Es fällt mir sehr schwer, Ew. Majestät gegenüber auch nur diese Einzelheiten zu berühren. Aber ich kann mich nicht dem Verdachte der Ueberhebung aussetzen, deren ich mich schuldig machen würde, wenn ich wegen abweichender Meinung in einer einzelnen Geldfrage Ew. Majestät Dienst verlassen wollte.

Zu meiner ehrfurchtsvollen Bitte, mich des Dienstes zu entheben, bin ich lediglich durch meine Unfähigkeit veranlaßt, Ew. Majestät Ihrem Willen entsprechend zu dienen. Die Erfahrungen der letzten Monate haben mir die freudige Zuversicht geraubt, der Erfüllung meiner Pflichten noch gewachsen zu sein.

2.69. Die an sich großen Schwierigkeiten dieser Pflichten werden durch Gegenströmungen gesteigert, gegen die anzukämpfen ich nicht die Kraft fühle. Die Kämpfe, welche mir im Amte oblagen, haben mir die Ungnade hochstehender und die Abneigung einflußreicher Persönlichkeiten zugezogen. Mein einziges Aequivalent dafür hat in der Zufriedenheit Ew. Majestät gelegen, und Ew. Majestät können in Ihrer erhabenen Stellung es nicht nachempfinden, wie schwer jeder Augenblick der Unzufriedenheit, ja jede Meinungsverschiedenheit mit seinem Königl. Herrn auf dem Herzen eines anhänglichen Dieners lastet und welchen Antheil die Gemüthsbewegung stets an meinen körperlichen Leiden hat. Ew. Majestät wollen mit dieser Schwäche Nachsicht haben, da sie ein Ausfluß, wenn auch ein krankhafter, der Liebe zu Ew. Majestät Person ist. Aber sie macht mich unfähig, den Ansprüchen des Dienstes in der Art, wie Ew. Majestät ihn erfordern, zu genügen. Ich habe nicht das Gefühl, daß mir ein langes Leben beschieden ist, und fürchte, daß meine Organisation zu ähnlicher Schlußentwickelung neigt, wie die des hochseligen Königs. Ich kann nicht den Anspruch erheben, daß Ew. Majestät auf meine krankhaften Zustände in dienstlichen Sachen Rücksicht nehmen.

Es versteht sich, daß ich die Verhandlungen mit dem Reichstage, der vor der Thür ist, nach Ew. Majestät Willen führen werde, wenn Allerhöchstdieselben mir nur die Aussicht gewähren wollen, daß ich demnächst mich zurückziehn und die Zeit, die Gott mir noch beschieden, in Zurückgezogenheit der Ruhe und der dankbaren Erinnerung an die Gnade widme, mit der Ew. Majestät mich beglückt haben.

v. Bismarck.

Nr. 47.

König Wilhelm an Graf Bismarck.

Berlin, den 26. Februar 1869.

2.69. Als ich Ihnen am 22. in meiner Bestürzung über Wehrmanns Mittheilung ein sehr flüchtiges, aber desto eindringlicheres

Billet schrieb, um Sie von Ihrem Verderben drohenden Vorhaben abzuhalten, konnte ich annehmen, daß Ihre Antwort in Ihrem Endresultat meinen Vorstellungen Gehör geben würde — und ich habe mich nicht geirrt. Dank, herzlichsten Dank, daß Sie meine Erwartung nicht täuschten! 26. 2. 6

Was nun die Hauptgründe betrifft, die Sie momentan an Ihren Rücktritt denken ließen, so erkenne ich die Tristigkeit derselben vollkommen an, und Sie werden sich erinnern, in wie eindringlicher Art ich Sie im December v. J. bei Wiederübernahme der Geschäfte aufforderte, Sich jede mögliche Erleichterung zu verschaffen, damit Sie nicht von Neuem der vorauszusehenden Last und Masse der Arbeit unterlägen. Leider scheint es, daß Sie eine solche Erleichterung (nicht einmal die Abbürdung Lauenburgs) nicht für angänglich gefunden haben und daß meine desfallsigen Befürchtungen sich in erhöhtem Maße bewahrheitet haben, und zwar in einem solchen Grade, daß Sie zu unheilvollen Gedanken und Beschlüssen gelangen sollten. Wenn Ihrer Schilderung nach nun noch Erschwernisse in Bewältigung einzelner Geschäftsmomente eingetreten sind, so bedauert das Niemand mehr wie ich. Eine derselben ist die Stellung Sulzers. Schon vor längerer Zeit habe ich die Hand zu dessen anderweitiger Placirung gebothen, so daß es meine Schuld nicht ist, wenn dieselbe nicht erfolgt ist, nachdem Eulenburg sich selbst auch von derselben überzeugt hat. Wenn eine ähnliche Geschäftsvermehrung Ihnen die Usedom'sche Angelegenheit verursachte, so kann dies auch mir nicht zur Last gelegt werden, da dessen Vertheidigungsschrift, die ich doch nicht veranlassen konnte, eine Beleuchtung Ihrerseits verlangte. Wenn ich nicht sofort auf die Erledigung des von Ihnen beantragten Gegenstandes einging, so mußten Sie wohl aus der Ueberraschung, welche ich Ihrer Mittheilung entgegenbrachte, als Sie mir Ihren bereits gethanen Schritt gegen Usedom anzeigten, darauf vorbereitet sein. Es waren Mitte Jannar, als Sie mir diese Anzeige machten, kaum drei Monate verflossen, seitdem die La Marmora'sche Episode sich anfing zu beruhigen, so daß meine Ihnen im Sommer geschriebene Ansicht über Usedoms Verbleiben in Turin noch dieselbe war. Die mir unter dem 14. Februar gemachten

3.2.69. Mittheilungen über Usedoms Geschäfts-Betrieb, der seine Enthebung vom Amte nunmehr erfordere, wenn nicht eine disiplinar Untersuchung gegen ihn verhängt werden solle, ließ ich einige Tage ruhen, da mir inzwischen die Mittheilung geworden war, daß Keudell mit Ihrem Vorwissen Usedom aufgefordert, einen Schritt entgegen zu thun. Und dennoch, ehe noch eine Antwort aus Turin anlangte, befragte ich Sie schon am 21. Februar, wie Sie Sich die Wiederbesetzung dieses Gesandtschaftspostens dächten, womit ich also aussprach, daß ich auf die Vacantwerdung desselben einginge. Und dennoch thaten Sie schon am 22. d. M. den entscheidenden Schritt gegen Wehrmann, zu welchem die Usedomiade mit Veranlassung sein sollte. Eine andre Veranlassung wollen Sie in dem Umstande finden, daß ich nach Empfang des Staatsministerialberichts in der Angelegenheit Fa/M, vor Feststellung meiner Ansicht, nicht noch Einmal Ihren Vortrag verlangt hätte. Da aber Ihre und der Staatsminister Gründe so entscheidend durch Vorlage des Gesetzentwurfs und den Begleitungsbericht dargelegt waren, ja, meine Unterschrift in derselben Stunde verlangt wurde, als mir diese Vorlage gemacht ward, um sie sofort in die Kammer zu bringen, so schien mir nochmaliger Vortrag nicht angezeigt, um meine Ansicht und Absicht festzustellen. Wäre mir, bevor im Staatsministerium dieser in derFa/M Frage einzuschlagende Weg, der ganz von meiner früheren Kundgebung abwich, festgestellt wurde, Vortrag gehalten worden (Anm. des Fürsten Bismarck in den Ged. u. Er.: „Dazu wäre Freiheit der Zeit erforderlich gewesen"), so würde durch den Idéen Austausch ein Ausweg aus den verschiedenen Auffassungen erzielt worden sein und die Divergenz und der Mangel des Zusammenwirkens, das Umarbeiten 2c., was Sie mit Recht so sehr bedauern, zu vermeiden gewesen. Aber was Sie bei dieser Gelegenheit über die Schwierigkeit des Imgangehaltens der constitutionellen Staatsmaschine sagen u. s. w., unterschreibe ich durchaus, nur kann ich die Ansicht nicht gelten lassen, daß mein so nöthiges Vertrauen zu Ihnen und den anderen Räthen der Kroue mangele. Sie selbst sagen, daß es zum erstenmal vorkomme seit 1862, daß eine Différenz eingetreten sei zwischen uns, und das sollte genügen als Beweis, daß ich kein Vertrauen zu meinen Regierungs- 26. 2. 6 Organen mehr hätte? Niemand schlägt das Glück höher an als ich, daß in einer 6jährigen so bewegten Zeit dergleichen Différenzen nicht eingetreten sind; aber wir sind dadurch verwöhnt worden — so daß der jetzige Moment, mehr als gerechtfertigt ist, ein Ebranlement erzeugt. Ja, kann ein Monarch seinem Premier ein größeres Vertrauen beweisen als ich, der Ihnen zu so verschiedenen Malen und nun auch jetzt zuletzt noch privat Briefe zusendet, die über momentan schwebende Fragen sprechen, damit Sie sich überzeugen, daß ich nichts der Art hinter Ihrem Rücken betreibe? Wenn ich Ihnen den Brief des Grls von Manteuffel in der Memeler Angelegenheit (Anm. des Fürsten Bismarck in den Ged. u. Er.: „Es handelte sich um die Eisenbahn Memel-Tilsit. Der König war durch einen Brief des Generals von Manteuffel bestimmt worden, von einer auf Vortrag der Ressortminister getroffenen Entscheidung wieder abzugehen.") sendete, weil er mir ein Novum zu enthalten schien und ich deshalb Ihre Ansicht hören wollte, wenn ich Ihnen Grls von Boyen Brief mittheilte, ebenso einige Zeitungsausschnitte, bemerkend, daß diese Pièces genau das wiedergäben, was ich unverändert seit Jahr und Tag überall und offiziel ausgesprochen hätte — so sollte ich glauben, daß ich mein Vertrauen kaum steigern könnte. Daß ich aber überhaupt mein Ohr den Stimmen verschließen sollte, die in gewissen gewichtigen Augenblicken sich vertrauensvoll an mich wenden, das werden Sie selbst nicht verlangen.

Wenn ich hier einige der Punkte heraushebe, die Ihr Schreiben als Gründe anführt, die Ihre jetzige Gemüthsstimmung herbeiführten, während ich andere unerörtert ließ, so komme ich noch auf Ihre eigne Aeußerung zurück, daß Sie Ihre Stimmung eine krankhafte nennen; Sie fühlen sich müde, erschöpft, Sehnsucht nach Ruhe beschleicht Sie. Das alles verstehe ich vollkommen, denn ich fühle es Ihnen nach; kann und darf ich deshalb daran denken, mein Amt niederzulegen? Ebenso wenig dürfen Sie es. Sie gehören Sich nicht allein, Sich selbst an; Ihre Existenz ist mit der Geschichte Preußens, Deutschlands, Europas zu eng verbunden, als daß Sie sich von einem

2. 69. Schauplatz zurückziehen dürfen, den Sie mit schaffen halfen. Aber damit Sie Sich dieser Schöpfung auch ganz widmen können, müssen Sie sich Erleichterung der Arbeit verschaffen und bitte ich Sie inständigst mir dieserhalb Vorschläge zu machen. So sollten Sie sich von den Staats-Ministerial-Sitzungen losmachen, wenn gewöhnliche Dinge verhandelt werden. Delbrück steht Ihnen so getreu zur Seite, daß er Ihnen Manches abnehmen könnte. Réduciren Sie Ihre Vorträge bei mir auf das Wichtigste u. s. w. Vor Allem aber zweifeln Sie nie an meinem unveränderten Vertrauen und an meiner unauslöschlichen Dankbarkeit!

Ihr

Wilhelm.

Nr. 48.

König Wilhelm an Graf Bismarck.

5. 69. Das andere Papier habe ich noch behalten. In beifolgendem verstehe ich geradezu den Vorgang nicht, da die genannten Ausgaben doch größtentheils vorhergesehen waren, ich daher die nun doch eingetretene Verlegenheit aus Fonds Mangel nicht zu combiniren vermag.

W., 7./5. 69.

Nr. 49.

König Wilhelm an Graf Bismarck.

Bbg, 29. 6. 69.

6. 69. Wenn Fürst Gortschakoff mich zu sprechen wünscht, so würde ich ihn morgen den 30. um 2 Uhr in Berlin empfangen und falls Sie mich vorher informiren wollten über Ihre Conversation mit ihm, würde ich Sie von 1 Uhr an erwarten.

Wilhelm.

Nr. 50.

König Wilhelm an Graf Bismarck.

Auf Ihren mündlichen und schriftlichen Antrag vom 29. Juni d. J. ertheile ich Ihnen einen mehrmonatlichen Urlaub, und will ich Sie, Ihrem Wunsche gemäß und in der Hoffnung auf Ihre baldige völlige Wiederherstellung und den damit verbundenen Wiedereintritt in den ganzen Umfang Ihrer Geschäfte, bis auf Weiteres von dem Vorsitze im Staats-Ministerium und von der Betheiligung an den Berathungen desselben entbinden. Auch will ich den Präsidenten des Bundeskanzler-Amts, Wirklichen Geheimen Rath Delbrück, beauftragen, allen Berathungen des Staats-Ministeriums, welche mit den Bundesangelegenheiten in Beziehung stehen, beizuwohnen. 30. 6. 6[9]

Schloß Babelsberg, den 30. Juni 1869.

Wilhelm.

Nr. 51.

König Wilhelm an Graf Bismarck.

Berlin, 27/10. 69.

Sie wissen bereits, daß die Finanz-Minister Crisis erledigt ist und zwar in Ihrem Sinne. Die Argumente, welche Sie in diesem Moment für die Wahl Camphausens anführten, sind ganz dieselben, welche ich bei seiner Wahl im Auge hatte — wir mußten in einem so critischen Moment eine finanzielle Capacität berufen, die zugleich Vertrauen erweckt. Nachdem Graf Eulenburg und ich selbst Alles vergeblich angewendet hatte, um v. d. Heydt von seiner Fahnenflüchtigkeit vor der Action zurückzuhalten, habe ich mich rasch für Camphausen entschieden und v. d. Heydt auch die von Ihnen gewünschte Anschwärzung verliehen und ihm noch eigenhändig geschrieben, um ihm nochmals meinen Dank und meine Anerkennung für seinen Muth und für seine Erfolgreichen Leistungen namentlich im Jahr 1866 auszusprechen. — Er glaubt noch immer, daß nur seine Person 27. 10.

10. 69. der Hemmschuh sei, der jeden Steuerzuschlag Seitens der Kammer zurückhält und glaubt, daß mit seinem Zurücktritt die Kammer traitabel sein wird, und das kann man nur achten. Dagegen glaubt das Ministerium, Forkenbeck und die öffentliche Meinung, daß die Kammer keinem Minister einen Steuerzuschlag bewilligen wird, weil das so viel heiße, als die Wiederwahl der dafür Votirenden unmöglich zu machen. Auch Camphausen theilt diese letztere Ansicht und daher sinnt er auf andere Mittel, das Déficit zu decken, namentlich eine Zeitweise Verminderung der Schuldentilgungssumme, da er mit Bestimmtheit annimmt, daß dies dem Staats-Credit nicht nachtheilig sein wird. Er hat diesen Vorschlag im Sommer an v. d. Heydt gemacht, keine Antwort erhalten und v. d. Heydt hat mir diesen Ausweg nicht genannt, als ich Ihn beschwor, andere Mittel zu ersinnen als den Steuer-Zuschlag.

Die politischen Antécédenzien Camphausens schlagen Sie nicht so hoch an, wie ich und seine nunmehrigen Collegen. Ich ließ ihm daher sagen, daß sein Eintritt unmöglich sei, wenn er politische Bedingungen an die Richtung des Gouvernements stelle; namentlich könne, um Geldbewilligungen zu erlangen, von keinen Concessionen an die libérale Parthei die Rede sein. Er hat Beides versprochen, wenngleich er gesagt hat, daß er, wenn der Moment nicht so critisch sei, wo Patriotismus den Ausschlag gebe, wohl nicht leicht in dies Ministerium eingetreten wäre. Dies ist bezeichnend genug, um Vorsicht vorwalten zu lassen.

Ihren Vorschlag, herzukommen, habe ich Ihnen durch Eulenburg entschieden abrathen müssen, denn die Unterbrechung einer Carlsbader Kur, ist das Schlimmste, was man thun kann! Außerdem ist alles glatt nach den von Ihuen selbst aufgestellten Gesichtspunkten abgelaufen.

Was dagegen Ihren Vorschlag betrifft, sich durch eine erweiterte Stellung Delbrücks Erleichterungen in Ihrer Stelle zu verschaffen, so nehme ich denselben sehr gern auf und werde Ihre Vorschläge erwarten, wie Sie dieselben dem Ministerium und auch wohl dem Reichsrathe machen wollen. Denn daß Sie einer solchen Erleichterung schlechterdings bedürfen, begreift Jedermann und machte ich Ihnen schon dieserhalb selbst Vor-

schläge. Also jetzt ruhig Carlsbad, dann noch Ruhe und dann 27. 6. 6
Rückkehr! Gott mit Ihnen.

Ihr

Wilhelm.

Nr. 52.

König Wilhelm an Graf Bismarck

Berlin, 4/12. 69.

Mit der innigsten Theilnahme erfahre ich heute erst und 4. 12. 6
bestätigend durch Ihren soeben erhaltenen Brief, die Ursache
Ihrer plötzlichen Reise. Gott wende in Gnaden von Ihnen
und Ihrer Gemahlin einen harten, schmerzlichen Schlag ab!!

Ihr

treu ergebener

Wilhelm.

Nr. 53.

König Wilhelm an Graf Bismarck.

Berlin, den 13. Jannar 1870.

Leider vergaß ich noch immer, Ihnen die Sieges-Medaille 13. 1. 7
zu übergeben, die eigentlich zuerst in Ihren Händen hätte
sein müssen, und so sende ich sie Ihnen hierbei als Siegel Ihrer
Welthistorischen Leistungen.

Ihr

Wilhelm.

Nr. 54.

Graf Bismarck an König Wilhelm.

Berlin, 13. Jannar 1870.

Allerdurchlauchtigster König,

Allergnädigster Herr,

Eurer Majestät sage ich meinen ehrfurchtsvollen und tief- 13. 1. 7
gefühlten Dank für die huldreiche Verleihung der Sieges-

1. 70 Medaille und für den ehrenvollen Platz, den Eure Majestät mir auf diesem historischen Denkmal anzuweisen geruht haben. Die Erinnerung, welche dieses geprägte Document der Nachwelt erhalten wird, gewinnt für mich und die Meinigen ihre besondre Bedeutung durch die gnädigen Zeilen, mit denen Eure Majestät die Verleihung begleitet haben. Wenn mein Selbst gefühl eine hohe Befriedigung darin findet, daß es mir vergönnt ist, meinen Namen unter den Flügeln des Königlichen Adlers, der Deutschland seine Bahnen anweist, auf die Nachwelt kommen zu sehn, so ist mein Herz noch mehr befriedigt in dem Gefühle, unter Gottes sichtbarem Segen einem angestammten Herrn zu dienen, dem ich mit voller persönlicher Liebe anhänge, und dessen Zufriedenheit zu besitzen für mich der in diesem Leben begehrteste Lohn ist.

Euer Majestät treugehorsamster Diener

v. Bismarck.

Nr. 55.

König Wilhelm an Graf Bismarck

B. 22. 1. 70.

1. 70. Da Sie mir neulich sagten, daß Sie die Piècen über die Jerusalemer Vorgänge nicht besäßen, so sende ich Ihnen dieselben hierbei mit dem Berichte meines Sohnes und bitte mir das Ganze nach genommener Copie zurück.

Wilhelm.

Wie gedenkt die Regierung sich zu dem Duncker-Ebertyschen Preß-Vorschlag zu verhalten!! Eulenburg scheint auf Einiges eingehen zu wollen, was mir namentlich nach den neuesten französischen Erfahrungen sehr gewagt erscheint!!

Nr. 56.

Graf Bismarck an König Wilhelm.

Berlin, 22. Juli 1870.

7. 70. (Auch er, Bismarck, betrachte den Standpunkt, das fiscalische Finanzinteresse bei Concessionirung neuer Bahnen als maß-

gebend zu behandeln und einem an sich nützlichen und empfehlenswerthen Projecte lediglich aus Rücksicht auf die Concurrenz, welche durch die neue Bahn einer Staatsbahn erwächst, die Genehmigung zu versagen, principiell als unrichtig und politisch wie nationalökonomisch auf die Dauer als unhaltbar.) 22. 7. 7

Nach meinem Dafürhalten ist es unbedingt geboten, für die Staatseinnahmen die Oeffnung anderer Quellen vom Land- oder Reichstag zu erstreben, damit Eurer Majestät Regirung aus der falschen Lage herauskommt, in welcher sie sich auf fiscalische Monopolisirung oder Ausbeutung der Verkehrsmittel angewiesen sieht.

So lange man sich jedoch in dieser falschen Lage befindet, muß ich mich der Ausführung und resp. dem Antrage des Königlichen Staatsministeriums dahin anschließen, daß die Regirung bei der gegenwärtigen Finanzlage auf Staatseinnahmen und besonders auf Einnahmen von so bedeutender Höhe, wie dieselben in den angeschlossenen Anlagen näher nachgewiesen sind, nur dann verzichten kann, wenn ihr der volle Ersatz des Ausfalls gesichert ist.

Nr. 57.

Graf Bismarck an König Wilhelm.

Donchery, 2. September 1870.

2. 9. 70 Nachdem ich mich gestern Abend auf Eurer Königlichen Majestät Befehl hierher begeben hatte, um an den Verhandlungen der Capitulation theilzunehmen, wurden letztere bis etwa 1 Uhr Nachts durch die Bewilligung einer Bedenkzeit unterbrochen, welche General Wimpffen erbeten, nachdem General von Moltke bestimmt erklärt hatte, daß keine andere Bedingung als die Waffenstreckung bewilligt werden und das Bombardement um 9 Uhr Morgens wieder beginnen würde, wenn bis dahin die Capitulation nicht abgeschlossen wäre. Heut früh gegen 6 Uhr wurde mir der General Reille angemeldet, welcher mir mittheilte,

9. 70. daß der Kaiser Napoleon mich zu sehn wünsche und sich bereits auf dem Wege von Sedan hierher befände. Der General kehrte sofort zurück, um Sr. Majestät zu melden, daß ich ihm folgte, und ich befand mich kurz darauf, etwa auf dem halben Wege zwischen hier und Sedan, in der Nähe von Frénois, dem Kaiser gegenüber. Se. Majestät befand sich in einem offnen Wagen mit drei höheren Officieren und eben so vielen zu Pferde daneben. Persönlich bekannt waren mir von letzteren die Generale Castelnau, Reille und Moskwa, der am Fuß verwundet schien, und Vaubert. Am Wagen angekommen, stieg ich vom Pferde, trat an der Seite des Kaisers an den Schlag und fragte nach den Befehlen Sr. Majestät.

Der Kaiser drückte zunächst den Wunsch aus, Eure Königliche Majestät zu sehen, anscheinend in der Meinung, daß Allerhöchstdieselben sich ebenfalls in Donchery befänden. Nachdem ich erwidert, daß Eurer Majestät Hauptquartier augenblicklich drei Meilen entfernt, in Vendresse sei, fragte der Kaiser, ob Eure Majestät einen Ort bestimmt hätten, wohin er sich zunächst begeben solle, und eventuell, welches meine Meinung darüber sei. Ich entgegnete ihm, daß ich in vollständiger Dunkelheit hierher gekommen und die Gegend mir deshalb unbekannt sei, und stellte ihm das in Donchery von mir bewohnte Haus zur Verfügung, welches ich sofort räumen würde. Der Kaiser nahm dies an und fuhr im Schritt gen Donchery, hielt aber einige hundert Schritt von der in die Stadt führenden Maasbrücke vor einem einsam gelegenen Arbeiterhause an und fragte mich, ob er nicht dort absteigen könne. Ich ließ das Haus durch den Legationsrath Grafen Bismarck-Bohlen, der mir inzwischen gefolgt war, besichtigen; nachdem er gemeldet, daß seine innere Beschaffenheit sehr dürftig und eng, das Haus aber von Verwundeten frei sei, stieg der Kaiser ab und forderte mich auf, ihm in das Innere zu folgen. Hier hatte ich in einem sehr kleinen, einen Tisch und zwei Stühle enthaltenden Zimmer eine Unterredung von etwa einer Stunde mit dem Kaiser.

Se. Majestät betonte vorzugsweise den Wunsch, günstigere Capitulationsbedingungen für die Armee zu erhalten. Ich lehnte von Hause aus ab, hierüber mit Sr. Majestät zu unterhandeln, indem diese rein militairische Frage zwischen dem General v. Moltke und dem General v. Wimpffen zu erledigen sei. Dagegen fragte ich den Kaiser, ob Se. Majestät zu Friedensunterhandlungen geneigt sei. Der Kaiser erwiderte, daß er jetzt als Gefangener nicht in der Lage sei, und auf mein weiteres Befragen, durch wen seiner Ansicht nach die Staatsgewalt Frankreichs gegenwärtig vertreten werde, verwies mich Se. Majestät auf das in Paris bestehende Gouvernement. Nach Aufklärung dieses aus dem gestrigen Schreiben des Kaisers an Eure Majestät nicht mit Sicherheit zu beurtheilenden Punktes erkannte ich, und verschwieg dies auch dem Kaiser nicht, daß die Situation noch heut, wie gestern, kein anderes praktisches Moment als das militairische darbiete, und betonte die daraus für uns hervorgehende Nothwendigkeit, durch die Capitulation Sedans vor allen Dingen ein materielles Pfand für die Befestigung der gewonnenen militairischen Resultate in die Hand zu bekommen.

2. 9. 70

Ich hatte schon gestern Abend mit dem General v. Moltke nach allen Seiten hin die Frage erwogen: ob es möglich sein würde, ohne Schädigung der deutschen Interessen dem militairischen Ehrgefühl einer Armee, die sich gut geschlagen hatte, günstigere Bedingungen als die festgestellten anzubieten. Nach pflichtgemäßer Erwägung mußten wir Beide in der Verneinung dieser Frage beharren. Wenn daher der General v. Moltke, der inzwischen aus der Stadt hinzugekommen war, sich zu Eurer Majestät begab, um Allerhöchstdenselben die Wünsche des Kaisers vorzulegen, so geschah dies, wie Eurer Majestät bekannt, nicht in der Absicht, dieselben zu befürworten.

Der Kaiser begab sich demnächst ins Freie und lud mich ein, mich vor der Thür des Hauses neben ihn zu setzen. Seine Majestät stellte mir die Frage, ob es nicht thunlich sei, die französische Armee über die belgische Grenze gehn zu lassen, damit sie dort entwaffnet und internirt werde. Ich hatte auch diese Eventualität bereits am Abend zuvor mit General v. Moltke besprochen und ging unter Anführung der bereits oben angedeuteten Motive auch auf die Besprechung dieser Modalität nicht ein. In Berührung der politischen Situation nahm ich meinerseits keine Initiative, der Kaiser nur insoweit, als er das Unglück des Krieges be-

9. 70. klagte und erklärte, daß er selbst den Krieg nicht gewollt habe, durch den Druck der öffentlichen Meinung Frankreichs aber dazu genöthigt worden sei.

Ich hielt es nicht für meinen Beruf, in diesem Augenblick darauf hinzuweisen, wie das, was der Kaiser als öffentliche Meinung bezeichnete, nur das künstliche Product von einigen ehrgeizigen und politisch beschränkten Coterien der französischen Presse sei. Ich entgegnete nur, daß in Deutschland Niemand den Krieg gewollt habe, namentlich Eure Majestät nicht, und daß die spanische Frage für keine deutsche Regirung ein Interesse, welches eines Krieges werth gewesen wäre, dargeboten hätte. Eurer Majestät Stellung zu der spanischen Thronbesetzung sei schließlich durch den Gewissenszweifel bestimmt worden, ob es recht sei, der spanischen Nation den Versuch, durch diese Königswahl zur Wiederherstellung dauernder innerer Einrichtungen zu gelangen, aus persönlichen und dynastischen Bedenken zu verkümmern; daran, daß es dem Erbprinzen gelingen würde, sich mit Seiner Majestät dem Kaiser über die Annahme der spanischen Wahl in befriedigendes Einvernehmen zu setzen, hätten Eure Majestät bei den langjährigen guten Beziehungen der Mitglieder des fürstlich hohenzollernschen Hauses zum Kaiser niemals Zweifel gehegt, dies aber nicht als eine deutsche oder preußische, sondern als eine spanische Angelegenheit angesehn.

Durch Erkundigungen in der Stadt und insbesondere durch Recognoscirungen der Officiere vom Generalstabe war inzwischen, etwa zwischen 9 und 10 Uhr, festgestellt worden, daß das Schloß Bellevue bei Frésnois zur Aufnahme des Kaisers geeignet und auch noch nicht mit Verwundeten belegt sei. Ich meldete dies Sr. Majestät in der Form, daß ich Frésnois als den Ort bezeichnete, den ich Ew. Majestät zur Zusammenkunft in Vorschlag bringen würde, und deshalb dem Kaiser anheimstelle, ob Se. Majestät sich gleich dahin begeben wolle, da der Aufenthalt innerhalb des kleinen Arbeiterhauses unbequem sei und der Kaiser vielleicht einiger Ruhe bedürfen würde. Se. Majestät ging darauf bereitwillig ein, und geleitete ich den Kaiser, dem eine Ehren-Escorte von Eurer Majestät Leib-Cuirassier-Regiment voranritt, nach dem

Schlosse Bellevue, wo inzwischen das weitere Gefolge und die Equipagen des Kaisers, deren Ankunft aus der Stadt bis dahin für unsicher gehalten zu werden schien, von Sedan eingetroffen waren. Ebenso der General Wimpffen, mit welchem, in Erwartung der Rückkehr des Generals v. Moltke, die Besprechung der gestern abgebrochenen Capitulations-Verhandlungen durch den General v. Podbielski, im Beisein des Oberstlieutenants v. Verdy und des Stabschefs des Generals v. Wimpffen, welche beiden Officiere das Protocoll führten, wieder aufgenommen wurde. Ich habe nur an der Einleitung derselben durch die Darlegung der politischen und rechtlichen Situation nach Maßgabe der mir vom Kaiser selbst gewordenen Aufschlüsse theilgenommen, indem ich unmittelbar darauf durch den Rittmeister Grafen v. Nostitz im Auftrage des Generals v. Moltke die Meldung erhielt, daß Eure Majestät den Kaiser erst nach Abschluß der Capitulation der Armee sehn wollten — eine Meldung, nach welcher gegnerischerseits die Hoffnung, andere Bedingungen als die abgeschlossenen zu erhalten, aufgegeben wurde.

2. 9. 70

Ich ritt darauf in der Absicht, Eurer Majestät die Lage der Dinge zu melden, Allerhöchstdenselben nach Chéhery entgegen, traf unterwegs den General v. Moltke mit dem von Eurer Majestät genehmigten Texte der Capitulation, welcher, nachdem wir mit ihm in Frésnois eingetroffen, nunmehr ohne Widerspruch angenommen und unterzeichnet wurde. Das Verhalten des Generals v. Wimpffen war, ebenso wie das der übrigen französischen Generale in der Nacht vorher, ein sehr würdiges, und konnte dieser tapfere Officier sich nicht enthalten, mir gegenüber seinem tiefen Schmerze darüber Ausdruck zu geben, daß gerade er berufen sein müsse, achtundvierzig Stunden nach seiner Ankunft aus Afrika und einen halben Tag nach seiner Uebernahme des Commandos seinen Namen unter eine für die französischen Waffen so verhängnißvolle Capitulation zu setzen; indessen der Mangel an Lebensmitteln und Munition und die absolute Unmöglichkeit jeder weiteren Vertheidigung lege ihm als General die Pflicht auf, seine persönlichen Gefühle schweigen zu lassen, da weiteres Blutvergießen in der Situation nichts mehr ändern

2. 9. 70. könne. Die Bewilligung der Entlassung der Officiere auf ihr Ehrenwort wurde mit lebhaftem Danke entgegengenommen als ein Ausdruck der Intentionen Eurer Majestät, den Gefühlen einer Truppe, welche sich tapfer geschlagen hatte, nicht über die Linie hinaus nahe zu treten, welche durch das Gebot unsrer politisch-militairischen Interessen mit Nothwendigkeit gezogen war. Diesem Gefühle hat der General v. Wimpffen auch nachträglich in einem Schreiben Ausdruck gegeben, in welchem er dem General v. Moltke seinen Dank für die rücksichtsvollen Formen ausdrückt, in denen die Verhandlungen von Seiten desselben geführt worden sind.

Graf Bismarck.

An des Königs Majestät.

Nr. 58.

König Wilhelm an Graf Bismarck

(Bei Verleihung des Eisernen Kreuzes I. Klasse.)

12. 70. Aus dankbarster Anerkennung des 18. Decembers 1870 am 24. December 1870.

Versailles.

Wilhelm.

Nr. 59.

Graf Bismarck an König Wilhelm.

Versailles, 25. December 1870.

12. 70. Eure Majestät wollen meinen ehrfurchtsvollen Dank huldreich entgegennehmen für die so gnädige Auszeichnung, welche Allerhöchstdieselben mir als ein Andenken an dieses historisch so denkwürdige Weihnachtsfest zu verleihen geruht haben. Eure Majestät haben mir zwei Auszeichnungen in einer verliehen, durch die eigenhändige Inschrift auf derselben, welche diesem Gnadenbeweis einen besonders hohen Werth verleiht. Ich bin leider nicht gesund (genug), um ausgehn zu können, hoffe aber

bald Eurer Majestät den mündlichen Ausdruck meines allerunter- 25. 12.
thänigsten Dankes zu Füßen legen zu können.

, v. Bismarck.

Nr. 60.

König Wilhelm an Fürst Bismarck.

Berlin, den 21. März 1871.

Mit der heutigen Eröffnung des ersten deutschen Reichs- 21. 3. 7
tags nach Wiederherstellung eines Deutschen Reiches beginnt die erste öffentliche Thätigkeit desselben. Preußens Geschichte und Geschick wiesen seit längerer Zeit auf ein Ereigniß hin, wie es sich jetzt durch dessen Berufung an die Spitze des neu gegründeten Reiches vollzogen hat. Preußen verdankt dies weniger seiner Ländergröße und Macht, wenngleich beides sich gleichmäßig mehrte, als seiner geistigen Entwicklung und seiner Heeres-Organisation. In unerwartet schneller Folge haben sich im Laufe von sechs Jahren die Geschicke meines Landes zu dem Glanzpunkte entwickelt, auf dem es heute stehet. In diese Zeit fällt eine Thätigkeit, zu welcher ich Sie vor 10 Jahren zu mir berief. In welchem Maße Sie das Vertrauen gerechtfertigt haben, aus welchem ich damals den Ruf an Sie ergehen ließ, liegt offen vor der Welt. Ihrem Rath, Ihrer Umsicht, Ihrer unermüdlichen Thätigkeit verdankt Preußen und Deutschland das Weltgeschichtliche Ereigniß, welches sich heute in meiner Residenz verkörpert.

Wenngleich der Lohn für solche Thaten in Ihrem Innern ruhet, so bin ich doch gedrungen und verpflichtet, Ihnen öffentlich und dauernd den Dank des Vaterlandes und den meinigen auszudrücken. Ich erhebe Sie daher in den Fürstenstand Preußens mit der Bestimmung, daß sich derselbe stets auf das älteste männliche Mitglied Ihrer Familie vererbt.

Mögen Sie in dieser Auszeichnung den nie versiegenden Dank erblicken

Ihres

Kaisers und Königs

Wilhelm.

Nr. 61.

Kaiser Wilhelm an Fürst Bismarck.

Berlin, den 24. Juni 1871.

6 71. Ich habe Mich veranlaßt gefunden, den zu dem Domanium des Herzogthums Lauenburg gehörigen Grundbesitz im Amte Schwarzenbek, welcher Mir zum freien und unbeschränkten Eigenthum durch den mit der Ritter- und Landschaft des Herzogthums unterm 19. d. M. abgeschlossenen, von Mir am 21. d. M. genehmigten Receß überlassen worden ist, mit allen daraus resultirenden Privatrechten und Verbindlichkeiten dem Kanzler des Deutschen Reiches, Fürsten von Bismarck, in Anerkennung seiner Verdienste als eine Dotation zum Eigenthum zu übereignen.

Indem Ich Sie hiervon in Kenntniß setze, haben Sie das Erforderliche zur Ausführung meiner Gnadenbewilligung zu veranlassen.

Wilhelm.

An den Minister von Lauenburg.

Nr. 62.

Fürst Bismarck an Kaiser Wilhelm.

Berlin, 20. October 1871.

10. 71. Das Staatsministerium hat sich schon seit einer Reihe von Jahren überzeugt, daß das System der Staatsgarantie für Eisenbahnen zu verlassen sei, namentlich deswegen, weil Gesellschaften, welche garantirte Strecken mit nicht garantirten Linien gemeinsam besitzen, zu wenig darin controlirt werden können, ob sie den Betrieb auf den garantirten Strecken vernachlässigen und die dafür bestimmten Betriebsmittel einseitig zu Gunsten der nicht garantirten Linien ausbeuten. Der Schaden, welcher sich in einigen Fällen für die Staatskasse und für den Verkehr aus derartigen Verhältnissen entwickelt hat, ist so auffällig, daß Eurer Majestät Staatsministerium voranssichtlich einstimmig abrathen würde, irgend eine neue Einrichtung der Art zu genehmigen. Das Privatcapital hat sich in neuerer

Zeit dem Eisenbahnbau wieder lebhafter zugewandt, der Geld- 20. 10.
markt ist gegenwärtig solchen Unternehmungen keineswegs so
ungünstig, wie die Eingabe vom 13. d. M. andeutet; denn fast
täglich bilden sich industrielle Gesellschaften im Lande und finden
bereitwillige Zeichner für ihre Aetien.

Ich halte es daher für wahrscheinlich, daß die kurze Eisenbahnstrecke von Fulda nach Meiningen, welche das Mittelglied eines weit durchgehenden Verkehrs zu werden verspricht, durch Privatmittel auch ohne Staatsgarantie zu Stande kommen wird.

Sollte es aber wider Erwarten nicht geschehen, so würde ich lieber rathen, die auf preußischem Gebiete liegende Strecke ganz auf Staatskosten zu bauen, event. unter Verpachtung des Betriebes an die benachbarte Gesellschaft.

Nr. 63.

Fürst Bismarck an Kaiser Wilhelm.

Berlin, 11. Januar 1872.

Nach der heutigen Ministerialsitzung, in welcher sich neue 11. 1. 7
principielle Meinungsverschiedenheiten zwischen Herrn v. Mühler und unsern Collegen herausstellten, habe ich Ersterem Ew. Majestät Allerhöchste Ordre vom 5. c. persönlich übergeben und von ihm die Erklärung erhalten, daß er morgen sein Abschiedsgesuch Ew. Majestät einreichen werde. Eine vertrauliche Unterredung, welche ich heut Vormittag mit Abgeordneten verschiedener Parteien, auch der Conservativen, gehabt habe, bestätigte rückhaltlos die Voraussicht, daß die persönliche Stellung des Cultusministers den wesentlichsten Grund für die Schwierigkeit abgiebt, welcher die Vorlagen aus seinem Ressort im Landtage begegnen.

v. Bismarck.

Nr. 64.

Kaiser Wilhelm an Fürst Bismarck.

Berlin, den 2. März 1872.

Wir begehen heute den ersten Jahrestag des glorreichen 2. 3. 72
Friedensschlusses, der durch Tapferkeit und Opfer aller Art

3\. 72. erkämpft, durch Ihre Umsicht und Energie aber zu Resultaten führte, die nie geahnt waren! Meine Anerkennung und meinen Dank wiederhole ich Ihnen heute von Nenem mit dankbarem und gerührtem Herzen, dem ich durch Eisen und edle Metalle öffentlich Ausdruck gab. Es fehlt aber noch ein Metall, die Bronze. Ein Andenken aus diesem Metall stelle ich daher heute zu Ihrer Disposition und zwar in der Gestalt, die Sie vor einem Jahre zum Schweigen brachten, ich habe bestimmt, daß nach Ihrer eignen Auswahl einige eroberte Geschütze Ihnen überwiesen werden, die Sie auf Ihren Besitzungen zum bleibenden Andenken Ihrer mir und dem Vaterlande geleisteten hohen Dienste aufpflanzen wollen!

Ihr

treuergebener und

dankbarer

Wilhelm.

Nr. 65.

Kaiser Wilhelm an Fürst Bismarck.

Coblenz, den 26. July 1872.

7\. 72. Sie werden am 28. d. M. ein schönes Familien Fest begehen, das Ihnen der Allmächtige in Seiner Gnade bescheert. Daher darf und kann ich mit meiner Theilnahme an diesem Feste nicht zurückbleiben, und so wollen Sie und die Fürstin Ihre Gemahlin hier meinen innigsten und wärmsten Glückwunsch zu diesem erhebenden Feste entgegen nehmen. Daß Ihnen Beiden unter so vielen Glücksgütern, die Ihuen die Vorsehung für Sie erkoren hat, doch immer das häusliche Glück obenan stand, das ist es, wofür Ihre Dankgebethe zum Himmel steigen. Unsere und meine Dankgebethe gehen aber weiter, indem sie den Dank in sich schließen, daß Gott Sie mir in entscheidender Stunde zur Seite stellte und damit eine Laufbahn meiner Regierung eröffnete, die weit über Denken und Verstehen gehet. Aber auch hierfür werden Sie Ihre Dankgefühle nach Oben senden, daß Gott Sie begnadigte, so Hohes zu leisten. Und in und nach allen Ihren Mühen fanden Sie stets in der Häuslichkeit Erholung und Frieden, und das erhält Sie Ihrem schweren Berufe. Für diesen sich zu erhalten und zu kräftigen, ist mein stetes Anliegen an Sie, und freue ich mich aus Ihrem Briefe durch Graf Lehndorff und von diesem selbst zu hören, daß Sie jetzt mehr an Sich als an die Papiere denken werden. 26. 7. 7

Zur Erinnerung an Ihre silberne Hochzeit wird Ihnen eine Vase übergeben werden, die eine dankbare Borussia darstellt und die, so gebrechlich ihr Matérial auch sein mag, doch selbst in jeder Scherbe dereinst aussprechen soll, was Preußen Ihnen durch die Erhebung auf die Höhe, auf welcher es jetzt stehet, verdankt.

Ihr
treu ergebener
dankbarer König
Wilhelm.

Nr. 66.

Fürst Bismarck an Kaiser Wilhelm.

Varzin, 1. August 1872.

Eure Majestät

haben meiner Frau und mir durch die huldreiche Theilnahme an unserm Familienfeste eine große Freude bereitet und wollen unsern ehrfurchtsvollen Dank gnädig entgegennehmen. 1. 8. 72

Mit Recht heben Eure Majestät unter den Segnungen, die ich Gott zu danken habe, das Glück der Häuslichkeit in erster Linie hervor, aber zum Glück gehört in meinem Hause, für meine Frau sowohl, wie für mich, das Bewußtsein der Zufriedenheit Eurer Majestät, und die so überaus gnädigen und freundlichen Worte der Anerkennung, welche das Allerhöchste Schreiben enthält, sind für kranke Nerven wohlthuender als alle ärztliche Hülfe. Ich habe im Rückblick auf mein Leben so unerschöpflichen Anlaß, Gott für Seine unverdiente Barmherzigkeit zu danken, daß ich oft fürchte, es könne mir nicht so gut bis zu Ende gehn. Für eine besonders glückliche Fügung aber

8. 72. erkenne ich es, daß Gott mich auf Erden zum Dienste eines Herrn berufen hat, dem ich freudig und mit Liebe diene, weil die angestammte Treue des Unterthanen unter Eurer Majestät Führung niemals zu befürchten hat, mit einem warmen Gefühl für die Ehre und das Wohl des Vaterlandes in Widerstreit zu gerathen. Möge Gott mir auch ferner zu dem Willen die Kraft geben, Eurer Majestät so zu dienen, daß ich mir die Allerhöchste Zufriedenheit erhalte, von der ein so gnädiges Zeugniß heut vor mir liegt, in Gestalt des Handschreibens vom 26. Die Vase, welche rechtzeitig eintraf, ist ein wahrhaft monumentaler Ausdruck königlicher Huld, und dabei so solide, daß ich hoffen darf, nicht die „Scherben", sondern das Ganze wird meinen Nachkommen die gnädige Theilnahme Eurer Majestät an unsrer Silberhochzeit vergegenwärtigen.

Die Offiziere des 54. Regiments hatten die kameradschaftliche Freundschaft gehabt, ihre Musik von Colberg herzuschicken. Sonst waren wir, wie die ländlichen Verhältnisse es mit sich bringen, auf den engern Familienkreis beschränkt; nur der frühere amerikanische Gesandte in London, Motley, ein Jugendfreund von mir, war zufällig zum Besuch hier. Außer Ihrer Majestät der Kaiserin hatte Se. Majestät der König von Bayern und Ihre K. H. Prinz Carl und Friedrich Carl und Se. Kaiserliche Hoheit der Kronprinz mich mit telegraphischen Glückwünschen beehrt.

Mit meiner Gesundheit geht es langsam besser; gearbeitet habe ich allerdings garnicht; doch hoffe ich für die Zeit der Kaiserbesuche mich zum Dienst bei Eurer Majestät melden zu können.

v. Bismarck.

Nr. 67.

Fürst Bismarck an Kaiser Wilhelm.

Varzin, 12. August 1872.

Ew. Majestät

.8. 72 danke ich ehrfurchtsvoll für das huldreiche Handschreiben vom Tage von Wörth. Ich hoffe zu Anfang September in Berlin

zu sein, wenn auch in meiner Arbeitsfähigkeit nicht so gefördert, 12. 8. 7
wie ich erwartet hatte und wünschen möchte. Schon aus diesem Grunde, aber auch politisch ist es mir eine Beruhigung, daß Ew. Majestät sich bei der Zusammenkunft auf „Bindendes nicht einlassen" wollen. Ich fürchte die Geschäftigkeit des Fürsten Gortschakow, nachdem ich in den Zeitungen lese, daß er Jomini und Hamburger, seine beiden Haupt-Faiseurs, mitbringen will.

Ew. Majestät haben meine Ansicht über den allerunterthänigst wieder beigefügten Brief des Ober-Hofpredigers Hoffmann befohlen ....

Daß der Hofprediger Hoffmann schon jetzt eine sichre Meinung über die Frage abgiebt, wuudert mich nicht, denn ich kenne seit Jahren die sanguinische Sicherheit, mit welcher sich dieser geistliche Herr auf dem ihm ganz fremden Boden der Politik bewegt. Sein gänzlicher Mangel an der discreten Zurückhaltung, welche zarte Geschäfte erfordern, lassen mich befürchten, daß er das vorliegende durch seine Einmischung nur erschweren und Ew. Majestät Namen, wie das schon im Winter in Berlin geschehn zu sein scheint, mißbräuchlich benutzen wird. Ich kann daher ehrfurchtsvoll anrathen, dem Oberhofprediger jede Thätigkeit auf diesem Gebiete huldreichst untersagen zu wollen. Einige Sorge macht mir in meiner Einsamkeit die Rangfrage zwischen den Majestäten von Rußland und Oestreich. Graf Stillfried scheint zu meinem Erstaunen zu glauben, daß noch heut ein allgemeiner Vorrang eines Kaiserhofes oder Hauses vor einem andern von dem letztern irgendwo anerkannt werde. Das war selbst im vorigen Jahrhundert niemals unbestritten und ist 1814—15 und 1818 in Aachen durchaus aufgegeben. An Rang giebt an sich keiner der beiden Kaiser dem andern den pas. Die Auswege, die sich bieten, sind in erster Linie das Regirungsalter, eventuell, nach Uebereinkunft, das Lebensalter, auf Congressen das Alphabet. Diese schwierige Frage muß meines allerunterthänigsten Dafürhaltens durch Vermittlung von Ew. Majestät Botschaftern in Petersburg und Wien à l'amiable geordnet werden, bevor die Herrschaften sich begegnen.

v. Bismarck.

Nr. 68.

Fürst Bismarck an Kaiser Wilhelm.

Varzin, 13. November 1872.

Allergnädigster König und Herr,

11. 72. ich bin sehr niedergeschlagen darüber, daß ich auf Ew. Majestät huldreiches Schreiben vom 9. c. nicht sofort nach Berlin kommen und mich Ew. Majestät in der schwebenden Krisis zur Verfügung stellen kounte, um so mehr, als ich gegen Ende des vorigen Monats glaubte, daß ich bald so weit hergestellt sein würde. Ich befand mich seit meiner Rückkehr von Berlin in fortschreitender Zunahme der Kräfte und ließ mich dadurch und durch das Interesse zur Sache, im Widerspruche mit den dringenden Mahnungen des Arztes, verleiten, auf Graf Eulenburgs wiederholte Aufforderungen einzugehn, indem ich durch Eingaben an Ew. Majestät, durch Correspondenzen mit den Ministern und Gliedern des Herrenhauses auf den Gang der Dinge zu wirken suchte. Es ist das auf diesem Wege und aus der Ferne gewiß sehr gewagt, da mir die aufklärende Discussion und die Kenntniß der Gegenstände fehlt, und ebenso die ausreichende Arbeitshülfe. Ich hoffte aber, daß es nur wenige Tage dauern werde, bis die Geschäfte wieder in ruhigeres Fahrwasser gelangten. Dieser Versuch hat mich aber leider zu rasch überführt, wie mein Arzt Recht hat, und wie gering der Vorrath meiner neu gesammelten Kräfte war. Ich bin sehr entmuthigt darüber, denn meine Einwirkung auf die Geschäfte wird eher eine störende gewesen sein, und die wenigen Tage der Arbeit und der Gemüthsbewegung, welche nervenkranke Reizbarkeit damit verbindet, haben hingereicht, mir die Ermattung meiner geistigen Arbeitskraft wieder klar zu machen. Ich fürchte, daß ich verbrauchter bin, als ich mir selbst eingestehn mag, und diese Sorge, sowie das Gefühl der Beschämung darüber, daß ich in so wichtigen Momenten nicht auf meinem Posten und zu Ew. Majestät Dienst bin, drücken mich nieder, wenn ich mir auch sage, daß ich mich

in Demuth dem Willen Gottes zu ergeben habe, der meiner 13. 11.
Mitwirkung nicht bedarf und meinen Kräften ihre Schranke zieht.

Meine Unruhe findet ihr Gegengewicht in dem Vertrauen, welches Ew. Majestät am Schlusse Ihres Schreibens aussprechen und welches ich von Herzen theile, daß Gottes Gnade, die Ew. Majestät Regirung bisher gesegnet hat, auch weiterhelfen werde. Der Weg, den Ew. Majestät im Conseil gebilligt haben, kann ebenso gut, wie der von mir vorgeschlagne, zu denselben Zielen führen, wenn nur kein Bruch mit dem jetzigen Abgeordnetenhause dazwischen kommt, und wenn meine Collegen unter sich einig bleiben. Das werden sie Ew. Majestät zu Liebe thun, wenn auch bisher manche Anzeichen der Divergenzen bis hierher erkennbar wurden. Ich fürchte, daß meine Correspondenzen mit den einzelnen unter ihnen, je nachdem sie Fragen an mich richteten, die Elemente der Verstimmung gelegentlich veranlaßt haben, und daß Mißverständnisse mir gegenüber dadurch entstanden sind, daß der Inhalt meiner Briefe nur denen, an die sie gerichtet waren, vollständig bekannt wurde. Ich habe daher Roon gebeten, mich nur dann zuzuziehn, wenn Ew. Majestät es besonders befehlen, und ihn benachrichtigt, daß ich mit den einzelnen Collegen nicht mehr correspondiren würde.

Auf diese Weise wird meine Heranziehung, so lange mir Gott nicht zu bessern Kräften hilft, allein in Ew. Majestät gnädige und umsichtige Hand gelegt sein. Meine Hoffnung und meine Bitte zu Gott aber ist, daß mir bald wieder vergönnt sein möge, unter Ew. Majestät Auge selbst wieder meine Pflicht zu thun und die Beruhigung wiederzugewinnen, die in der Arbeit liegt.

v. Bismarck.

Nr. 69.

Fürst Bismarck an Kaiser Wilhelm.

Varzin, 5. December 187?

Indem ich Ew. Majestät die Anlage ehrfurchtsvoll über- 5. 12.
reiche und um huldreiche Erlaubniß bitte, dieselbe durch mündlichen Vortrag in spätestens 14 Tagen vervollständigen zu dürfen,

12\. 72. erlaube ich mir nur eine Bemerkung allerunterthänigst hinzuzufügen, die ich nicht durch fremde Handschrift gehen lasse. Ew. Majestät wollen sich allergnädigst erinnern, daß die Wichtigkeit, mit welcher Graf Arnim seinen persönlichen Eindrücken die Herrschaft über sein persönliches Urtheil einräumt, ein wesentliches Bedenken gegen seine Ernennung zum Botschafter in Paris bei Ew. Majestät hervorrief. Ich habe allerdings nicht darauf gerechnet, daß auch in Paris sein politisches Urtheil in dem Maße der Befangenheit unterliegen würde, wie seine durchweg tendenziösen und sachlich widerspruchsvollen Darstellungen es ergeben. Ich hatte gehofft, daß die Wichtigkeit der Stellung und der Ernst der Lage ihm schwerer ins Gewicht fallen würden. Ich wage einstweilen nur Ew. Majestät auf Grund des bisher meinem Urtheil in diesen Angelegenheiten seit so langen Jahren huldreich gewährten Vertrauens ehrfurchtsvoll zu bitten, den Berichten des Grafen Arnim nicht das Gewicht beilegen zu wollen, welches objective und gewissenhafte Darstellungen zu beanspruchen haben würden.

v. Bismarck.

Nr. 70.

Kaiser Wilhelm an Fürst Bismarck.

12\. 72. Auf Ihren Antrag in dem Berichte vom 20. d. Mts. will Ich Sie von dem Präsidium Meines Staats-Ministeriums hierdurch entbinden. Sie behalten den Vortrag bei Mir in den Angelegenheiten des Reichs und der auswärtigen Politik und sind, im Falle Ihrer Behinderung an der persönlichen Theilnahme an einer Sitzung des Staats-Ministeriums, befugt, Ihr Votum in den die Interessen des Reichs berührenden Angelegenheiten unter Ihrer Verantwortlichkeit durch den Präsidenten des Reichskanzler-Amts, Staats-Minister Delbrück, abgeben zu lassen. Der Vorsitz im Staats-Ministerium geht an den ältesten Staats-Minister über. Das Staats-Ministerium habe ich hiervon in Kenntniß gesetzt.

Berlin, den 21. December 1872.

Wilhelm.

Nr. 71.

Fürst Bismarck an Kaiser Wilhelm.

Berlin, 24. December 1872.

Ew. Majestät
danke ich ehrfurchtsvoll und herzlich für das schöne und aus- 24. 12.
zeichnende Geschenk zum Weihnachtsabend.

Mein Vater war 1783 bei Leib-Carabinier eingetreten und hat noch die Ehre gehabt, Friedrich dem Großen bei der Revue als Junker vorgestellt zu werden, bei welcher Gelegenheit der große König geruht hat, ihm das Beispiel seines Großvaters, des bei Czaslau gebliebenen Majors von Bismarck (von damals vacant von Schulenburg, später Bayreuth-Dragonern) in gnädig anerkennender Weise als Muster vorzuhalten. Diese und viele andre aus dem Munde meines Vaters überkommene lebendige Mittheilungen aus der großen Zeit, welche das vor mir stehende Kunstwerk vergegenwärtigt, und zu denen ich eine wohlerhaltne Reihe von Briefen meines Großvaters aus den Feldlagern des Siebenjährigen Krieges rechnen kann, bilden die dauernden Eindrücke meiner Kindheit, und ich habe es jederzeit bedauert, daß es mir nach dem Willen meiner Eltern nicht erlaubt war, lieber vor der Front als hinter dem Schreibtische meine Anhänglichkeit an das angestammte Königshaus und meine Begeisterung für die Größe und den Ruhm des Vaterlandes zu bethätigen. Auch heut, nachdem Ew. Majestät Gnade mich zu den höchsten staatsmännischen Ehren erhoben hat, vermag ich das Bedauern, ähnliche Stufen mir als Soldat erstritten zu haben, nicht ganz zu unterdrücken. Verzeihn Ew. Majestät am Heiligen Abend einem Manne, der gewohnt ist, an christlichen Gedenktagen auf seine Vergangenheit zurück zu blicken, diese Aussprache persönlicher Empfindungen. Ich wäre vielleicht ein unbrauchbarer General geworden, aber nach meiner eignen Neigung hätte ich lieber Schlachten für Ew. Majestät gewonnen, wie die Generäle, die das Denkmal zieren, als diplomatische Campagnen. Nach Gottes Willen und nach Ew. Majestät Gnade habe ich die Aussicht, in Schrift und in Erz genannt zu werden, wenn die Nachwelt

12. 72. die Erinnerung an Ew. Majestät glorreiche Regirung verewigt. Aber die herzliche Anhänglichkeit, die ich, unabhängig von der Treue jedes ehrlichen Edelmannes für seinen Landesherrn, für Ew. Majestät Person fühle, der Schmerz und die Sorge, die ich darüber empfinde, daß ich Ew. Majestät nicht immer nach Wunsch und nicht mehr mit voller Kraft dienen kann, werden in keinem Denkmal Ausdruck finden können; und doch ist es nur dieses persönliche Gefühl in letzter Instanz, welches die Diener ihrem Monarchen, die Soldaten ihrem Führer auf Wegen, wie Friedrich II. und Ew. Majestät nach Gottes Rathschluß gegangen sind, in rücksichtsloser Hingebung nachzieht. Meine Arbeitskraft entspricht nicht mehr meinem Willen, aber der Wille wird bis zum letzten Athem Ew. Majestät gehören.

v. Bismarck.

Nr. 72.

Kaiser Wilhelm an Fürst Bismarck.

Berlin, den 1. Januar 1873.

1. 73. Sie wissen, mit wie schwerem Herzen ich Ihren Wunsch erfüllt habe, indem ich Sie von dem Vorsitz Meines Staats-Ministeriums entband. Aber ich weiß, welche geistige und körperliche Anstrengung die zehn Jahre dieser Stellung von Ihnen verlangten, und will deshalb nicht länger anstehen, Ihnen eine Erleichterung zu bewilligen.

Zehn inhaltsschwere Jahre liegen hinter uns, seit Sie meiner Berufung, an die Spitze der preußischen Verwaltung zu treten, Folge leisteten! Schritt für Schritt hat Ihr Rath und Ihre That mich in den Stand gesetzt, Preußens Kraft zu entwickeln und Deutschland zur Einigung zu führen. Ihr Name steht unauslöschlich in der Geschichte Preußens und Deutschlands verzeichnet, und die höchste Anerkennung ist Ihnen von allen Seiten gerecht zu Theil geworden. Wenn ich genehmige, daß Sie die mit so sicherer und fester Hand geführte Verwaltung Preußens niederlegen, so werden Sie mit derselben doch, unter Fortführung

der politischen Aufgaben Preußens in Verbindung mit denen 1. 1. 73
der deutschen Reichskanzler-Stellung, im engsten Zusammenhange bleiben.

Durch die Verleihung der brillantnen Insignien meines hohen Ordens vom Schwarzen Adler will ich Ihnen bei diesem Anlaß einen erneuten Beweis meiner höchsten Anerkennung und nie verlöschenden Dankbarkeit geben.

Mögen die Ihnen gewährten geschäftlichen Erleichterungen die Kräftigung Ihrer Gesundheit sichern, die Sie erhoffen und ich wünsche, damit Sie lange noch dem engeren und dem weiteren Vaterlande und mir Ihre bewährten Dienste widmen können.

Ihr
treuergebener dankbarer König
Wilhelm.

Nr. 73.

Kaiser Wilhelm an Fürst Bismarck.

Berlin, 2. 4. 73.

Erst gestern Abend wurde ich meiner Vergeßlichkeit inne, 2. 4. 73
daß ich, sogar bei Ihrer Anwesenheit bei mir, Ihres Geburtstages nicht eingedenk war. Daher folgt heute erst nachträglich (und darum gewiß kein poisson d'Avril) mein herzlicher Glückwunsch zu neuem Lebens Abschnitt! Vor Allem möge er Ihnen Gesundheit bringen, die, wie mir scheint, sich wenigstens nicht in Berlin verschlimmert hat, — damit Sie Ihre hohen Eigenschaften noch lange zum Wohle des Vaterlandes bethätigen können.

Ihr treu ergebener
Wilhelm.

Nr. 74.

Fürst Bismarck an Kaiser Wilhelm.

Varzin, 14. April 1873.

Ew. Majestät

zeige ich ehrfurchtsvoll an, daß ich das Schreiben des Grafen 14. 4. 7

.4. 73. Arnim vom 8. nach Maßgabe der Acten zu beleuchten mir vorbehalte, sobald mir letztere wieder zugänglich sind.

Einstweilen bemerke ich nur ehrfurchtsvoll, daß Graf Arnim unvollständig referirt hat, indem er meine entscheidenden Telegramme bei Beginn der Verhandlung, vor dem 5., verschweigt, und dann seine Mittheilung an Thiers für eine diesen Telegrammen entsprechende vollständige Mittheilung unsers Conventionsentwurfes Ew. Majestät gegenüber ausgiebt. In der Alternative, die Graf Arnim stellt, daß er oder Thiers die Unwahrheit gesagt haben müsse, liegt, wie ich fürchte, das größere Maß von Glaubwürdigkeit auf der Seite von Thiers und des Ew. Majestät bekannten amtlichen Telegramms des Präsidenten an Graf St. Vallier. Ew. Majestät wollen Sich huldreichst erinnern, wie ich bei Ernennung des Grafen Arnim zu seinem jetzigen Posten in einem von hier aus an Ew. Majestät gerichteten ehrfurchtsvollen Schreiben mich dahin äußerte, daß nur die volle Zuversicht auf Ew. Majestät Vertrauen zu mir mich ermuthigen könne, mit einem Botschafter von so unsicherem und wenig glaubwürdigem Charakter einen Versuch zu gemeinsamem politischen Wirken zu machen und vielleicht die Kämpfe zu erneuern, die ich Jahre lang mit dem Grafen Goltz zu bestehen hatte. Diese Kämpfe begannen schon im Herbst vorigen Jahres, wo Graf Arnim bei Ew. Majestät bezüglich des Herrn Thiers eine der meinen entgegengesetzte Politik befürwortete, die ich in Immediatberichten und eigenhändigen Schreiben von hier aus bekämpfte[1]); und der Erfolg hat mir, wie ich glaube, Recht gegeben. Es ist aber in der Politik niemals möglich, mathematische Beweise zu geben. Das Vertrauen auf das Urtheil des einen oder des andern unter den Rathgebern und Berichterstattern Ew. Majestät entscheidet schließlich. Es ist leicht, einem Bericht, wie dem des Grafen Arnim vom 8. c., der drei Wochen voll sich täglich verschiebender Situationen umfaßt, eine Färbung zu geben, welche wahr scheint, ohne es zu sein.

---

[1]) Vergl. Nr. 69.

Die Acten, deren Vorlegung ich dem Auswärtigen Amte heute aufgebe, gewähren ein abweichendes Bild. Bis zur erneuten Zusammenstellung des Inhalts derselben erlaube ich mir nur über das formale Verfahren des Botschafters eine ehrfurchtsvolle Bemerkung. Die Disciplin ist im diplomatischen Dienste gewiß ebenso unentbehrlich, aber viel schwerer zu halten, als im militairischen, und sie geht verloren, sobald die Formen derselben fallen. Aus diesem Grunde bitte ich Ew. Majestät allerunterthänigst um die Gnade, den kaiserlichen Botschafter zunächst anweisen zu wollen, daß er seine amtliche Beschwerde über seinen Vorgesetzten durch diesen selbst an Ew. Majestät einreicht, damit ich sie Allerhöchstdenselben dienstlich vortrage. Geschieht dies nicht, so stehe ich mit meinen Untergebenen auf der gleichen Linie zweier streitenden Parteien. Es würde für mich nach dem Stande meiner Kräfte nicht möglich sein, neben den Kämpfen im Landtage und im Reichstage, im Ministerium und mit fremden Cabinetten, gegen sociale Einflüsse und diejenigen der Presse auch noch die dienstliche Autorität, deren ich zur Führung der Geschäfte bedarf, im Wege der schriftlichen Discussion mir zu erkämpfen. So gern ich Ew. Majestät Dienst auch den Rest meiner Kräfte noch widme, so kann ich mir doch nicht verhehlen, daß derselbe sehr schnell verbraucht sein wird, wenn ich unter dem schmerzlichen Gefühle leide, mit einem Manne, wie Graf Arnim, um Ew. Majestät Vertrauen ringen zu sollen, nachdem ich dasselbe so lange Jahre ungeschmälert besessen und meines Wissens niemals getäuscht habe. Ich habe Ew. Majestät meine unvorgreifliche Meinung über die Persönlichkeit des Grafen Arnim seit Jahren niemals verhehlt. Ich hatte gehofft, daß diese hohe und für das Vaterland so bedeutsame Stellung in Paris ihn über kleinliche Intriguen vielleicht erheben würde, sonst hätte ich Ew. Majestät, in Anknüpfung an die römischen Erfahrungen, dringender bitten müssen, ihm trotz aller Befähigung den Posten nicht anzuvertrauen. Ich habe, und nicht ich allein, den Verdacht, daß er seine geschäftliche Thätigkeit gelegentlich seinen persönlichen Interessen unterordnet, und es ist schwer, mit einem solchen Verdacht im Herzen für die Art verantwortlich zu bleiben, wie dieser hohe Beamte seine Instructionen ausführt.

14. 4. 7

4. 73. Ich habe mir erlaubt, Ew. Majestät meinen Verdacht mitzutheilen, und Allerhöchstdieselben wissen, wie gering mein Vertrauen auf die Objectivität seiner Berichte ist; um Ew. Majestät nicht Verdruß zu machen, habe ich es vermieden, meinen amtlichen Gewissensbedenken amtlichen Ausdruck zu geben. Der Schritt des Grafen Arnim, zu dem er von Berlin aus ermuthigt worden, und der dort schon in der vorigen Woche erwartet wurde, läßt mir keine Wahl mehr. Ew. Majestät wollen sich huldreichst erinnern, daß ich von dem Versuche sprach, die Gefahren, die Arnims Charakter in Paris bedingt, durch seine Versetzung nach London abzuschwächen, daß aber von dort aus bei der ersten Anfühlung der heftigste Protest wegen der Neigung Arnims zur Intrigue und zur Unwahrheit eingelegt wurde; „man würde kein Wort glauben, was er sagen könnte". Gegen die Anklagen eines Mannes von diesem Rufe geht meine ehrfurchtsvolle Bitte zunächst nur dahin, daß Ew. Majestät ihn allergnädigst anweisen wollen, seine dienstliche Beschwerde auf dienstlichem Wege einzureichen.

v. Bismarck.

Nr. 75.

Kaiser Wilhelm an Fürst Bismarck.

11. 73. Nachdem Sie Sich auf Meinen Wunsch bereit erklärt haben, das Präsidium Meines Staats-Ministeriums, von welchem Ich den General-Feldmarschall von Roon auf seinen Antrag entbunden habe, wiederum zu übernehmen, ernenne Ich Sie hierdurch aufs Neue zum Präsidenten, und, Ihrem Antrage entsprechend, den Staats- und Finanz-Minister Camphausen, zum Vice-Präsidenten Meines Staats-Ministeriums. Letztern setze Ich hiervon durch besondre Ordre in Kenntniß.

Berlin, den 9. November 1873.

Wilhelm.

An den Reichskanzler, Staats- und Minister der auswärtigen Angelegenheiten Fürsten von Bismarck.

Nr. 76.

Kaiser Wilhelm an Fürst Bismarck.

München, 17. Juli 1874.

Mögen Sie Trost und Befriedigung finden im Rückblicke auf eine ruhmvolle Vergangenheit, welche Ihnen Buben zu Feinden, Männer zu Freunden gemacht hat 17.7.7

Nr. 77.

Fürst Bismarck an Kaiser Wilhelm.

Kissingen, 27. Juli 1874.

Eure Majestät

wollen huldreichst verzeihn, daß ich meinen ehrfurchtsvollen Dank für das gnädige Schreiben vom 17. zurückgehalten, bis ich selbst die Feder führen kann; es geht noch schlecht, doch so viel, daß ich selbst schreiben kann, wie sehr mich Eurer Majestät Worte erfreut und gehoben haben. Bei meiner Ernennung zum General sagten Eure Majestät ein huldreiches Wort, welches mein innerliches Gefühl wiedergab, nämlich daß ich Eurer Majestät auch als Minister im Sinne des Soldaten diente. Als solcher freue ich mich über eine Wunde im Dienst, und als solcher bin ich bemüht, dem erhabenen Beispiel nachzustreben, welches Eure Majestät Ihren Dienern im Dienste des Vaterlandes geben. Möchte es mir auch gelingen, persönliche Beleidigungen, wie die vom 13., mit dem Gleichmuth hinzunehmen, den Eure Majestät in ähnlichen Fällen bewährten, denn der Zorn und der Haß sind schlechte Rathgeber in der Politik, und ich bitte Gott um Demuth und Versöhnlichkeit. Ich hoffe, Zeit und Kur werden auch der Verbitterung abhelfen, die in öffentlichen Geschäften nicht mitreden soll. 27.7.7

Ich muß doch zu fremder Hand greifen, um mehr zu schreiben.

v. Bismarck.

Nr. 78.

Fürst Bismarck an Kaiser Wilhelm.

Berlin, 4. Mai 1875.

5. 75. Eurer Königlichen und Kaiserlichen Majestät erlaube ich mir Nachstehendes ehrfurchtsvoll vorzutragen.

Bei meiner Rückkehr nach Berlin im Spätherbst v. J. glaubte ich die Hoffnung für berechtigt halten zu dürfen, daß nach längerer schwerer Krankheit und nach einer mehrmonatlichen Beurlaubung unter Gebrauch der Kissinger Brunnencur meine Gesundheit sich genügend gekräftigt habe, um den Geschäften der von Ew. Majestät mir übertragenen Aemter wiederum unbehindert vorstehn zu können. Diese Hoffnung ging nicht in Erfüllung. Eine kurze Wiederaufnahme meiner Geschäfte hat genügt, um mich wiederum von Weihnachten an mehrere Monate an das Zimmer zu fesseln, so daß ich während des ganzen Winters nur einem geringen Theile meiner dienstlichen Obliegenheiten zu genügen vermochte. In dem Glauben, hinreichend hergestellt zu sein, bin ich Aufangs April dem Bedürfniß gefolgt, Ew. Majestät meine pflichtmäßige Mitwirkung zu leisten, habe aber nach wenigen Tagen wiederum bis jetzt das Bett und das Zimmer hüten müssen.

Diese Erfahrungen lassen mir keinen Zweifel darüber, daß ich eine Wirksamkeit, wie solche von meinem Amte unzertrennlich ist, fernerhin durchzuführen außer Stande bin, und daß nach meiner vierundzwanzigjährigen Thätigkeit auf dem Felde der höheren Politik, von welcher mehr als die Hälfte durch die verantwortungsreiche Stellung als erster politischer Rathgeber Ew. Majestät ansgefüllt wurde, meine Kräfte nicht mehr ansreichen, um den hohen Aemtern, die Ew. Majestät Gnade mir übertragen hat, in gewissenhafter Weise ferner vorstehn zu können. Dieselben erheischen ihrer Natur nach einen vollständigen Verzicht auf Schonung und Ruhe, und auch bei zeitweise längerem Urlaub, wie Ew. Majestät ihn mir zu meiner Herstellung wiederholt Allergnädigst bewilligt haben, ist es für mich nicht möglich, ohne Kenntniß und Theilnahme an den Geschäften zu bleiben, so

lange mir bevorsteht, daß ich dieselben von Neuem zu über- 4. 5. 75
nehmen haben werde. Mein Interesse an meinen dienstlichen Obliegenheiten, so lange es solche für mich sind, bleibt zu lebhaft, und meine Verantwortlichkeit bei der Tragweite derselben ist zu groß, als daß ich in einer Zwischenzeit jeder Betheiligung entsagen könnte, auf die Gefahr hin, die Lage bei dem Wiedereintritt so verändert zu finden, daß die Weiterführung für mich nicht thunlich wäre.

Die Aerzte haben mir wiederholt erklärt, daß meine körperlichen Kräfte meiner bisherigen Lebensweise nicht mehr gewachsen sind, vielmehr unter derselben in kurzer Zeit zusammenbrechen werden.

Vom besten Willen erfüllt, Ew. Majestät und dem Vaterlande meine Dienste zu widmen, fühle ich mich mit tiefem Bedauern außer Stande dazu und bin gezwungen, Allerhöchstdieselben davon unterthänigst in Kenntniß zu setzen. Wohl habe ich mich noch in diesem Winter eine Zeitlang mit der Hoffnung getragen, meine Entschließung hinausschieben zu können. Je länger, je mehr befestigt sich jedoch in mir die Ueberzeugung, daß ich den Pflichten der von Ew. Majestät mir anvertrauten Aemter nicht mehr in dem Umfange zu genügen vermag, wie Ew. Majestät es zu erwarten berechtigt sind und wie mein Pflichtgefühl und die mir obliegende Verantwortlichkeit es erfordern.

Ew. Majestät bitte ich daher ehrfurchtsvoll, huldreichst genehmigen zu wollen, daß ich mit der gesetzlichen Pension aus dem Allerhöchsten Dienste ausscheide.

Ew. Majestät wollen versichert sein, daß ich Allerhöchstdenselben lebenslänglich in ehrfurchtsvollem Danke verbunden bleibe für die Huld und Nachsicht, mit der Ew. Majestät mir gestattet haben, dem Königlichen Hause und dem Vaterlande in ehrenvollen Stellungen und in denkwürdigen Zeiten zu dienen, und für die hohen Auszeichnungen, deren Ew. Majestät mich in diesem Dienste gewürdigt haben.

Die günstige Lage der innern Verhältnisse und der auswärtigen Beziehungen Deutschlands gestattet Ew. Majestät eine Aenderung, die in Kurzem von jedem menschlichen Willen unabhängig eintreten muß, im gegenwärtigen Moment in jeder

.5.75. zweckmäßig erscheinenden Gestalt eintreten zu lassen. Da Ew. Majestät bereits die Gnade gehabt haben, mir zu gestatten, daß ich in nächster Zeit zu meiner Erholung einen längeren Urlaub antrete, so werden die für die Zeit eines solchen in der Regel getroffenen Einrichtungen für meine Vertretung auch jetzt genügen und Ew. Majestät durch die Umstände nicht gedrängt sein, definitive Anordnungen früher als vor Ablauf meines Urlaubs zu treffen. Ich möchte auch ehrfurchtsvoll anheimstellen, etwaige Verhandlungen über die Zukunft nicht so früh bekanut werden zu lassen, daß die eintretende Veränderung wegen des Kaiserlichen Besuchs irrthümlich mit diesem in der öffentlichen Meinung in Verbindung gebracht werden könnte und man ihr andere Gründe unterschöbe, als die Lage meiner Gesundheit.

Ew. Majestät wollen huldreichst überzeugt sein, daß der Schritt, den ich hiermit thue, mir ein sehr schwerer ist; ich scheide ungern aus Ew. Majestät Nähe und aus der gewohnten Thätigkeit, und habe meinen Entschluß Monate lang erwogen, gefaßt und wieder aufgegeben, schließlich aber von Neuem eingesehn, daß ich Ew. Majestät Dienst dargebracht habe, was ich zu leisten vermochte, und daß ich mein Amt in einer mit meinem Pflichtgefühl unverträglichen Weise nicht weiter zu führen vermag.

v. Bismarck.

Seiner Majestät
dem Kaiser und Könige.

Nr. 79.

Kaiser Wilhelm an Fürst Bismarck.

Berlin, den 11. Mai 1875.

1.5.75. Soeben erhalte ich Ihr Schreiben vom 4.! Sie werden es mir erlassen, den Eindruck, den dasselbe auf mich macht, irgendwie zu schildern!

Um Eins bitte ich Sie aber, da Sie selbst schreiben, daß ich den Inhalt Ihres Schreibens geheim halten möge, damit man den Inhalt desselben nicht mit der Anwesenheit des Kaisers in Verbindung bringt, — den Abschreiber Ihres Briefes eid-

lich zu verpflichten, zu schweigen, da wir nur zu viele traurige 11. 5. 7
Erfahrungen von gebrochenem Geheimniß gemacht haben, daß man nicht alles vermeiden müßte, um so sicher als möglich zu gehen, was um so nöthiger ist, da Sie eine lange Frist mir setzen, bevor Sie näher auf Ihren gethanen Schritt eingehen werden!

Ihr
tief erschütterter
W.

Nr. 80.

Kaiser Wilhelm an Fürst Bismarck.

Wenngleich mit Widerstreben, will Ich auf Ihren Antrag 4. 6. 75
vom heutigen Tage eingehen und Sie während Ihres heute anzutretenden Urlaubes von den regelmäßigen Geschäften Ihrer Stellungen entbinden. Ich habe die Geschäfts-Uebernahme nach Ihrem Vorschlag angeordnet; doch behalte Ich mir vor, in wichtigen Fragen nach wie vor Ihr Gutachten und Ihre Vorschläge direkt einzufordern.

Mit dem herzlichsten Wunsch, daß diese Geschäftseinrichtungen Ihre Gesundheit von Neuem befestigen mögen, bin Ich

Ihr
treu ergebener Freund
Wilhelm.

Berlin, den 4. Juni 1875.

An den Reichskanzler Fürsten v. Bismarck.

Nr. 81.

Fürst Bismarck an Kaiser Wilhelm.

Varzin, 13. August 1875.

Ew. Majestät

huldreiches Schreiben vom 8. d. M. aus Gastein habe ich mit 13. 8. 7
ehrfurchtsvollem Danke erhalten und mich vor Allem gefreut,

8. 75. daß Eurer Majestät die Kur gut bekommen ist, trotz alles schlechten Wetters in den Alpen. Den Brief der Königin Victoria beehre ich mich wieder beizufügen; es wäre sehr interessant gewesen, wenn Ihre Majestät sich genauer über den Ursprung der damaligen Kriegsgerüchte ausgelassen hätte. Die Quellen müssen der hohen Frau doch für sehr sicher gegolten haben, sonst würde Ihre Majestät sich nicht von Neuem darauf berufen, und würde die englische Regirung auch nicht so gewichtige und für uns unfreundliche Schritte daran geknüpft haben. Ich weiß nicht, ob Eure Majestät es für thunlich halten, die Königin Victoria beim Worte zu nehmen, es sei „Ihr ein Leichtes nachzuweisen, daß Ihre Befürchtungen nicht übertrieben waren". Es wäre sonst wohl von Wichtigkeit zu ermitteln, von welcher Seite her so „kräftige Irrthümer" nach Windsor haben befördert werden können. Die Andeutung über Personen, welche als „Vertreter" der Regirung Eurer Majestät gelten müssen, scheint auf den Grafen Münster zu zielen. Derselbe kann ja sehr wohl gleich dem Grafen Moltke akademisch von der Nützlichkeit eines rechtzeitigen Angriffs auf Frankreich gesprochen haben, obschon ich es nicht weiß und er niemals dazu beauftragt worden ist. Man kann ja sagen, daß es für den Frieden nicht erforderlich ist, wenn Frankreich die Sicherheit hat, daß es unter keinen Umständen angegriffen wird, es möge thun was es wolle. Ich würde noch heut wie 1867 in der Luxemburger Frage Eurer Majestät niemals zureden, einen Krieg um deswillen zu führen, weil wahrscheinlich ist, daß der Gegner ihn später besser gerüstet beginnen werde; man kann die Wege der göttlichen Vorsehung dazu niemals sicher genug im Voraus erkennen. Aber es ist auch nicht nützlich, dem Gegner die Sicherheit zu geben, daß man seinen Angriff jedenfalls abwarten werde. Deshalb würde ich Münster noch nicht tadeln, wenn er in solchem Sinne gelegentlich geredet hätte, und die englische Regirung hätte deshalb noch kein Recht gehabt, auf außeramtliche Reden eines Botschafters amtliche Schritte zu gründen, und sans nous dire gare die andern Mächte zu einer Pression gegen uns aufzufordern. Ein so ernstes und unfreundliches Verfahren läßt doch vermuthen, daß die Königin Victoria noch andre Gründe gehabt habe, an kriegerische

Absichten zu glauben, als gelegentliche Gesprächswendungen des 13. 8. 7
Grafen Münster, an die ich nicht einmal glaube. Lord Russell hat versichert, daß er jederzeit seinen festen Glauben an unsre freundlichen Absichten berichtet habe. Dagegen haben aber Ultramontane und ihre Freunde uns heimlich und öffentlich in der Presse angeklagt, den Krieg in kurzer Frist zu wollen, und der französische Botschafter, der in diesen Kreisen lebt, hat die Lügen derselben als sichere Nachrichten nach Paris gegeben. Aber auch das würde im Grunde noch nicht hinreichen, der Königin Victoria die Zuversicht und das Vertrauen zu den von Eurer Majestät selbst dementirten Unwahrheiten zu geben, das Höchstdieselbe noch in dem Briefe vom 20. Juni ausspricht. Ich bin mit den Eigenthümlichkeiten der Königin zu wenig bekannt, um eine Meinung darüber zu haben, ob es möglich ist, daß die Wendung, es sei „ein Leichtes, nachzuweisen", etwa nur den Zweck haben könnte, eine Uebereilung, die einmal geschehn ist, zu maskiren, anstatt sie offen einzugestehn.

Verzeihn E. M., wenn das Interesse des Fachmannes mich über diesen abgemachten Punkt nach dreimonatiger Enthaltung hat weitschweifig werden lassen.

Die türkischen Sachen können kaum große Verhältnisse annehmen, wenn nur die drei Kaiserhöfe einig bleiben, und dazu können gerade Eure Majestät am erfolgreichsten wirken, weil wir die Einzigen sind, die zunächst, und noch sehr lange, keine directen Interessen auf dem Spiele stehend haben. Im Uebrigen kann es für uns nur nützlich sein, wenn die öffentliche Aufmerksamkeit und die Politik der andern Mächte sich einmal einer anderu Richtung als der deutsch-französischen Frage eine Zeit lang zuwenden.

Da Ew. Majestät die Gnade haben, meiner Gesundheit zu erwähnen, so melde ich darüber ehrfurchtsvoll, daß die sechs Wochen lang durchgeführte Kissinger Kur mich schließlich doch mehr als in vorigem Jahre angegriffen hat. Ich bin sehr matt geworden, kann wenig gehn und noch gar nicht reiten. Ein Regime von Malz- und Sool-Bädern soll dem nun wieder abhelfen und haben die 4 ersten in der That gut gewirkt. Ich hoffe daher, daß die nächsten sechs Wochen mich wieder geschäfts-

8. 75. fähiger machen werden, wenn ich auch fürchte, daß ich auf Ew. Majestät huldreiche Nachsicht in höherem Maße rechnen muß, als meinem Pflichtgefühl zulässig scheint.

Meine Frau und Tochter danken ehrfurchtsvoll für Ew. Majestät huldreiche Erinnerung und empfehlen sich der allerhöchsten Gnade.

v. Bismarck.

Nr. 82.

Fürst Bismarck an Kaiser Wilhelm.

Berlin, 16. Februar 1876.

2. 76. Ich habe soeben mit dem Grafen Karolyi über den Wiener Posten gesprochen. Als ich den Grafen Stolberg nannte, war sein erster Ausruf „Vorzüglich, politisch und persönlich die glücklichste Wahl, der Kaiser wird mit beiden Händen zngreifen".

Es ist sonach anzunehmen, und der Botschafter bezeichnete es als gewiß, daß auf seine telegraphische Anfrage die Kaiserliche Zustimmung ohne Verzug erfolgen werde. Im weitern Verlaufe des Gesprächs wiederholte Graf Karolyi in andern Formen den Ausdruck seiner Befriedigung, und bat mich, schon jetzt Ew. Majestät seinen persönlichen Dank für eine Wahl zu Füßen zu legen, die vor aller Welt Ew. Majestät aufrichtige und freundschaftliche Gesinnung für Oestreich kundgebe.

v. Bismarck.

Der Kaiser antwortete auf dem Rande von Bismarcks Brief·

. 2. 76. Ungemein erfreulich, wenn die Wiener Erklärung ebenso lauten wird.

W. 17./2. 76.

Nr. 83.

Fürst Bismarck an Kaiser Wilhelm.

Berlin, 8. Juni 1876.

Ew. Majestät

erwidere ich ehrfurchtsvoll, daß ich die Berichte über die Sitzungen des Landesausschusses bisher nicht erhalten und nach dem, was ich in den Zeitungen darüber gelesen habe, nicht glaube, daß eine der Sitzungen eine stürmische gewesen sei, wenn man auch von Angriffen erzählt, die Baron Zorn v. Bulach, der Führer der Ultramontanen, gegen Ew. Majestät Regirung gerichtet hat; aber nicht in Betreff des Herrn v. Möller, sondern wegen Nichtvorlage eines Jagdgesetzes. Genaueres weiß ich darüber noch nicht .... Jedenfalls sind die Gerüchte grundlos erfunden, die zuerst darüber in den Zeitungen standen, daß Möller beabsichtige, den Abschied zu nehmen; er selbst hat sie dementiren lassen. Noch weniger habe ich die Absicht, bei Ew. Majestät eine Veränderung in Anregung zu bringen, habe auch gegen niemand, weder hier noch im Elsaß eine Aeußerung gethan, die dahin gedeutet werden könnte. Ew. Majestät wollen sich huldreichst erinnern, daß ich gleich nach dem Erscheinen der Vertrauensmänner Allerhöchstdenselben mündlich vortrug, wie angenehm es mich überrascht habe, von denselben zu hören, daß Möller die Zuneigung und das Vertrauen der Deutsch-Gesinnten habe, und wie dadurch für mich alle Zweifel über die Nützlichkeit einer Aenderung für jetzt gelöst wären. Seitdem habe ich zu keiner Zeit auch nur einen Gedanken daran gehabt, geschweige denn eine Absicht geäußert, Möllers Entfernung aus Straßburg bei Ew. Majestät anzuregen, und kann nur allerunterthänigst bitten, die Quelle, aus der solche Gerüchte stammen, als eine unglaubwürdige ansehn zu wollen. 8. 6. 76

v. Bismarck.

Nr. 84.

Kaiser Wilhelm an Fürst Bismarck.

Mein lieber Fürst Bismarck!

1. 7. 76. Nachdem das Herzogthum Lauenburg mit dem heutigen Tage in Gemäßheit des Gesetzes vom 23. v. M. mit Meiner Monarchie vereinigt worden ist, habe Ich beschlossen, Ihnen als Besitzer des mit der Herrschaft Schwarzenbek errichteten Fideicommisses das erbliche Recht auf Sitz und Stimme im Herrenhause zu verleihen. Indem Ich Sie davon in Kenntniß setze, behalte Ich Mir vor, Ihnen darüber eine besondere Urkunde, in welcher das Nähere wegen Vererbung des verliehenen Rechtes angegeben sein wird, ausfertigen zu lassen, und verbleibe

Ihr

wohlgeneigter

Wilhelm.

Bad Ems, den 1. Juli 1876.

An den Kanzler des Deutschen Reiches und Präsidenten des Staats-Ministeriums Fürsten von Bismarck.

Nr. 85.

Fürst Bismarck an Kaiser Wilhelm.

Varzin, 9. Oktober 1876.

10. 76. (Klarlegung des in Bezug auf die Beibehaltung der Eisenzölle von dem Handelsminister eingenommenen Standpunktes. Daß die bei Frankreich angeregte Beseitigung der mißbräuchlichen Handhabung der acquits-à-caution einen Erfolg haben werde, bezweifle er, Bismarck, vom Standpunkte der auswärtigen Geschäfte.)

Ebensowenig verspreche ich mir von ähnlichen Unterhandlungen mit Oestreich ein Resultat. Abgesehn von der ganzen Handelspolitik der Nachbarstaaten leiden sie selbst unter der

Ueberproduction, welche, wie der Finanzminister mit Recht her- 9. 10. 7
vorhebt, überall stattfindet. (Im Hinblick auf diese allgemeine Ueberproduction werde es auch kaum gelingen), neue Absatzgebiete im Auslande zu ermitteln oder zu erschließen, welche uns die vermehrte Ausfuhr dauernd abzunehmen bereit wären

Der Finanzminister betone, daß nicht gerade die völlige Uebereinstimmung der deutschen und ausländischen Tarifsätze zu erstreben, vielmehr jedem einzelnen Staate gegenüber das bei ihm wirksamste Mittel in Anwendung zu bringen, beispielsweise also Frankreich gegenüber weit mehr mit der Drohung einer Erhöhung des Weinzolls als mit der Drohung der Beibehaltung der Eisenzölle zu erreichen sein werde.)

Dieser Ansicht kann ich allerdings nur beipflichten, glaube aber, daß die Erhöhung der Einfuhrzölle auf fremde Weine nicht blos als Drohung, sondern an sich und ohne Rücksicht auf die Eisenzollfrage angezeigt sein wird. Jedenfalls würde die Androhung einer Wiedereinführung der Eisenzölle die Wirksamkeit der Besorgniß Frankreichs vor höhern Zöllen auf Weine und Pariser Artikel wesentlich verstärken. Bisher aber steht dem Erfolg von Verhandlungen in dieser Richtung wesentlich der Unglaube des Auslandes entgegen, daß es uns mit der Ausführung derartiger Drohungen Ernst sei, oder daß wir, wenn es Ernst wäre, die Mehrheit des Reichstages dafür gewinnen würden. Doch werden wir meines Dafürhaltens den ungerechten Uebervortheilungen, welchen wir durch acquits-à-caution von Seiten Frankreichs ausgesetzt sind, nur durch wirkliche Repressalien ein Ende machen können. Weder von Androhungen noch von Unterhandlungen erwarte ich Abhülfe.

Nr. 86.

Fürst Bismarck an Kaiser Wilhelm.

Berlin, 21. März 1877.

Ew. Majestät

hatte ich gehofft, heut persönlich meinen ehrfurchtsvollen Dank 21. 3. 7
für den neuen durch Graf Redern mir überbrachten allerhöchsten

3. 17. Gnadenbeweis zu Füßen legen zu können; mein Arzt sagt aber, durch meinen Ausgang heut würde ich die Aussicht vermindert haben, morgen vor Ew. Majestät erscheinen zu können. Ich beschränke mich deshalb heut auf diesen schriftlichen Ausdruck meiner Dankbarkeit und der Freude, die Ew. Majestät mir durch dieses Zeichen Allerhöchster Anerkennung und durch die huldreichen Zeilen machen, welche dasselbe begleiten. Ich werde leider selbst dem Berufe eines Oberjägermeisters in Ew. Majestät getreuem Herzogthum Pommern nicht mehr mit der frühern Rüstigkeit und Lust am edlen Waidwerk obliegen können; aber mein Sohn, derselbe, bei dem Ew. Majestät vor 25 Jahren in Frankfurt die Gnade hatten, die Pathenstelle zu übernehmen, wird, so Gott will, noch lange Jahre in dankbarer Ehrfurcht seines erhabnen Pathen bei Führung des hohen Jägeramtes gedenken. Sein nächster Gutsnachbar wird dabei der Erbküchenmeister, Graf Kleist, sein, so daß die pommerschen Erbämter im Dienste ihres Herzogs zweckmäßig ineinander greifen können.

Ich hoffe, daß es mir vergönnt sein wird, morgen mit meinen ehrfurchtsvollen und herzlichen Glückwünschen meinen allerunterthänigsten Dank mündlich wiederholen zu dürfen.

v. Bismarck.

Nr. 87.

Kaiser Wilhelm an Fürst Bismarck.

Niemals!

7.4.7

W. 7 /4. 77

Nr. 88.

Fürst Bismarck an Kaiser Wilhelm.

Varzin, 28. Juli 1877.

7. 77. Eine mir gestern zugegangene Mittheilung des Admirals Henk benachrichtigt mich, daß Ew. Majestät die Gnade gehabt haben, die am 25. c. bei Kiel vom Stapel gelaufene Corvette auf meinen Namen taufen zu lassen. Geruhn Ew. Majestät meinen ehrfurchtsvollen und tief empfundenen Dank für diese neue und hohe Auszeichnung huldreich entgegenzunehmen. Ich würde ihn gern dadurch bethätigen, daß ich Ew. Majestät recht bald wieder in dem Fahrwasser meiner Amtsgeschäfte mit derselben Hingebung und Anstrengung zu dienen suchte, wie die Bemannung von Ew. Majestät Schiff „Bismarck" es überall zur See mit Sicherheit thun wird. Ich hoffe die guten Aussichten dazu, die ich in Kissingen gewonnen habe, im nächsten Monat in Gastein noch verbessern zu können. Für den Augenblick bin ich aber leider noch nicht gewiß, wann ich die Reise werde antreten können, da eine heftige Erkältung, wie das unsichre Wetter dieses Sommers sie mit sich bringt, mich nöthigt, das Zimmer und meistens das Bett zu hüten. Ich habe deshalb leider kaum Aussicht, Ew. Majestät noch in Gastein selbst meinen allerunterthänigsten Dank dafür in Person zu Füßen zu legen, daß Allerhöchstdieselben dort in den Alpen meiner in Gnaden gedacht haben.

v. Bismarck.

Nr. 89.

Fürst Bismarck an Kaiser Wilhelm.

Varzin, 11. August 1877.

Ew. Majestät

8. 77. danke ich ehrfurchtsvoll für das huldreiche Schreiben aus Gastein vom 6. und empfinde mit Allerhöchstdenselben ein peinliches Bedauern über die unvorsichtige Zersplitterung der russischen

Heere und die dadurch verursachten Unfälle. Nicht daß ich politisch eine für Deutschlands Frieden gefährliche Wendung deshalb befürchtete; im Gegentheil haben diese unvermutheten Siege der Türken die Möglichkeit einer weitern Verbreitung des Krieges durch Einmischung Englands oder Beunruhigung Oestreichs in die Ferne gerückt. Aber es ist unmöglich, ohne bewegte Theilnahme das Unglück dieser tapfern und befreundeten Truppen zu lesen und ohne Erbitterung von den schändlichen Greuelthaten der Türken gegen Verwundete und Wehrlose Kenntniß zu nehmen. Bei solchen Barbareien ist es schwer, die diplomatische Ruhe zu bewahren, und ich denke, daß unter allen christlichen Mächten das Gefühl der Entrüstung allgemein sein muß. 11. 8. 7

Vielleicht würde es den Intentionen Ew. Majestät entsprechen, wenn das auswärtige Amt eine Mittheilung in diesem Sinne an die übrigen Cabinette richtete und dieselben zu gemeinsamen Vorstellungen bei der Pforte aufforderte. Für die Russen liegt in diesen Erscheinungen ein Zeugniß, daß sie wirklich die Vorkämpfer christlicher Civilisation gegen heidnische Barbarei in diesem Kriege sind.

Ich freue mich aus Ew. Majestät Schreiben die Bestätigung meiner Ueberzeugung zu entnehmen, daß Deutschland die Hand zu irgend welcher Demüthigung Rußlands nicht bieten darf und daß Ew. Majestät dem Kaiser Alexander „Farbe halten“ wollen, das heißt die neutralité bienveillante durchführen und bei den, jetzt wie zu vermuthen ferner gerückten Friedensverhandlungen billige Wünsche Rußlands diplomatisch unterstützen; auch solche, die nicht in allgemein christlichen, sondern in berechtigten russischen Wünschen ihren Grund haben. Solche Wünsche geltend zu machen, wird Rußland allerdings nur als Sieger in der Lage sein, und der Sieg wird ihnen vielleicht noch länger den Rücken drehen, wenn sie, wie die letzten Berichte über eine angebliche dritte Schlacht bei Plevna bekunden würden, falls sie richtig sind, wenn sie fortfahren, starke feindliche Stellungen schnell und mit unzureichenden Kräften nehmen zu wollen. Nutzlose Aufopferung tapferer Soldaten ist das einzige Resultat.

8. 77. Ew. Majestät besorgten, daß die Türken den Kampf vor dem Eintreffen der russischen Verstärkungen erneuern würden; nach den Zeitungen scheint es aber, daß den Russen die Geduld fehlt, bessere Gestaltungen abzuwarten.

Für Ew. Majestät Politik scheint wenigstens eine Frucht schon gereift zu sein, die der richtigen Würdigung der deutschen Freundschaft in der öffentlichen Meinung Rußlands. Die vorjährigen Bestrebungen des Fürsten Gortschakow und andere antideutscher Politiker, eine uns feindliche Fühlung zunächst mit Oestreich, und dann nach Belieben mit Frankreich zu finden, Deutschland aber in der Meinung des russischen Volkes und Heeres zu discreditiren, sind definitiv mißlungen; wir sind mit England in gutem Vernehmen geblieben, und die früher deutschfeindlichen Moskauer wollen eine Adresse an Ew. Majestät richten; die Freundschaft Oestreichs haben Ew. Majestät in Ischl gestärkt, und die bisher unermüdlichen Verläumder der deutschen Politik finden mit ihren Fabeln über Kriegsgelüste keinen Anklang mehr. Der Drei-Kaiserbund wird unter Ew. Majestät Führung mit Gottes Hülfe auch ferner im Stande sein, dem Kaiser Alexander freie Bahn und dem übrigen Europa den Frieden zu erhalten.

Ich werde mich glücklich schätzen, wenn ich Ew. Majestät in dieser glorreichen Aufgabe wieder mit vollen Kräften dienen kann. Noch bin ich leider nicht so weit; wenn auch die unmittelbaren Krankheitserscheinungen seit Kissingen zurückgetreten sind, so ist doch meine allgemeine Schwäche jetzt fast größer als vor meiner Abreise nach Kissingen. Jede geistige Arbeit erregt meine Nerven, so daß der Schlaf mich flieht. Wollte ich mich ganz enthalten, so würde ich mit einigen meiner Collegen auf dem Gebiete innerer Gesetzgebung in unheilbaren Zwiespalt gerathen. Gesetzentwürfe, die ich der Industrie schädlich oder unpraktisch halte, entstehn in meiner Abwesenheit, und der Kampf dagegen macht mir viel eigne Arbeit; noch mehr das Verlangen, in unsern Zoll- und Steuergesetzen und im Eisenbahnwesen die Reformen anzubahnen, die ich nothwendig glaube, für die ich aber keinen Beistand finde. Ich bin eben unter Ew. Majestät Ministern, allenfalls mit Friedenthal, der einzige, der vermöge seines Besitzes zugleich zu den „Regirten" gehört und mit diesen empfindet, wo und wie die Schuhe drücken, die uns vom grünen Tische der Gesetzgebung her angemessen werden. Die Minister, ihre Räthe, die Mehrzahl der Abgeordneten sind gelehrte Leute, ohne Besitz, ohne Gewerbe, unbetheiligt an Industrie und Handel, außerhalb des praktischen Lebens stehend; ihre Gesetzentwürfe, überwiegend Juristenarbeit, stiften oft Unheil, und die Abgeordneten aus dem praktischen Leben sind einmal, den Gelehrten gegenüber, in Landtag und Reichstag die Minderheit, und dann treiben sie leider mehr Politik, als daß sie ihre materiellen Interessen vertreten sollten. So kommt es denn, daß ein Gesetzentwurf, der die Letztern schädigt, wenn er einmal von den Ministern eingebracht ist, durch die Mehrheit der Gelehrten und Beamten in den Parlamenten leicht durchgebracht, meist noch verschlechtert wird. 11. 8.

Verzeihn Ew. Majestät diese Darlegung der Verhältnisse, welche mich hier zur Arbeit nöthigen, während die Gesundheit Ruhe verlangt. Die auswärtigen Geschäfte sind nicht die aufreibenden.

Ich soll nach Gastein gehn, vermag aber immer noch nicht den Entschluß zur Reise zu fassen, wegen Schwäche und Menschenscheu.

Meine Frau, welche Tölz in Bayern gebrauchen soll, dankt ehrfurchtsvoll für Ew. Majestät huldreiche Grüße und wünscht Ew. Majestät fernerer Gnade allerunterthänigst empfohlen zu sein.

v. Bismarck.

Nr. 90.

Kaiser Wilhelm an Fürst Bismarck.

Berlin, zum 24. December 1877.

Damit Varzin nicht ohne eine Abbildung des dankbar Unterzeichneten bleibe, deren Berlin schon einige besitzt, so wähle ich Weihnachten, um mich Ihnen zu Pferde zu senden, wenngleich 24. 12.

12. 77. ich fürchte, daß ich dereinst in der dargestellten Haltung mir das Rückgrad brechen muß!

Ihnen und Ihrer Familie ein frohes Fest wünschend

Ihr dankbarer

Wilhelm.

Nr. 91.

Fürst Bismarck an Kaiser Wilhelm.

Varzin, 30. Dec. 1877.

Ew. Majestät

12. 77. sage ich meinen ehrfurchtsvollen Dank für das huldreiche Weihnachtsgeschenk, welches fortan eine dauernde Zierde meines hiesigen Hauses bilden wird. Wenn, wie Ew. Majestät gütige Zeilen andeuten, in einigen Linien die ungezwungene Haltung nicht wiedergegeben ist, in welcher wir Zeitgenossen den durchlauchtigsten Reiter im Sattel zu sehen gewohnt sind, so muß man dem Künstler zugeben, daß eine monumentale Darstellung ihre eignen Gesetze hat, nach denen der Eindruck des Bildes von vorne gesehen, durch die Abweichung von dem Natürlichen eher gesteigert wird.

Mit meinem Danke erlaube ich mir meinen allerunterthänigsten Glückwunsch Ew. Majestät zu Füßen zu legen. Gott wolle Allerhöchstdieselben auch im neuen Jahre in gewohnter Frische, Gesundheit und in allem Segen erhalten, der bisher Ew. Majestät Regirung begleitet hat. Ich werde mich glücklich schätzen, wenn ich im neuen Jahre meinen Dienst bald wieder antreten und zu Ew. Majestät Zufriedenheit versehn kann. Seit einigen Tagen bin ich von einer heftigen Grippe befallen, die mich so angreift, daß ich nur für kurze Zeit heut habe aufstehn können. Ich bin, ohne mir schädliche Gewalt anzuthun, deshalb nicht im Stande diese Zeilen zu einem politischen Berichte auszudehnen. Graf Lehndorff, der mich gestern verließ, habe ich gebeten, Ew. Majestät, auf Befragen, über meine Sondirungen durch Bennigsen einige Meldungen zu machen. Nach denselben erwarte ich im Reichstage eine günstige Aufnahme für Erhöhung von in- directen Steuern, wenn eine umfassende, reformartige Vor- lage gemacht wird. Große Summen (von Tabak, Bier u. dergl.) werden leichter bewilligt werden, als kleine unbescheidene expédients und Lückenbüßer. Ich hoffe, dieses scheinbare Räthsel bald bei besserer Gesundheit lösen zu können. 30. 12.

v. Bismarck.

Nr. 92.

Kaiser Wilhelm an Fürst Bismarck.

Coblenz, am 6. November 1878.

Es ist Jhuen beschieden gewesen, in der Zeit eines Vierteljahres Europa durch Ihre Einsicht, Umsicht und durch Ihren Muth den Frieden theils wiederzugeben, theils zu erhalten und für Deutschland auf gesetzlichem Wege einem Feinde entgegenzutreten, der für alle staatlichen Verhältnisse Verderben drohte. Wenn beide Weltgeschichtliche Ereignisse von allen Wohl- gesinnten begriffen und Jhuen derselben Anerkennung zu Theil geworden ist und ich selbst Jhnen diese Anerkennung beweisen kounte für das zuerst genannte Ereigniß des Berliner Congresses, so geziemt es mir nun auch für die Entschiedenheit, mit welcher Sie den Rechtsboden vertheidigt haben, Jhnen diese Anerkennung auch öffentlich darzulegen. Das Gesetz, welches ich im Sinne habe und welches seine Entstehung einem meinem Herzen und Gemüth schmerzlichem Ereigniß verdankt, soll den deutschen Staaten ihren jetzigen rechtlichen Standpunkt erhalten und sichern, also auch Preußen. 6. 11. 7

Ich habe als Zeichen meiner Anerkennung Ihrer großen Verdienste um mein Preußen die Zeichen seiner Macht gewählt: Kroue, Zepter und Schwerdt, und dem Großkreuz des Rothen Adler Ordens, welches Sie stets tragen, znfügen lassen, welche Décoration ich Jhuen beifolgend übersende.

11. 78. Das Schwerdt spricht für den Muth und die Einsicht, mit welcher Sie meinen Zepter und meine Krone zu unterstützen und zu schützen wissen.

Möge die Vorsehung Ihnen noch die Kraft verleihen, um lange Jahre hindurch ferner Ihren Patriotismus meiner Regierung und dem Wohle des Vaterlandes zu widmen!

Ihr

treuergebener dankbarer

Wilhelm.

Nr. 93.

Fürst Bismarck an Kaiser Wilhelm.

Berlin, 9. November 1878.

Ew. Majestät

11. 78. haben mir durch das huldreiche Schreiben vom 6. eine Ueberraschung bereitet, die um so freudiger war, als sie zusammenfiel mit dem so sehr gnädigen Ausdruck der Theilnahme, welchen Ew. Majestät an dem Freudenfest meiner Tochter und an den gemischten Gefühlen bekundet haben, welche meine Frau an jenem Tage bewegen mußten. Nur wer selbst eine einzige Tochter das Haus hat verlassen sehn, konnte die Bedeutung der zarten Aufmerksamkeit ermessen, mit welcher Ew. Majestät Huld meiner Frau einen Trost hat gewähren wollen.

Verzeihn Ew. Majestät, daß ich zuerst für den Gnadenact danke, der Haus und Herz berührt. In meiner Eigenschaft von Ew. Majestät Diener im Reich und im Staat bin ich beschämt darüber, daß Allerhöchstdieselben mein angestrengtes, aber leider schon gelähmtes Streben nach treuer Pflichterfüllung mit einer neuen Auszeichnung und insbesondere mit so warmen und mir tief zu Herzen gehenden Worten haben anerkennen wollen. Die schwere Heimsuchung, welche Ew. Majestät betroffen hat, nicht bloß durch Verwundung auf dem Schlachtfelde, wie es sich heut für Monarchen gestaltet, sondern durch den Undank der Menschen, wie er sich ausspricht in dem Verbrechen und in allem, was

sich daran knüpfte, bildet für mich ein neues Band der Pflicht, 9. 11. 7
welches mich noch fester als bisher dem allerhöchsten Dienste verbindet. In der Schlechtigkeit der Untreue liegt für treue Unterthanen ein Sporn der Treue, und ich bitte Gott seitdem noch eifriger als früher, mir die Gesundheit zu geben, deren ich bedarf, um Ew. Majestät, so lange ich lebe, meine herzliche Dankbarkeit und meine Treue als geborner Dienstmann des Brandenburgischen Herrscherhauses durch die That zu beweisen.

Meine Gesundheit läßt zu wünschen übrig; ich bedarf einer absoluten Ruhe für einige Zeit, die mir seit Jahr und Tag gefehlt hat; ich hoffe sie während der Landtagsverhandlungen in Friedrichsruh zu finden und will mich durch eigne Mattigkeit nicht beirren lassen in der Freude, mit der ich von Ew. Majestät zunehmenden Kräften durch Lehndorff höre und in Ew. Majestät festen Schriftzügen das Zeugniß für die Herstellung der in Gastein noch leidenden rechten Hand erblicke.

v. Bismarck.

Nr. 94.

Fürst Bismarck an Kaiser Wilhelm.

Friedrichsruh, 3. Dec. 1878.

Zu meiner tiefen Betrübniß bin ich nicht im Stande Ew. 3. 12. 7
Majestät meine ehrfurchtsvolle Begrüßung übermorgen gemeinsam mit meinen Collegen darbringen zu können. Ich vermag nur schriftlich Ew. Majestät den herzlichsten Wunsch zu Füßen zu legen, daß Gottes Segen in der wieder übernommenen Regirung Ew. Majestät Trost und Genugthuung gewähren möge für Verbrechen und Undank der Menschen, welche Ew. Majestät im Herzen ebenso schwer als äußerlich haben verwunden müssen.

Der plötzliche Uebergang aus der Gasteiner Kur in die Arbeiten des Reichstags scheint meine Herstellung gehindert zu haben, so daß ich heut noch nicht wieder so wohl bin, wie ich im September war. Wenn aber Ew. Majestät die Gnade haben wollen, mir noch 4 bis 6 Wochen arbeitsfreie Einsamkeit und

12. 78. Waldluft zu gestatten, so darf ich hoffen, daß es mir mit Gottes Hülfe gelingen werde, mich im Januar für die Arbeiten zur Vorbereitung des Reichstags mit frischen Kräften zur Allerhöchsten Verfügung stellen zu können. Die Reichstagsverhandlungen werden in diesem Jahre wegen der Nothwendigkeit tief eingreifender finanzieller und wirthschaftlicher Reformen besonders schwierig und voraussichtlich von harten Kämpfen der Parteien unter einander und gegen Ew. Majestät Regirung begleitet sein. An einem schließlichen günstigen Erfolge, auf dem finanziellen wie auf dem wirthschaftlichen Gebiete, zweifle ich aber nicht, wenn es gelingt, die Einigkeit des Staatsministeriums in sich und mit den wichtigeren Bundesregirungen zu erhalten und der Regirung diejenige Festigkeit und Entschlossenheit zu bewahren, welche Ew. Majestät Führung uns in allen schwierigen Lagen gewährt hat und der wir, nächst Gott, so große Erfolge verdanken.

v. Bismarck.

Nr. 95.

Fürst Bismarck an Kaiser Wilhelm.

Friedrichsruh, 29. Decbr. 1878.

Ew. Majestät

12. 78. danke ich ehrfurchtsvoll für das huldreiche Weihnachtsgeschenk, dessen Gepräge der „Erinnerung" gewidmet ist, deren schmerzliche Eindrücke in den Herzen derer, die sie mit erlebten, unauslöschlich sind. Dennoch kann ich die Münze nicht ohne ein Gefühl tiefer Dankbarkeit für Gottes Gnade betrachten, die es gewollt hat, daß Ew. Majestät nach so schwerer Verwundung, nach so schmerzlichem Eingriff in das geistige wie in das körperliche Empfindungsvermögen im Vollbesitz der früheren Gesundheit und in neuer Bethätigung Ihres erhabenen Berufes, diese Denkmünze konnten schlagen lassen. Sie ist das Denkmal der mit Gottes Hülfe von Ew. Majestät und von Deutschland abgewendeten Gefahr, und es wäre undankbar gegen Gott, diesem Gefühl nicht den Vorrang vor der traurigen „Erinnerung" an

das zu gewähren, was am 2. Juni geschah und geschehn 29. 12.
konnte.

Mögen Ew. Majestät geruhn, in Gnaden die ehrfurchtsvollen Wünsche entgegenzunehmen, die ich, in Gemeinschaft mit allen andern treuen Dienern, zum Jahreswechsel in dem Vertrauen darbringe, daß in der göttlichen Gnade, die Ew. Majestät Herstellung im ablaufenden Jahre gewollt und bewirkt hat, auch die Bürgschaft für Gottes Segen im neuen Jahre liegt. Den vereinten Gebeten der christlichen und königstreuen Mehrheit der Unterthanen Ew. Majestät wird die Erhörung nicht versagt bleiben.

v. Bismarck.

Nr. 96.

Kaiser Wilhelm an Fürst Bismarck.

Berlin, den 1. April 1879.

Leider kann ich Ihnen meine Wünsche zum heutigen Tage 1. 4. 79.
nicht persönlich mündlich darbringen, da ich heute zum Erstenmale ausfahren soll, aber noch keine Treppen steigen darf.

Vor allem wünsche ich Ihnen Gesundheit, denn von der hängt ja alle Thätigkeit ab, und diese entwickeln Sie jetzt mehr wie seit langer Zeit, ein Beweis, daß Thätigkeit auch gesund erhält. Möge es zum Wohle des Vaterlandes, des engeren wie des weiteren, so fortgehen.

Ich benutze den Tag, um Ihren Schwiegersohn den Grafen Rantzan hiermit zum Legationsrath zu ernennen, da ich glaube Ihnen damit eine Freude zu machen.

Auch sende ich Ihnen die Copie meines großen Ahnherrn, des Großkurfürsten, wie er auf der langen Brücke steht, zum Andenken an den heutigen Tag, der noch recht oft für Sie und uns wiederkehren möge.

Ihr

dankbarer

Wilhelm.

Nr. 97.

Fürst Bismarck an Kaiser Wilhelm.

Varzin, 30. Mai 1879.

5.79. Unter Rücksendung der Anlage des Allergnädigsten Handschreibens von gestern erlaube ich mir von einer Mittheilung an den Kronprinzen von Dänemark ehrfurchtsvoll abzurathen.

Die Darstellung, welche Se. Königl. Hoheit Ihrer Majestät der Kaiserin gegeben hat, entspricht dem Sachverhalt nicht. Ob die Eheschließung überhaupt einen antideutschen politischen Hintergrund hatte, kann unerörtert bleiben; daß aber dabei eine Deputation von malcontenten und conspirirenden Unterthanen Ew. Majestät zu den Feierlichkeiten am dänischen Hofe amtlich zugezogen wurde, widersprach den Traditionen benachbarter und mit einander in friedlichen Beziehungen lebender Souveraine. Weit darüber hinaus aber geht die Thatsache, daß die Mitglieder dieser welfischen Deputation mit dänischen Orden ausgezeichnet wurden, als ob sie amtlich das Gefolge des Herzogs von Cumberland bildeten.

Ew. Majestät haben dieser starken Demonstration gegenüber Sich jeder Aeußrung von Empfindlichkeit enthalten; der Kaiserl. Gesandte hatte der Hochzeit des hanöverschen Prätendenten natürlich nicht beiwohnen können; aber er und sein Nachfolger haben die regelmäßigen Beziehungen, ohne die befremdliche Demonstration des dänischen Hofes auch nur zu berühren, [aufrecht erhalten]. Es liegt keine diesseitige Kundgebung vor, welche wieder gut zu machen wäre, sondern lediglich eine einseitige, von Ew. Majestät mit keinem Worte gerügte, Verletzung des völkerrechtlichen Herkommens von dänischer Seite.

Wenn in dieser Sachlage Se. dänische Majestät Selbst Ew. Majestät gegenüber einen directen begütigenden Schritt thäte, um jene bedauerliche Demonstration ungeschehn zu machen, so würde es sich meines ehrfurchtsvollen Dafürhaltens empfehlen, denselben freundlich entgegenzukommen. Aber einer mündlichen Aeußerung des Kronprinzen bei zufälliger Begegnung mit Ihrer Majestät der Kaiserin eine von Allerhöchstderselben in Ew. Maje-

stät Auftrage verfaßte schriftliche Auslassung folgen zu lassen, 30. 5. 7
würde ich für zu viel halten. Es würde außerdem ein so weitgehendes Entgegenkommen von unsern, weder ehrlichen noch discreten Gegnern benutzt werden können, um die Situation so darzustellen, als ob Ew. Majestät Allerhöchstsich im Gewissen gedrängt fühlten, irgend etwas in dieser Sache wieder gut zu machen, während ein solches Gefühl doch nur auf dänischer Seite vorhanden sein kann.

v. Bismarck.

Nr. 98.

Kaiser Wilhelm an Fürst Bismarck.

Mainau, 20. 7. 79.

Empfangen Sie meinen besten Dank für Ihr Schreiben nach 20. 7. 7
Uebergabe des endlich vollendeten Bildes und freue ich mich, daß es Ihren Beifall hat. Ebenso danke ich Ihuen für Ihren Brief über eine gewisse Aeußerung Ihrerseits über Frdthls Zukunft

Vor Allem muß ich Ihuen nun noch nachträglich Glück wünschen zu dem Siege, den Sie im Reichstag erfochten haben! Zu den vielen Siegen im Aeußeren tritt nun zu denen im Innern überhaupt noch dieser auf dem Finanz Gebieth. Sie unternahmen es, in ein Wespen-Nest zu stechen, wobei ich Ihnen aus Ueberzeugung beitrat, wenn auch mit Bangigkeit, ob der erste Wurf gelingen würde. Ein ähnlicher Umschwung der öffentlichen Meinung ist wohl selten in so kurzer Zeit errungen worden, und man siehet, Sie trafen, nach ungeheurer Arbeit und Anstrengung den Nagel auf den Kopf, und wenn derselbe auch Etwas beim Einschlagen brökelte, so ist doch die Majorität von 100[1]) Stimmen ein Triumph, der Ihuen manche schwere Stunde der Vorarbeit und des Kampfes versüßen wird. Das Vaterland wird Sie dafür segnen — wenn auch nicht die Opposition!

Ihr

dankbarer König

Wilhelm.

---

[1]) Bismarck-Jahrbuch Band IV, Seite 7 irrthümlich 160.

Nr. 99.

Denkschrift über die deutsch-russischen Beziehungen seit dem Berliner Congresse.

ept. 79. Deutschland hat nach wie vor dieselben Gründe und dieselben Wünsche, mit Rußland in Freundschaft zu leben, wie früher, hat kein Interesse, diesem Nachbar gegenüber andere als friedliche und freundliche Absichten zu hegen. Selbst die Verwirklichung der weitgehendsten Pläne im Orient, welche Rußland zugeschrieben und von einem Theile der russischen Presse offen verkündet werden, würde an sich kein deutsches Interesse derartig berühren, daß wir ein Bedürfniß haben könnten, Rußland deshalb entgegenzutreten. Auf der andern Seite haben wir freilich auch kein Interesse daran, etwaige orientalische oder panslavistische Eroberungspläne Rußlands zu fördern, denn dies würde nicht geschehen können, ohne unsre Beziehungen zu den andern Freunden, namentlich Oestreich zu verschlechtern. Etwa gar durch eine drohende Haltung gegen Oestreich Rußlands orientalische Pläne zu unterstützen, würde unserm Interesse geradehin zuwiderlaufen. Diese Stellung zur Sache hindert uns jedoch in keiner Weise, die russisch-deutsche Freundschaft nach wie vor zu pflegen, worauf wir schon durch die Erwägung angewiesen sind, daß wir bei einem Kriege gegen Rußland nie etwas zu gewinnen, sondern nur zu verlieren haben würden.

Selbst wenn Rußland sich Konstantinopels bemächtigte, so würde Deutschland das ertragen können, denn politisch würden die Vortheile und die Nachtheile einer solchen Veränderung sich für uns vielleicht aufwiegen. Was wir aber nicht vertragen könnten, wäre die Zumuthung, die an weitere russische Eroberungen im Orient sich knüpfende Feindschaft Oestreichs und Englands auf uns zu nehmen. Daß ein solches Opfer unsrer Beziehungen zu andern Mächten von manchen russischen Parteien und Politikern erwartet worden ist, müssen wir allerdings aus der Haltung der öffentlichen Meinung nicht nur, sondern auch aus manchen amtlichen Warnungen schließen. Ein solches Opfer zu bringen, würde, wenn nicht um anderer Gründe, schon um Sept. 7. der Erfahrung willen, welche wir nach dem Berliner Congreß gemacht haben, unrathsam sein.

Wir haben den Congreß auf den Antrag Rußlands berufen, wir haben auf demselben jeden russischen Vorschlag, der uns zuvor mitgetheilt worden war, befürwortet und mit Erfolg; unsre Unterstützung würde auch unter Umständen noch weiter gehenden russischen Forderungen, wenn dergleichen gestellt worden wären, nicht gefehlt haben. Wir durften hiernach darauf rechnen, durch unser Verhalten ein Gefühl dankbarer Befriedigung in Petersburg hervorgerufen zu haben. In eine kritische Erörterung der Motive einzugehn, welche zu einem andern, fast entgegengesetzten Ergebnisse geführt haben, ist nicht erforderlich. Ich beschränke mich auf die Bemerkung, daß diese Motive wesentlich auf dem Gebiete der innern russischen Politik liegen und bei der revolutionären Partei andre sind als bei den Angehörigen der Regirung, welche letztern das Interesse haben, die Fehler, die in der auswärtigen Politik Rußlands und in seiner Kriegführung begangen worden sind, auf Deutschland abzubürden.

Die Thatsache, mit welcher wir zu rechnen haben, ist, daß das Rußland des Grafen Schuwalow, das Rußland, welchem wir auf dem Congreß größere Dienste erwiesen, als wir früher em pfangen hatten, von der Bühne verschwunden ist, und an seiner Stelle das Rußland der Herren Milutin und Ignatieff die Zügel führt in einer Richtung, welche schon während des Congresses gekennzeichnet wurde. In dieser Beziehung erinnere ich nur an die wunderlichen Proteste, welche Fürst Gortschakow gegen amtliche Abstimmungen vorbrachte, die Graf Schuwalow im Namen seines kaiserlichen Herrn abgegeben hatte. Wenn man auf den Sommer des vorigen Jahres zurückblickt, so erscheint der Einfluß des Grafen Schuwalow wie eine vorübergehende Episode zwischen dem abgeschlossenen Kriege und den Vorbe reitungen zu einem neuen. Dieser Staatsmann ist benutzt wor den, um den Vertrag von Berlin zu Staude zu bringen und den Krieg Englands resp. Oestreichs gegen Rußland zu verhüten. Die Hoffnung, welche er selbst z. B. des Congresses zu hegen schien, daß er berufen sein werde, die Leitung der russischen Politik in der friedlichen Richtung, in der er den Congreß ermöglichte, weiterzuführen, scheint ohne Aussicht auf Erfüllung. Der Staatsmann, dessen Einfluß in Rußland gegenwärtig vorherrscht, der Kriegsminister Milutin, gehört zu den zweifellosesten Gegnern des Grafen Schuwalow, wie seit lange bekannt war und durch die neuerliche Thätigkeit der Heeresverwaltung bestätigt wird. Ungeachtet der schweren Belastung der russischen Finanzen durch den türkischen Krieg wird seit dem Frieden keine Ausgabe gescheut, um das Heer zu verstärken. Die neugebildeten Cadres, zu welchen die Kriegsformation der früheren Localtruppen das Material geliefert hat, betragen für den Frieden 57 000 Mann und repräsentiren für den Kriegsfall mehr als das Siebenfache dieser Ziffer für die mobile europäische Armee. Dazu ist der an sich imposante Heeresstand so dislocirt, wie es für einen in Kurzem gegen Oestreich und Deutschland bevorstehenden Krieg zweckdienlich sein würde. Diese Dislocation zwingt das russische Reich zu fortlaufenden finanziellen Opfern von bedeutendem Umfange, da die ungewöhnlich starken Massen von Cavallerie und Artillerie, welche längs der galizischen, besonders aber längs der preußischen Grenze stehen, dort natürlich viel theurer verpflegt werden, als in den futterreichen Provinzen des Innern.

Diese Aufstellung, welche an jeder andern Grenze unmittelbare Besorgniß erregen würde, haben wir nicht ohne sorgfältige Prüfung der begleitenden Umstände und gleichzeitigen Vorgänge beobachten können. Der Haltung der russischen Presse, auch der officiösen, ihren Commentaren, welche in dem Gedanken gipfeln, daß die orientalische Frage an der Spree entschieden werden müsse, der unverkennbaren Absicht, die Stimmung des russischen Volks gegen Deutschland aufzureizen und vielleicht auf weitere Ereignisse vorzubereiten, alledem würden wir wegen der oft gemachten Beobachtung der Wankelmüthigkeit und der plötzlichen Sprünge einer Presse, welche im Verhältniß zu der Bevölkerung nur einen sehr kleinen Leserkreis hat, keine besorgliche Bedeutung beigelegt haben, wenn nicht amtliche Vorkommnisse den Eindruck verschärft hätten. Dieselben ereigneten sich bei Gelegenheit der über die Ausführung des Berliner Friedens noch schwebenden Verhandlungen.

Die Abstimmungen der Vertreter Deutschlands in den orientalischen Commissionen waren in der Regel den(en) ihrer russischen Collegen entsprechend, nur in 3 oder 4 Fällen, die übrigens keine principiellen Punkte, sondern Detailfragen betrafen, ist die von Oestreich und England vertretene, der russischen entgegenstehende Auffassung den deutschen Commissaren als die dem Friedensvertrage mehr entsprechende erschienen. Diese geringen Abweichungen von den Wünschen Rußlands haben zu einer amtlichen Kritik der deutschen Politik von russischer Seite Anlaß gegeben, welche für eine unabhängige Großmacht auch d a n n nicht annehmbar gewesen wäre, wenn sie nicht von bedrohlichen Hinweisungen auf die Zukunft der Beziehungen beider Mächte zu einander begleitet gewesen wäre. Gleichzeitig mit diesen russischen Eröffnungen ging uns aus sicherer Quelle die Nachricht zu, daß die französische Regirung im August d. J. vertraulich von russischer Seite über ihre Geneigtheit zu gemeinsamer antideutscher Politik sondirt worden war. Die französische Regirung hatte ab lehnend geantwortet. Sept. 7

Diesen Thatsachen gegenüber haben wir es als nothwendige Aufgabe erkennen müssen, zu ermitteln, ob die Besorgnisse für die Sicherheit des europäischen Friedens, welche wir mit Widerstreben aus den erwähnten Umständen entnahmen, auch von andern befreundeten Mächten getheilt würden, und wir hatten in erster Linie dabei natürlich an Oestreich zu denken.

Die östreichisch-ungarische Monarchie ist in demselben Maße wie wir an der Erhaltung des Friedens interessirt, und gleich uns frei von Bestrebungen, in dem status quo Europas Aenderungen herbeizuführen. Beide Reiche, das östreichisch-ungarische und das heutige deutsche, haben bis 1866 in organischen Beziehungen zu einander gestanden, durch welche beiden ihr Besitzstand gegen ungerechte Angriffe gesichert war. Die Institution des Deutschen Bundes vereinigte die Kräfte beider Reiche im Sinne der Erhaltung des Friedens, ohne daß dieses Verhältniß einer der andern Mächte jemals als ein bedrohliches erschienen wäre; namentlich sind beide Mächte, obschon durch den Deutschen Bund unter Umständen zu gegenseitigem kriegerischen Beistande gegen den Angriff einer jeden dritten verpflichtet, dadurch niemals pt. 79. verhindert worden, mit dem beiden benachbarten russischen Reiche in der engsten und ein Jahrhundert hindurch ungestörten Freundschaft zu leben. Wenn zwischen Oestreich-Ungarn und dem Deutschen Reiche, abgesehen von der Gemeinschaft geschichtlicher Traditionen, die Gleichartigkeit der politischen Interessen ein höheres Maaß von Uebereinstimmung in friedlicher Politik hervorbringt, so sind doch beide durch diese Identität ihrer größeren Interessen nicht abgehalten, die Freundschaft, welche sie mit Rußland seit so langer Zeit verbindet, auch ferner mit der Sorgfalt zu pflegen, welche die Interessen der großen und friedliebenden Bevölkerung beider Reiche den Monarchen derselben zur Pflicht machen.

Ich habe mich in Wien zu meiner Genugthuung davon überzeugen können, daß die Liebe zum Frieden und das Bewußtsein der Uebereinstimmung der Interessen der östreichisch-ungarischen und der deutschen Bevölkerung in dem Wiener Cabinet mit derselben Klarheit und Entschiedenheit vorhanden sind, wie bei uns. In dieser Wahrnehmung finden wir eine beruhigende Bürgschaft für die Sicherheit und die Unabhängikeit der Politik beider befreundeten Reiche, und im Besitze dieser Bürgschaft wird Deutschland sich nach wie vor der Aufgabe hingeben dürfen, seine bewährten freundschaftlichen Beziehungen zu dem mächtigen russischen Nachbarreiche wie in der Vergangenheit so auch in der Zukunft zu pflegen.

Nr. 100.

Fürst Bismarck an Kaiser Wilhelm.

Varzin, 30. December 1879.

12. 79. Ew. Majestät danke ich ehrfurchtsvoll, daß Allerhöchstdieselben meiner am Weihnachtsfeste in Gnaden gedacht und Allerhöchstihren „Kanzler in Germanien", wie es im Style des heiligen Römischen Reichs hieß, mit einem Bilde der Germania beehrt haben. Meine Frau bewahrt mir das huldreiche Geschenk einstweilen, ich hoffe aber, es in der ersten Woche des Jahres

in Berlin in Empfang nehmen zu können. Kleine Rückschritte in der Genesung und die große Schwäche, an der ich noch leide, haben mich zu wiederholten Verschiebungen meiner Reise nach Berlin gezwungen, und leider werde ich am Neujahrstage noch nicht anwesend sein können. Ich erlaube mir daher meine ehrfurchtsvollen Wünsche für das kommende Jahr Ew. Majestät schriftlich zu Füßen zu legen und bitte Gott, daß Er mit Seinem Segen bei uns und unserm irdischen Herrn bleiben, Ew. Majestät gesund erhalten und mir vergönnen wolle, daß ich meinen Dienst wieder zu Ew. Majestät Zufriedenheit versehn könne. 30. 12.

v. Bismarck.

Nr. 101.

Fürst Bismarck an Kaiser Wilhelm.

Berlin, 22. März 1880.

Ew. Majestät

danke ich ehrfurchtsvoll für die huldreiche Art, in welcher Allerhöchstdieselben meiner heut gedacht und mir eine hohe Freude dadurch gemacht haben, daß mein Sohn der Gnade theilhaftig geworden ist, mit welcher Ew. Majestät mich selbst beglücken und mir auch in körperlichen Leiden die Freude am allerhöchsten Dienst erhalten. Mein Sohn wird von mir die treue Anhänglichkeit an Ew. Majestät ohnehin erben, aber die gnädige Auszeichnung, die er dem heutigen Tage zu danken hat, wird ihm auch ein Sporn sein, sich unter seinen Standesgenossen dadurch auszuzeichnen, daß er die Treue nicht blos in der Empfindung, sondern auch durch arbeitsame Thätigkeit im allerhöchsten Dienste bekundet. 22. 3. 8

Gott erhalte Ew. Majestät in dem kräftigen Wohlbefinden, von dem die heutigen Meldungen Zeugniß ablegen.

v. Bismarck.

Da mein Sohn in seiner Stellung nicht wagen kann, Ew. Majestät zu danken, so erlaube ich mir sein an mich dienstlich gerichtetes Schreiben ehrfurchtsvoll beizulegen.

v. Bismarck.

Nr. 102.

Kaiser Wilhelm an Fürst Bismarck.

7. 4. 80. Auf Ihr Gesuch vom 6. d. M. erwidere Ich Ihnen, daß Ich die Schwierigkeiten zwar nicht verkenne, in welche ein Conflict der Pflichten, welche Ihnen die Reichsverfassung auferlegt, Sie mit der Ihuen obliegenden Verantwortlichkeit bringen kann, daß Ich Mich aber dadurch nicht bewogen finde, Sie Ihres Amtes um deshalb zu entheben, weil Sie glauben, der Ihnen durch die Artikel 16 und 17 der Reichsverfassung zugewiesenen Aufgabe nicht entsprechen zu können. Ich muß Ihnen vielmehr überlassen, bei Mir und demnächst beim Bundesrathe diejenigen Anträge zu stellen, welche eine verfassungsmäßige Lösung eines derartigen Conflictes der Pflichten herbeizuführen geeignet sind.

Berlin, 7. April 1880. W.

Nr. 103.

Fürst Bismarck an Kaiser Wilhelm.

Friedrichsruh, 13. Mai 1880.[1])

13. 5. 80. Der tumultuarische Versuch, den die Partei des Freihandels unter der Führung Delbrücks und in Rechnung auf die Hilfe des Centrums gemacht hat, die von Ew. Majestät im vorigen Jahre mühsam hergestellte Protection vaterländischer Arbeit wieder in Frage zu stellen, würde mir als ein parlamentarisches Ereigniß keinen Eindruck gemacht haben, wenn ich, wie ich erwarten durfte, die Regirungen einig und bereit gefunden hätte, für ihre eignen verfassungsmäßigen Rechte gegen die Uebergriffe des Reichstags einzustehn. Entmuthigend aber wirkt auf mich die Wahrnehmung, daß es meinen fortschrittlichen und freihändlerischen Gegnern gelungen ist, durch unwahre Darstellungen an mehr als einem deutschen Hofe Anklang für ihre Bestrebungen

---

[1]) Dieser Brief ist im Bismarck-Jahrbuch Baud I, Seite 132 auf den 26. October angesetzt.

gegen die Politik zu finden, die ich nach Ew. Majestät Intentionen so führe, wie ich sie verstehe, und bisher mit günstigem Erfolge geführt habe. Ich hatte im vorigen Jahre noch geglaubt, daß ich in Bezug auf die Richtigkeit dieser meiner Politik wenigstens des Vertrauens der deutschen Regirungen sicher wäre; ich habe mich aber überzeugen müssen, daß ich im Irrthum war und daß selbst bei den ansehnlichsten und am meisten bei den Wechseln europäischer Entwicklung interessirten Dynastien sehr geringe Anlässe hinreichen, um der Bewegungspartei gegen mein Streben nach Erhaltung und Consolidirung beizustehn, mir aber, anstatt mir zu helfen, durch Kritik die Arbeit zu erschweren, und damit wenigstens soviel zu erreichen, daß eine Arbeitslast, der ich überhaupt nicht mehr gewachsen bin, noch gesteigert wird. Wenn die Zahl meiner persönlichen und politischen Gegner sich mit der Länge der Zeit, während welcher ich nun schon andern Bewerbern im Wege stehe, nothwendig vermehrt, so thut es mir um so mehr leid, daß in demselben Maaße meine Widerstandskräfte mit Jahren und Krankheiten abnehmen. Ich kann mich der Besorgniß nicht erwehren, daß die deutschen Errungenschaften, die unter Ew. Majestät Führung durch die Tapferkeit der Armee erreicht worden sind, durch den Parteikampf in Parlament und Presse unter Connivenz dynastischer und höfischer Einflüsse schwer geschädigt werden können, namentlich wenn ansteckende Krisen in den großen Nachbarländern ausbrechen sollten. Ich würde es für ein hartes Geschick halten, wenn ich Entwickelungen, die ich bekämpfe, die ich aber nicht hindern kann, durch die Fortdauer meiner Anwesenheit im Dienste sanctioniren sollte. Die Besorgniß vor dieser rückläufigen Entwickelung wirkt lähmend auf meine Kräfte.

13. 5. 8

Daß ich in solcher Lage mich der Geschäftslast nicht mehr gewachsen fühle, ist Ew. Majestät seit Jahren bekannt und insbesondre seit dem Frühjahre 1877. Ich habe dennoch eine ernsthafte Bitte um Entlassung seitdem nicht wieder ausgesprochen, denn diejenige vor 5 Wochen konnte ihrer Natur nach nicht ernsthaft gemeint sein. Ich habe sie nicht ausgesprochen, nicht weil ich mich kräftiger und meinen Aufgaben gewachsen fühlte, sondern weil ich mich nach Allem, was vorhergegangen, nicht

5. 80. entschließen kann, gegen Ew. Majestät Willen aus Allerhöchstdero Dienst zu scheiden. Ich erlaubte mir allerunterthänigst im August 1878 Ew. Majestät gegenüber in Gastein auszusprechen, daß ich nachdem, was damals vorgegangen war, Ew. Majestät gegen Allerhöchstderen Willen den Dienst nicht versagen würde. Weun ich mich nun in der Voraussetzung nicht irre, daß Ew. Majestät auch heute meinen Rücktritt aus dem Dienst zu genehmigen nicht geneigt sind, so kann ich mich doch über das Maaß meiner Kräfte im Verhältniß zu dem Widerstande, den ich von allen Seiten erfahre, nicht täuschen, sondern werde in dem Stellvertretungsgesetze die Möglichkeit suchen, die Arbeit sowohl wie die Verantwortlichkeit für das Ergebniß derselben anderen Kräften zu überlassen. Specielle Anträge werde ich an Ew. Majestät in dieser Beziehung erst dann richten können, wenn der Verlauf der mit dieser Woche beginnenden Landtagssession sich erst mit mehr Sicherheit übersehen läßt.

v. Bismarck.

Nr. 104.

Kaiser Wilhelm an Fürst Bismarck.

8. 80. Auf Ihren Bericht vom 17. August d. J. will Ich den Staats-Minister Hofmann von der ihm durch Meinen Erlaß vom 6. Juni 1876 übertragenen Stellung als Mitglied des Staats-Ministeriums und von dem ihm durch Meine Erlasse vom 14. und 24. März 1879 verliehenen Amt als Minister für Handel und Gewerbe unter Belassung des Ranges und Titels eines Staats-Ministers in Gnaden entbinden. Indem Ich Ihnen überlasse, den Staats-Minister Hofmann hiervon in Kenntniß zu setzen, beauftrage Ich Sie, bis auf Weiteres die Leitung des Ministeriums für Handel und Gewerbe zu übernehmen.

Schloß Babelsberg, den 23. August 1880.

Wilhelm.

An den
Präsidenten des Staats-Ministeriums.

Nr. 105.

Fürst Bismarck an Kaiser Wilhelm.

Friedrichsruh, 10. September 1880.

Die Personal-Union zwischen den Aemtern des preußischen Handelsministers und des Vorstandes des Reichsamts des Innern habe ich Ew. Majestät seiner Zeit in der Voraussetzung mir vorzuschlagen erlaubt, daß dieselbe eine ausreichende Bürgschaft gewähren würde für eine durchaus gleichen Gesichtspunkten und gleichen Zielen folgende legislative Behandlung der Handels und Gewerbeangelegenheiten in Preußen und im Reich, welche nach der Natur der dabei in Frage kommenden, für alle Einzelstaaten im Wesentlichen gleichen Interessen nothwendig ist. 10. 9. 8

Die Erfahrungen des letzten Jahres, über welche ich Ew. Majestät zum Theil auch bereits anderweit zu berichten Veranlassung gehabt habe, haben jene Voraussetzung nicht immer bestätigt, mich vielmehr erkennen lassen, daß die Verbindung des preußischen Handelsministeriums mit dem Reich, wenn sie sich beschränkt auf die Person des Vorstandes des Reichsamts des Innern, nicht intim und sicher genug war, um die Verfolgung widersprechender Anschauungen in der Gesetzgebung auszuschließen und der mißlichen Nothwendigkeit vorzubeugen, daß ich in meiner Eigenschaft als Reichskanzler und vom Standpunkt des Reichs dem entgegenzutreten hatte, was im preußischen Handelsministerium ohne meine Zustimmung auf legislativem Gebiet geplant, vorbereitet und zum Theil auszuführen begonnen worden war.

Unter diesen Umständen scheint es mir bei der dauernden Identität der Interessen des Reichs und Preußens auf dem in Rede stehenden Gesetzgebungsgebiet und bei der Zweckmäßigkeit einer Verwaltung des Handelsministeriums durch einen Beamten, der zugleich preußischer und Reichsbeamter ist, als eine dauernde Einrichtung sich zu empfehlen, daß der Reichskanzler selbst, wie er aus ähnlichen Gründen preußischer Minister der auswärtigen Angelegenheiten ist, auch zum preußischen Minister für Handel und Gewerbe ernannt werde.

v. Bismarck.

Nr. 106.

Kaiser Wilhelm an Fürst Bismarck.

3. 81. Sie haben in Ihrem theilnehmenden Brief das richtige Wort bei diesem entsetzlichen Ereigniß gefunden:

welche Leere für mich eintritt

und ich füge hinzu für uns, namentlich bei der in Unterhandlung begriffenen Angelegenheit. Gott helfe weiter.

Wilhelm. 14./3. 81.

Nr. 107.

Kaiser Wilhelm an Fürst Bismarck.

Berlin, den 1. April 1881.

4. 81. Meiner Gewohnheit gemäß, Ihnen am heutigen Tage meine Glückwünsche persönlich zu überbringen, bin ich heute genöthigt, dies schriftlich hiermit zu thun. Sie können denken, daß meine Wünsche immer nur darauf gerichtet sind, daß die Vorsehung Ihuen Gesundheit und mit dieser Kraft und fernere Ausdauer in Ihrem so schönen wie beschwerlichen Berufe verleihen möge, damit Sie mir und dem Vaterlande erhalten bleiben zur Aus- und Durchführung noch so vieler und großer Pläne, die Ihr Genius Ihrer schöpferischen Kraft eingiebt. Das walte Gott!

Da ich vermuthe, daß Sie weder in Ausführung noch in Abbildung die Reliefs des Marschalls Saales im Lichterfelder Cadetten Hause kennen, so sende ich Ihnen am heutigen Tage jene Abbildungen. Möge die militairische Bildungs Anstalt ferner so viele geistige und körperlich tüchtige Männer erziehen, die unseren Nachkommen so Großes zu lösen bestimmt werden dürften, wie die Lebenden gelöset haben!

Ihr

dankbarer König

Wilhelm.

Der Grund zu diesen schriftlichen Wünschen ist ein gewaltiger Stoß, den ich beim Einsteigen in den Wagen gestern, nach einem Diné beim Hohenzollern'schen Paare, mir am Vorderkopf zuzog, der freilich nicht von Bedeutung ist, aber doch Vorsicht und Ruhe verlangt, wenngleich der Arzt mir eine Fahrt bei dem Sonnenschein verordnete. 1. 4. 81.

Nr. 108.

Fürst Bismarck an Kaiser Wilhelm.

Berlin, 2. April 1881.

Ew. Majestät

danke ich ehrfurchtsvoll für die gnädigen Wünsche zu meinem Geburtstage und für die huldreichen Worte der Anerkennung, mit denen dieselben begleitet sind. Mit großem Interesse habe ich die Reliefs des Marschall-Saales in Lichterfelde kennen gelernt. Das Cadettenhaus kenne ich leider noch nicht, da ich in den letzten Jahren an Gesundheit und Zeit mir nie so viel erübrigen konnte, um die Sehenswürdigkeiten Berlins zu sehn. Ich theile vollständig Ew. Majestät Glauben an die Zukunft unsrer militairischen Bildung und sehe in ihr ein Gegengewicht so mancher übler Folgen unsrer civilistischen Erziehung. Ich freue mich über jedes neue Jahr, welches Gott mir schenkt, um an dem Entwicklungsgange unsres Vaterlandes in Ew. Majestät Dienst weiterarbeiten zu können, und die Ueberzeugung in mir zu befestigen, daß Gottes Vorsehung die Deutschen gnädiger als andre Nationen der Zukunft entgegenführt. Möge er zu diesem Zwecke uns Ew. Majestät erfahrne und väterliche Leitung lange erhalten und für heut die äußerliche Verletzung bald und schmerzlos vorübergehn lassen. 2. 4. 81.

v. Bismarck.

Nr. 109.

Kaiser Wilhelm an Fürst Bismarck.

Ich habe aus der Mir unterm 16. d. M. eingereichten und hierbei zurückfolgenden Eingabe des John Booth zu Klein- 20. 4. 8

4.81. Flottbek zu Meiner lebhaften Befriedigung ersehen, in welcher Weise erstrebt wird, den von Mir gehegten Wunsch, daß an Stelle des Kurfürstendammes eine Straße in großartigem Stil angelegt werden möge, zu realisieren; es wird Mir zu großer Freude gereichen, wenn die Bemühungen Erfolg haben, und werde Ich einer solchen Anlage, soweit es gesetzlich und finanziell thunlich sein wird, gern Meine wohlwollende Förderung zuwenden.

Berlin, den 20. April 1881.

Wilhelm.

An den
Präsidenten des Staatsministeriums Fürsten von Bismarck.

Nr. 110.

Kaiser Wilhelm an Fürst Bismarck.

Schloß Babelsberg, 15. 8. 81.

8. 81. Sehr erfreut bin ich von Ihnen selbst zu hören, daß Sie einen günstigen Erfolg Ihrer Kur empfinden, aber eine ruhigere Nach-Kur natürlich nöthig ist. Ich komme morgen, den 16. nach Berlin und werde zwischen 1 und 3 Uhr zu Ihnen kommen auf der Rückfahrt hierher.

Ihr

Wilhelm.

Nr. 111.

Kaiser Wilhelm an Fürst Bismarck.

Berlin, den 18. December 1881.

12. 81. Einen eigenthümlichen Traum muß ich Ihnen erzählen, den ich diese Nacht träumte, so klar, wie ich ihn hier mittheile.

Der Reichstag trat jetzt nach den Ferien zum ersten Mal zusammen. Während der Discussion trat der Graf Eulenburg ein; sogleich schwieg die Discussion; nach einer langen Pause ertheilte der Präsident dem letzten Redner von Neuem das Wort.

Schweigen! Der Präsident hebt die Sitzung auf. Nun entsteht ein Tumult und Geschrei. Keinem Mitgliede darf ein Orden während der Session des Reichstags ertheilt werden; der Monarch darf nicht in der Session genannt werden. Andern Tages Sitzung. Eulenburg erscheint und wird mit solchem Zischen und Lärm empfangen — darüber erwache ich in einer nervösen Agitation, daß ich lange mich nicht erholen konnte und zwei Stunden von $^1/_2$5 bis $^1/_2$7 Uhr nicht schlafen konnte. 18. 12.

Das alles geschah in meiner Gegenwart im Hause so klar, wie ich es hier niederschreibe.

Ich will nicht hoffen, daß der Traum sich realisire, aber eigenthümlich bleibt die Sache. Da dieser Traum erst nach dem sechsstündigen ruhigen Schlaf eintrat, so konnte er doch keine unmittelbare Folge unserer Unterredung sein.

Enfin ich mußte Ihnen diese Curiosität doch erzählen.

Ihr

Wilhelm.

Nr. 112.

Fürst Bismarck an Kaiser Wilhelm.

Berlin, 18. December 1881.

Eurer Majestät danke ich ehrfurchtsvoll für das huldreiche Handschreiben. Ich glaube doch, daß der Traum das Ergebniß nicht grade meines vorhergehenden Vortrages, aber doch der Gesammtheit der Eindrücke der letzten Tage, auf Grund der mündlichen Berichte von Puttkamer, der Zeitungsartikel und meines Vortrags war. Die Bilder des Wachens tauchen im Spiegel des Traumes nicht sofort, sondern wohl dann wieder auf, wenn der Geist durch Schlaf und Ruhe still geworden ist. 18. 12.

Eurer Majestät Mittheilung ermuthigt mich zur Erzählung eines Traumes, den ich im Frühjahr 1863 in den schwersten Conflictstagen hatte, aus denen ein menschliches Auge keinen gangbaren Ausweg sah. Mir träumte, und ich erzählte es sofort am andern Morgen meiner Frau und andern Zeugen, daß ich auf einem schmalen Alpenpfad ritt, rechts Abgrund, links Felsen; der Pfad

12.81. wurde schmaler, so daß das Pferd sich weigerte, und Umkehr und Absitzen wegen Mangel an Platz unmöglich; da schlug ich mit meiner Gerte in der linken Hand gegen die glatte Felswand und rief Gott an; die Gerte wurde unendlich lang, die Felswand stürzte wie eine Coulisse und eröffnete einen breiten Weg mit dem Blick auf Hügel und Waldland wie in Böhmen, Preußische Truppen mit Fahnen und in mir noch im Traume der Gedanke, wie ich das schleunig Eurer Majestät melden könnte. Dieser Traum erfüllte sich und ich erwachte froh und gestärkt aus ihm.

Der böse Traum, aus dem Eure Majestät nervös und agitirt erwachten, kann doch nur so in Erfüllung gehn, daß wir noch manche stürmische und lärmende Parlamentssitzung haben werden, durch welche die Parlamente ihr Ansehn leider untergraben und die Staatsgeschäfte hemmen; aber Eurer Majestät Gegenwart dabei ist nicht möglich, und ich halte dergleichen Erscheinungen wie die letzten Reichstagssitzungen zwar für bedauerlich als Maßstab unsrer Sitten und unsrer politischen Bildung, vielleicht unsrer politischen Befähigung; aber für kein Unglück an sich: l'excès du mal en devient le remède.

Verzeihn Eure Majestät mit gewohnter Huld diese durch Allerhöchstdero Schreiben angeregte Ferienbetrachtung; denn seit gestern bis zum 9. Jannar haben wir Ferien und Ruhe.

v. Bismarck.

Nr. 113.

Fürst Bismarck an Kaiser Wilhelm.

Berlin, 22. 3. 1882.

3.82. Geruhn Ew. Majestät meinen ehrfurchtsvollen Dank für die mir heut früh noch nicht bekannten huldreichen Auszeichnungen entgegenzunehmen, mit welchen Allerhöchstdieselben heut meinen Sohn und meinen Schwiegersohn Graf Rantzan begnadigt haben.

v. Bismarck.

Nr. 114.

Kaiser Wilhelm an Fürst Bismarck.

Berlin, 10. 5. 82.

Für Ihre lieben Wünsche bei der Geburt eines Urenkels sage ich Ihnen meinen herzlichsten Dank. Dies so glückliche Familien Ereigniß ist aber auch geschichtlich von hoher Wichtigkeit. Denn wenn die Vorsehung dem kleinen Ankömmling Leben und Gedeihen schenkt, so ist seine Zukunft eine bestimmte, und somit wären meine drei Nachfolger in der Krone lebend vor mir! Ein mächtiger Gedanke! — 10. 5. 8

Weniger erfreulich sind die Mittheilungen über Ihren Gesundheits Zustand, die ich aufrichtig bedaure in jeder Hinsicht. Denn Ihre Anwesenheit wäre so wichtig in den nächsten sehr ernsten Vorgängen im Reichstag. Wenngleich in der öffentlichen Meinung sich ein sehr bedeutender Umschwung in der Monopolfrage zugetragen hat, so stehet dieselbe doch noch sehr précaire, und nur Sie könnten sie vielleicht retten oder wenigstens für das nächste Jahr weiter sich vorarbeiten lassen.

Der Landtag, der morgen also geschlossen wird, ist im Ganzen viel besser verlaufen, als man erwarten konnte; aber freilich sind die letzten Tage seines Bestehens recht unerfreulich gewesen. Die englisch-irische Frage und die französisch-egyptische sind les points noirs du moment! Daß der Kaiser A. endlich Giers ernannt hat und nach heutigem Télégramme er den Chitrowo auf des Fürsten von Bulgarien heftiges Drängen abberufen hat, sowie die Ernennung der Fürstin Kötschenberg zur Oberhofmeisterin sind die ersten Lichtpunkte seit einem Jahre in dem russischen Chaos! Aber Ignatief?!

Nun, ich hoffe auf baldiges Wiedersehen.

Ihr

dankbarer König

Wilhelm.

Nr. 115.

Kaiser Wilhelm an Fürst Bismarck.

B. 6. 6. 82.

6. 82. Sehr erfreut Sie bei uns zu wissen, hoffentlich wohler als in den letzten Wochen. Sie werden mir wissen lassen, wenn ich Sie sprechen kann, wenn Sie ausgeruhet sind.

Ihr

Wilhelm.

Nr. 116.

Fürst Bismarck an Kaiser Wilhelm.

Varzin, Okt. 1882.[1])

Ew. Majestät

kt. 82. danke ich ehrfurchtsvoll für das gnädige Schreiben vom 25. und freue mich, daß Allerhöchstdieselben die Strapazen der Exercierperiode in gewohnter Rüstigkeit überwunden haben.

Mir selbst geht es seit dem warmen Wetter erheblich besser und hoffe ich nun gewiß, vor Zusammentritt des Reichstags nach Berlin kommen und in die Geschäfte eintreten zu können, wenn ich auch durch die Erfahrungen des letzten Monats in der Berechnung meiner Gesundheit sehr eingeschüchtert worden bin.

Ueber die definitive Ernennung des Grafen Hatzfeldt zum Staatssekretär und die Besetzung der vacanten diplomatischen Posten hatte ich seit einem Monat von Woche zu Woche gehofft, Ew. Majestät die nöthigen Vorlagen nach genommener mündlicher Rücksprache mit Graf Hatzfeldt machen zu können. Durch meine Krankheit und Graf Hatzfeldts Reise zur G. Feier bin ich daran bisher verhindert worden; doch habe ich schon gestern aus Anlaß der Nothwendigkeit, das Reichs- und Staatshandbuch neu zu drucken und um in demselben die Posten nicht als vacant anzuführen, den Unterstaatssecretär Busch beauftragt, zunächst die

---

[1]) Dieser Brief ist im Bismarck-Jahrbuch Baud IV, S. 51 datirt: „Friedrichsruh, 26. Mai 1882".

Ernennung des Grafen Hatzfeldt zum Staatssecretär und des Gesandten v. Radowitz zum Botschafter in Constantinopel bei Ew. Majestät zum Vortrag zu bringen. Ich würde gern vor Allerhöchster Vollziehung mit Graf H. Rücksprache genommen haben, weiß aber nicht, ob seine Rückkehr aus Italien nahe genug bevorsteht, um sie abzuwarten. Für Graf H. selbst hat jeder Aufschub den Vortheil, daß er das höhere Botschafter-Gehalt etwas länger bezieht, bevor er von 40,000 Thlr. auf 16,000 herabsteigt. Ich kann indessen gegen Ew. Majestät Allerhöchste Meinung, daß dies nicht länger so bleiben könne, nichts einwenden, und werde Dr. Busch veranlassen, dem Gf. Hatzfeldt darüber zu telegraphiren.

Okt. 82.

Bei der Unmöglichkeit, während meiner Krankheit mehr als die nothwendigsten auswärtigen Geschäfte im Auge zu behalten, bin ich von hier aus nicht im Staude geblieben, über die Lage des Pensionsgesetzes für Officiere und Reichsbeamte die befohlne Auskunft sofort zu geben. Ich schreibe deshalb gleichzeitig an den Minister v. Bitter und den Staatssecretär Scholz, welche mich in den innern Angelegenheiten vertreten, um Ew. Majestät die befohlnen Berichte zu erstatten.

v. Bismarck.

Nr. 117.

Kaiser Wilhelm an Fürst Bismarck.

Berlin, 30. 10. 82.

30. 10.

Aus Ihrem gütigen Brief ersehe ich mit Freuden, daß Sie Ihre Gesundheit jetzt viel gestärkter fühlen, als früher und willige ich daher gerne in Ihre längere Abwesenheit, um sich ferner kräftigen zu können zur Winter-Kammer-Campagne.

Ich kann nur in Ihren Beifall einstimmen, über die bessere politische Temperatur, die sich im Lande bei den Wahlen gezeigt hat, und ich theile ganz Ihre Ansicht, daß die Erlasse vom letzten November und Januar — allein Ihr Werk großer Voraussicht — diesen Umschwung in denkenden politi-

10. 82. schen Männern endlich herbeigeführt haben. Möge nur in den Debatten auch die volkswirthschaftliche Politik endlich siegen, die im vorigen Jahr schon zu erwarten war, aber nicht glückte!

Die Mittheilungen Ihres Sohnes aus London sind ungemein intéressant und das Vertrauen, welches die Englischen Staats-Männer ihm bewiesen, ist ein Grund mehr, ihm die dauernde höhere Rolle bei der Botschaft anzuweisen, deren Ernennung ich in den nächsten Tagen entgegensehen kann, wie mir Graf Hatzfeld mir heute sagte.

Wir sind vom Wetter bei den Jagden in Ludwigslust außerordentlich begünstigt worden, und kounte ich 4 Stück Rothwild, darunter ein geringer Hirsch, und 21 Sauen erlegen, unter denen sehr starke Keiler waren.

Mich Ihrer Frau Gemahlin angelegentlichst empfehlend

Ihr

dankbarer König

Wilhelm.

Nr. 118.

Fürst Bismarck an Kaiser Wilhelm.

Berlin, 15. December 1882.

Ew. Majestät

12. 82. gnädiges Handschreiben habe ich gestern Abend erhalten und theile vollständig die Allerhöchste Ueberzeugung, daß wir kein Recht haben, von Rußland Explicationen über seine Festungs- und Bahnbauten zu verlangen, und daß es nicht politisch sein würde, eine Preß-Polemik zwischen beiden Läudern darüber ins Werk zu setzen. Wenn Graf Hatzfeldt geglaubt hat, darüber Ew. Majestät einen Antrag stellen zu sollen, so hat er mich oder die Aufforderungen, die mir von den höchsten Militärbehörden amtlich zugegangen sind, nicht richtig verstanden. Der Kriegsminister und Gf. Moltke haben seit vorigem Sommer (1881) von mir Schritte verlangt, um Geld zu militärischen Bauten an unsern Eisenbahnen flüssig zu machen, weil die Russen jetzt schneller an

der Gränze concentriren könnten wie wir. Ich habe es abgelehnt, dieses Bedürfniß bei Ew. Majestät und dem Reichstage zu vertreten, obschon ich nicht streite, daß es begründet ist; es ist aber ein rein militärisches und muß die Forderung vom Militär, nicht von der politischen Behörde ausgehn. Ich habe aber gerathen, bevor man Ew. Majestät bittet, an den Reichstag zu gehn, um Geld für jene Bauten an unsern Bahnen zu fordern, die öffentliche Meinung bei uns in einer für Rußland schonenden Weise auf dieses Geldbedürfniß vorzubereiten. Das Recht Rußlands, bei sich zu bauen, ist ebenso unbestreitbar, wie das Ew. Majestät, Königsberg zu befestigen, und die Presse gegen Rußland ins Gefecht zu führen, würde meinen Ansichten ganz zuwiderlaufen. Ich hatte mir überhaupt nicht vorgenommen, Ew. Majestät oder dem Parlament gegenüber diese, rein militärische Frage zu vertreten, da ich zuviel andre Geschäfte habe und die Sache politisch gefärbt würde, wenn ich sie betriebe. Warum Gr. Hatzfeldt sie in meinem Namen zur Sprache gebracht hat, werde ich erst melden können, wenn ich ihn gesprochen habe. 15. 12.

v. Bismarck.

Nr. 119.

Kaiser Wilhelm an Fürst Bismarck.

Berlin, 1. April 1883.

Wie immer bringe ich Ihnen meine herzlichen Wünsche zum heutigen Tage, den der Allmächtige in Seiner Weisheit und Gnade, Sie der Welt und — mir schenkte!! Möchte dieses Lebensjahr weniger körperlich peinigender für Sie dahin gehen, als die letzten Monate des abgelaufenen. Denn was mangelnde Gesundheit sagt, habe ich in den letzten Wochen — recht schwer empfunden, wo ich nur durch Mittels-Personen mit Ihnen, aber Gottlob immer im Einverständniß, verhandeln mußte. Und so muß ich also auch heute zur Feder greifen, statt persönlich vor Ihnen zu erscheinen. 1. 4. 83

4\. 82. Da Ostern so nahe liegt, sende ich Ihnen als Andenken an dies heilige Fest und an den heutigen Tag ein unausweichliches Ey, das den Adler trägt, den Sie neu geschaffen haben! Möge sein Flug in den nächsten Tagen ein glücklicher sein!

Ihr

treu ergebener

dankbarer

Wilhelm.

Nr. 120.

Kaiser Wilhelm an Fürst Bismarck.

Baden-Baden, 4. 10. 83.

10\. 83. Ihr lieber Brief, in welchem Sie mir leider, wenn auch nicht unerwartet, Ihr Ausbleiben von der Festlichkeit der Enthüllung des Denkmals auf dem Niederwald anzeigten, konnte mich nur schmerzlich berühren, noch mehr aber ist dies der Fall nach dem Gelingen dieser Feier. Dieselbe ist eine der gelungensten, die ich je erlebt, durch Anordnung, Durchführung, Grandiosität des Denkmals an sich, der unerwarteten Aufklärung des Wetters und vor Allem durch die Gefühle, die namentlich diejenigen durchdrangen, die thätigen Antheil an den Kämpfen und Erfolgen nahmen, denen das Gebilde geweihet ist! Zu diesen gehörten nun hauptsächlich Sie als Herbeiführer dieser mächtigen Ereignisse und Leiter derselben zum grandiosen Frieden. Ihnen hierfür öffentlich von Neuem meinen Dank und meine Anerkennung auszusprechen, wäre meinem Herzen ein dankbares Bedürfniß gewesen! Es sollte nicht sein, aber gedacht ist Ihrer vielfach geworden!

Daß Sie sich in Etwas wohler fühlen nach den Kuren, freut mich ungemein und theile ich die Hoffnungen, daß Sie gestärkt in den laborieusen Winter eintreten werden.

Durch Graf Hatzfeldt, wird Ihnen bereits mitgetheilt sein, welche Unterredung ich mit dem Fürsten Dolgorouky im Auftrage seines Kaisers gehabt habe. Anliegend sende ich Ihnen

eine Aufzeichnung des Inhalts dieser Unterredung. Die Ab- 4. 10. 8
sicht, die der Kaiser bei dieser Gelegenheit hatte, erkenne ich vollkommen und freue mich derselben und habe ich auch nie an seinen
Gesinnungen und Wünschen gezweifelt, aber das Factum der
immensen Anhäufung seiner Truppen an den West Grenzen, ist
unnatürlicher Art . . .

Mich Ihrer Gemahlin bestens empfehlend

Ihr

dankbarer

Wilhelm.

Nr. 121.

Kaiser Wilhelm an Fürst Bismarck.

Zu Weihnachten Dec. 83
1883

Der Schlußstein Ihrer Politik, eine Feier, die hauptsächlich
Ihuen galt und der Sie leider nicht beiwohnen konnten!

W.

Nr. 122.

Fürst Bismarck an Kaiser Wilhelm.

Friedrichsruh, 25. December 1883.

Ew. Majestät

danke ich in Ehrfurcht und von Herzen für das huldreiche Weih- 25. 12.
nachtsgeschenk und insbesondre für die gnädigen Worte, welche
dasselbe begleiteten. Sie geben mir die volle Befriedigung, die
ich auf dem Niederwald empfunden haben würde, wenn ich dem
Feste hätte beiwohnen können. Ew. Majestät Zufriedenheit mit
mir hat für mich einen höhern Werth als der Beifall aller
Andern. Ich danke Gott, daß er mein Herz so gestimmt hat,
denn Ew. Majestät Zufriedenheit habe ich erwerben können, den
Beifall der Andern aber selten und vorübergehend. Ich danke
aber auch Ew. Majestät für die Unwandelbarkeit, mit welcher
Allerhöchstdieselben mir in dem langen Zeitraum von mehr als 20

12. 83. Jahren, unbeirrt durch die Angriffe meiner Gegner und durch meine eignen mir wohlbekannten Fehler, in den schwierigsten und in den ruhigen Zeiten stets Ihr Vertrauen bewahrt und mir ein huldreicher Herr geblieben sind. Weiter bedarf ich auf dieser Welt, neben dem Frieden mit dem eignen Gewissen vor Gott, nicht mehr. Gottes Segen ist mit Ew. Majestät Regiment gewesen und hat Ew. Majestät vor andern Monarchen, die Großes ausgeführt haben, den Vorzug gegeben, daß Allerhöchstdero Diener mit Dankbarkeit gegen Ew. Majestät auf ihre Dienstleistungen zurückblicken. Die Treue des Herrschers erzeugt und erhält die Treue seiner Diener.

Meine Frau dankt ehrfurchtsvoll für Ew. Majestät huldreiche Grüße in dem gnädigen Schreiben vom 21. c., auf welches ich gesondert antworte. Es geht ihr langsam besser, nachdem ich einige Wochen hindurch sehr besorgt um sie gewesen bin. Sie beauftragt mich, ihre unterthänigsten Empfehlungen und Glückwünsche zum Jahreswechsel Ew. Majestät zu Füßen zu legen. Ich selbst bin augenblicklich körperlich wieder rüstiger, wie seit mehren Jahren, und habe gestern die Freude gehabt, mit meinen beiden auf Urlaub hier anwesenden Söhnen einen mehrstündigen Ritt im Walde machen zu können. Wenn ich für geistige Arbeiten meine Nerven noch nicht so anspannen darf, wie der Dienst es fordert, so hoffe ich auch hierin auf weitere Besserung, wenn Ew. Majestät mir huldreich gestatten, noch bis zum Ende des nächsten Monats hier zu bleiben.

v. Bismarck.

Nr. 123.

Fürst Bismarck an Kaiser Wilhelm.

Friedrichsruh, 31. December 1883.

Ew. Majestät

12. 83. lege ich meinen ehrfurchtsvollen und herzlichen Glückwunsch zum Neuen Jahr zu Füßen. Es ist dieß der zweiundzwanzigste Jahreswechsel, an dem ich die Ehre habe, Ew. Majestät als Aller-

höchstdero Minister zu beglückwünschen und Gott zu danken, daß er Ew. Majestät uns und dem Lande, mir aber Ew. Majestät Gnade und Vertrauen erhalten hat. 31. 12.

Meine Frau und meine Kinder, sowie meine hier anwesende Schwester bitten um huldreiche Erlaubniß, ihre allerunterthänigsten Glückwünsche den meinigen beizufügen, wie sie sich mit mir im Gebet vereinigen, daß Gott auch im neuen Jahre wie bisher, Ew. Majestät schütze und gesund erhalte, zum Segen des Landes und zur Freude Ihrer Unterthanen.

v. Bismarck.

Nr. 124.

Kaiser Wilhelm an Fürst Bismarck.

Der heutige Erinnerungstag, welcher mir aus den bisherigen 22 Jahren unseres Zusammenwirkens eines der hervorragendsten Ereignisse vergegenwärtigt, führt meine Gedanken auch darauf hin, daß Sie mir an diesem Tage und während zweier Kriege nicht nur als hochbewährter Mann des Rathes, sondern auch als Soldat zur Seite gestanden, und daß es in Preußen einen Orden für das Verdienst gibt, den Sie noch nicht besitzen. Wenn auch die Bedeutung dieses Ordens eine specifisch militärische sein soll, so hätten Sie ihn doch schon längst haben müssen: denn Sie haben wahrlich in mancher schweren Zeit den höchsten Muth des Soldaten bewiesen, und Sie haben auch in zwei Kriegen an meiner Seite voll und ganz bethätigt, daß Sie neben jeder anderen auch auf eine hervorragend militärische Auszeichnung den vollsten Anspruch haben. 1. 9. 84

Ich hole also Versäumtes nach, indem ich Ihnen den beifolgenden Orden pour le mérite verleihe und zwar sogar gleich mit Eichenlaub, um hierdurch darzuthun, daß Sie ihn schon längst hätten haben sollen und daß Sie ihn wiederholt verdient haben.

Ich weiß in Ihnen so sehr das Herz und den Sinn eines Soldaten, daß ich Ihnen mit diesem Orden, den ja viele Ihrer

9. 84. Vorfahren mit Stolz trugen, eine Freude zu machen hoffe, und mir selbst gewähre ich hierdurch die Beruhigung, daß ich dem Manne, den Gottes gnädige Führung mir zur Seite gestellt und der so Großes für das Vaterland gethan, auch als Soldat die wohlverdiente Anerkennung zu Theil werden lasse.

Ich freue mich in der That herzlich und sehr, Sie künftig den Orden pour le mérite tragen zu sehen.

Schloß Babelsberg, den 1. September 1884.

Wilhelm.

Nr. 125.

Fürst Bismarck an Kaiser Wilhelm.

Varzin, 2. September 1884.

Ew. Majestät

9. 84. haben den Gedenktag von Sedan für mich zu einem besonders freudigen und ehrenvollen gemacht durch die huldreiche Verleihung des Ordens pour le mérite, und Allerhöchstdieselben haben die Bedeutung dieser Auszeichnung durch die überaus gnädigen Worte der sie begleitenden Ordre vom gestrigen Tage erhöht.

Es macht mich glücklich, daraus zu ersehn und mir im Hinblick auf eine lange Reihe von Jahren zu vergegenwärtigen, daß Ew. Majestät Gnade und Vertrauen mir stets ohne Wandel zur Seite gestanden haben, und daß Ew. Majestät Nachsicht auch die Abnahme meiner Kräfte deckt.

Ew. Majestät Anerkennung und Wohlwollen ist an sich die höchste Befriedigung, die ich auf dieser Welt erstrebe; aber ich habe auch meine Freude daran, wenn die Welt es erfährt, daß ich im Besitz dieses von mir erstrebten Gutes, der Gnade meines irdischen Herrn, unausgesetzt bin und bleibe. Sie zu verdienen werde ich stets in Eifer und Treue bemüht sein und mich dessen würdig erhalten, daß Ew. Majestät höchste und competente Autorität mir „Herz und Sinn eines preußischen Soldaten" zuerkennt. Ein höheres Lob erstrebe ich nicht, wie das in diesen Worten liegende, wenn sie Ew. Majestät Unterschrift tragen.

Am 11. hoffe ich Ew. Majestät meinen wiederholten Dank persönlich zu Füßen zu legen und Allerhöchstdieselben in erwünschtem Wohlsein sehn zu dürfen. 2. 9. 84

v. Bismarck.

Nr. 126.

Fürst Bismarck an Kaiser Wilhelm.

Berlin, 25. December 1884.

Ew. Majestät

danke ich ehrfurchtsvoll für das schöne Weihnachtsgeschenk. Das Kunstwerk mahnt mich einigermaßen an meine eigne Situation: während der Centaur beide Hände braucht, um das riesige Horn auf der Schulter zu tragen, hängt sich das Weib mit ihrer ganzen Last in seine Barthaare; so macht es mit mir, während ich mit Ew. Majestät und des Landes Dienst alle Hände voll zu thun habe, die Opposition im Parlament; sie rauft an mir, auf die Gefahr hin, mich im Tragen der Geschäftslast zu stören. Dabei ist sie leider viel häßlicher als das weibliche Wesen, welches der Künstler dem Centauren an den Bart gehängt hat. Ich werde mich indessen dadurch nicht abhalten lassen, die Last, welche ich in Ew. Majestät Dienst trage, freudig und fest auf der Schulter zu halten, so lange mir Gott dazu die Kraft und Ew. Majestät Gnade erhält. 25. 12.

Mit den herzlichsten und ehrfurchtsvollsten Wünschen für Ew. Majestät Festfeier verbinde ich vorbehaltlich mündlicher Wiederholung diejenigen für das kommende Jahr.

v. Bismarck.

Nr. 127.

Kaiser Wilhelm an Fürst Bismarck.

Berlin, 1. April 1885.

Mein lieber Fürst!

Wenn sich in dem deutschen Lande und Volke das warme Verlangen zeigt, Ihnen bei der Feier Ihres 70. Geburtstages 1. 4. 85.

4. 85. zu bethätigen, daß die Erinnerung an Alles, was Sie für die Größe des Vaterlandes gethan haben, in so vielen Dankbaren lebt, so ist es mir ein tiefgefühltes Bedürfniß, Ihnen heute auszusprechen, wie hoch es mich freut, daß ein solcher Zug des Dankes und der Verehrung für Sie durch die Nation geht. Es freut mich das für Sie als eine wahrlich im höchsten Maße verdiente Anerkennung; und es erwärmt mir das Herz, daß solche Gesinnungen sich in so großer Verbreitung kund thun, denn es ziert die Nation in der Gegenwart und es stärkt die Hoffnung auf ihre Zukunft, wenn sie Erkenntniß für das Wahre und Große zeigt und wenn sie ihre hochverdienten Männer feiert und ehrt.

An einer solchen Feier theilzunehmen ist mir und meinem Hause eine besondere Freude, und wünschen wir Ihuen durch beifolgendes Bild (die Kaiserproclamation in Versailles) auszudrücken, mit welchen Empfindungen dankbarer Erinnerung wir dies thun. Denn dasselbe vergegenwärtigt einen der größten Momente der Geschichte des Hohenzollernhauses, dessen niemals gedacht werden kann, ohne sich zugleich auch Ihrer Verdienste zu erinnern.

Sie, mein lieber Fürst, wissen, wie in uns jederzeit das vollste Vertrauen, die aufrichtigste Zuneigung und das wärmste Dankgefühl für Sie leben wird! Ihuen sage ich daher mit diesem nichts, was ich Ihuen nicht oft genug ausgesprochen habe, und ich denke, daß dieses Bild noch Ihren späten Nachkommen vor Augen stellen wird, daß Ihr Kaiser und König und sein Hans sich dessen wohl bewußt waren, was wir Ihnen zu dauken haben.

Mit diesen Gesinnungen und Gefühlen endige ich diese Zeilen als, über das Grab hinausdauernd,

Ihr

dankbarer und treu ergebener

Kaiser und König

Wilhelm.

Nr. 128.

Kaiser Wilhelm an Fürst Bismarck.

Ich habe aus Ihrem Berichte vom 4. d. M. zu Meiner Freude ersehen, daß von einem aus Deutschen aller Stäude bestehenden Comitee durch Sammlungen im ganzen Deutschen Reiche die Summe von 1,200,000 Mark aufgebracht und aus Anlaß Ihres 70jährigen Geburtstages am 1. April d. J. Ihuen an diesem Tage für öffentliche Zwecke zur freien Verfügung gestellt worden ist. Ihrem Antrage entsprechend will Ich Sie hierdurch gern ermächtigen, jene obige, sowie die noch zu erwartenden, gegenwärtig noch ausstehenden weiteren Ergebnisse der Sammlung anzunehmen, und überlasse Ihnen, Mir seinerzeit von Ihrer Absicht für die Verwendung der Spenden Mittheilung zu machen. 9. 4. 85.

Berlin, den 9. April 1885.

Wilhelm.

Nr. 129.

Fürst Bismarck an Kaiser Wilhelm.

Kissingen, 23. Juni 1885.

Ew. Majestät

danke ich unterthänigst für das huldreiche Telegramm, mit welchem Allerhöchstdieselben mich beehrt haben. Die Verluste, welche Ew. Majestät durch den Tod treuer Diener in jüngster Zeit erlitten haben, sind zahlreich und schwer und enthalten für uns Ueberlebende die Mahnung, durch erhöhte Hingabe für den Allerhöchsten Dienst und für Ew. Majestät Person die leer gewordenen Stellen derer auszufüllen, die Ew. Majestät Herzen nahe standen. 23. 6. 8

Es ist mir besonders schmerzlich, daß meine Gesundheit mir nicht erlaubt, meine ehrfurchtsvolle Theilnahme an der Traner Ew. Majestät durch meine persönliche Anwesenheit zu bethätigen. Ich darf aber hoffen, daß meine Kur in diesem Jahre besonders günstig wirken werde, und spüre schon jetzt gesteigerte Rüstigkeit

3. 6. 85. bei körperlichen Anstrengungen. Dazu trägt die verminderte Geschäftslast wesentlich bei; die Langsamkeit, mit der sich die englische Ministerkrisis entwickelt, hat eine Ruhe im diplomatischen Verkehr herbeigeführt, wie sie sonst auch in der Sommerzeit nicht üblich ist. Von keinem der Botschafter gehn Berichte von der Natur ein, daß sie viel Arbeit verursachten.

Die Wünsche des Herzogs von Cambridge, über welche ich heut amtlich berichte, sind von Ew. Majestät schon vollständig beantwortet und damals dem Herzog alles gesagt, was sich sagen läßt, der Courtoisie ist damit von Seiten Ew. Majestät volles Genügen geschehen, geschäftlich ist die Sache aber nicht von Ew. Majestät, nicht vom Kaiser, sondern vom Bundesrathe und von dem Braunschweigischen Ministerium zu behandeln...

Gott wolle zu Ew. Majestät Kur in Ems und besonders in Gastein, wie in früheren, so auch in diesem Jahre seinen Segen geben.

v. Bismarck.

Nr. 130.

Fürst Bismarck an Kaiser Wilhelm.

Berlin, 8. July 1885.

Ew. Majestät

7. 85. wollen mir huldreich gestatten, meinen telegraphisch ausgesprochnen Dank für Allerhöchstdero gnädige Wünsche zur Hochzeit meines Sohnes in Ehrfurcht zu wiederholen. Das junge Paar ist einstweilen nach Hanau gereist, um dort den künftigen Wohnsitz vorzubereiten, und macht dann eine Hochzeitsreise über Paris nach England und Schottland.

Ich selbst beabsichtige, jetzt von Ew. Majestät gnädiger Erlaubniß Gebrauch machend, mich bis gegen Ende August in Varzin auszuruhn, soweit die laufenden Geschäfte es gestatten werden. Meine Frau geht für einige Wochen zur Kur nach Homburg, und mein ältester Sohn braucht gleichzeitig eine Wasserkur in dem Homburg benachbarten Königstein. Während der Zeit wird Graf Hatzfeldt unter Beistand des Abtheilungsdirectors Grafen Berchem die Geschäfte hier leiten, bis ihn im August mein Sohn wieder ablöst. Wenn die stille Sommerzeit zu Ende geht, hoffe ich selbst wieder hier anwesend oder doch in Friedrichsruh zu sein, wo ich leicht erreichbar bin. In der Zwischenzeit hoffe ich die Schäden wieder auszugleichen, welche der anstrengende Winter in meiner Arbeitskraft angerichtet hat. 8. 7. 85

Mit lebhafter Freude haben meine Frau und ich die günstigen Nachrichten über Ew. Majestät fortschreitende Erholung und Kräftigung erhalten, und hoffen wir zu Gott, daß auch in diesem Jahre die Gasteiner Kur die Herstellung Ew. Majestät von den leidigen Frühlingsanfällen vollenden werde, so daß Allerhöchstdieselben mit der gleichen Widerstandskraft wie früher dem Winter entgegentreten.

v. Bismarck.

Nr. 131.

Fürst Bismarck an Kaiser Wilhelm.

Berlin, 25. September 1885.

Mein Aufenthalt in Varzin ist für die Kräftigung meiner Gesundheit nicht in dem Maße wirksam gewesen, wie ich es gehofft hatte. Nach ärztlicher Ansicht ist der Mißerfolg vorzugsweise dem gesteigerten Maß von Arbeit zuzuschreiben, welches gerade in den letzten Monaten aus verschiednen Ursachen mir persönlich zur Last gefallen ist. Außerdem hat die ungewöhnliche Ungunst der Witterung ohne Zweifel dazu beigetragen, von der grade jener Theil von Pommern im Gegensatz zum Westen von Deutschland in der sonst günstigsten Zeit des Jahres betroffen wurde, so daß Kälte und tägliche Regengüsse den Aufenthalt im Freien erschwerten. Die Tage meines Berliner Aufenthalts seit dem Ende der vorigen Woche haben die Ansprüche, welche an meine Person gemacht werden, noch erheblich gesteigert, so daß täglich eine Verschlechterung meines Befindens, begleitet von zunehmender Heftigkeit der Gesichtsschmerzen, eingetreten ist. 25. 9. 8

Meine Ueberbürdung hat zum großen Theil darin ihren Grund, daß in Berlin zu viel persönliche Ansprüche auf mich

9. 85. eindringen, die ich ohne Unhöflichkeit nicht abweisen kann, und daß auch die Zahl der Geschäfte, die nicht nur im auswärtigen, sondern auch im innern Dienst zu meiner persönlichen Bearbeitung gelangen, hier eine sehr viel größere ist als auf dem Lande. Um mich für den parlamentarischen Winterfeldzug dienstfähig zu erhalten, bitte ich deshalb Ew. Majestät um huldreiche Erlaubniß, meinen Aufenthalt noch auf einige Zeit nach Friedrichsruh verlegen zu dürfen, wo nächsten Montag ohnehin ein locales Geschäft meine Anwesenheit vorübergehend nothwendig macht.

Für den Gang der auswärtigen Geschäfte wird die Frage, ob ich mich in Berlin oder Friedrichsruh aufhalte, einen Unterschied nur insofern machen, als ich von den fremden Diplomaten weniger mit mündlichem Verkehr werde heimgesucht werden. Bei der schnellen und häufigen Verbindung durch die Eisenbahn, welche nur vier Stunden erfordert und täglich nach Bedürfniß viermal und öfter stattfinden kann, ist kein Nachtheil für die Geschäfte zu befürchten, für mich aber davon Vortheil zu hoffen, daß ich die Entfernung zwischen mir und den Herren, die mich ohne dringende Nothwendigkeit zu sehr verlangen, etwas vergrößere. Sobald ich mich überzeuge, daß der allerhöchste Dienst irgend welchen Nachtheil davon erlitte oder daß es Ew. Majestät Wünschen zuwiderläuft, würde ich unverzüglich meinen Aufenthalt hierher verlegen.

v. Bismarck.

Nr. 132.

Kaiser Wilhelm an Fürst Bismarck.

Berlin, zum 23. September 1887.

3. 9. 85. Sie feiern, mein lieber Fürst, am 23. September d. J. den Tag, an welchem ich Sie vor 25 Jahren in mein Staatsministerium berief und Ihnen nach kurzer Zeit das Präsidium desselben übertrug. Ihre bis dahin dem Vaterlande und den verschiedensten und wichtigsten Aufträgen geleisteten ausgezeichneten Dienste berechtigten mich, Ihnen diese höchste Stellung zu übertragen. Die Geschichte des letzten Viertels des Jahrhunderts beweiset, daß ich mich nicht bei Ihrer Wahl geirrt habe.

Ein leuchtendes Bild von wahrer Vaterlandsliebe, unermüdlicher Thätigkeit, oft mit Hintansetzung Ihrer Gesundheit, waren Sie unermüdlich, die oft sich aufthürmenden Schwierigkeiten im Frieden und Kriege fest ins Auge zu fassen und zu guten Zielen zu führen, die Preußen an Ehren und Ruhm zu einer Stellung führten in der Welt-Geschichte, wie man sie nie geahnet hatte; solche Leistungen sind wohl gemacht, um den 25. Jahrestag des 23. Septembers mit Dank gegen Gott zu begehen, daß Er Sie mir zur Seite stellte, um Seinen Willen auf Erden auszuführen. 23. 9. 8

Und diesen Dank lege ich nun erneuert an Ihr Herz, wie ich dieses so oft aussprechen und bethätigen konnte.

Mit dankerfülltem Herzen wünsche ich Ihnen Glück zur Feier eines solchen Tages und wünsche von Herzen, daß Ihre Kräfte noch lange ungeschwächt erhalten bleiben zum Segen des Thrones und des Vaterlandes.

Ihr
ewig dankbarer König
und Freund
Wilhelm.

N. Sch.

Zur Erinnerung an die abgelaufenen 25 Jahre sende ich Ihnen die Ansicht des Gebäudes, in welchem wir so entscheidende Beschlüsse berathen und ausführen mußten und die immer Preußen und nun hoffentlich Deutschland zur Ehre und zum Wohle gereichen mögen.

W.

Nr. 133.

Fürst Bismarck an Kaiser Wilhelm.

Friedrichsruh, 26. September 1887.

Ew. Majestät

danke ich in Ehrfurcht für das huldreiche Handschreiben zum 23. c. und für das gnädige Geschenk der Abbildung des Palais, in welchem ich so viele Jahre hindurch die Ehre gehabt habe, 26. 9. 8

5. 9. 87. Vortrag zu halten und die allerhöchsten Befehle entgegenzunehmen.

Eine besondre Weihe erhielt der Tag für mich durch die Begrüßung, mit welcher Ihre Königl. Hoheiten die Prinzen Wilhelm und Heinrich mich in Ew. Majestät Auftrag beehrten. Auch ohne diese neuen Gnadenbeweise war das Gefühl, mit welchem ich den 25. Jahrestag meiner Ernennung zum Minister begrüßte, das Gefühl des herzlichsten und ehrfurchtsvollsten Dankes gegen Ew. Majestät. Minister ernennt jeder Landesherr, aber es ist in neuerer Zeit kaum vorgekommen, daß ein Monarch einen Minister-Präsidenten 25 Jahre hindurch in bewegten Zeiten, wo nicht alles gelingt, gegen alle Feindschaften und Intrigen hält und deckt. Ich habe in dieser Zeit manchen frühern Freund zum Gegner werden sehn, Ew. Majestät Gnade und Vertrauen sind für mich aber unwandelbar gleich geblieben.

In dem Gedanken daran liegt für mich reicher Lohn für jede Arbeit und Trost in Krankheit und Einsamkeit. Ich liebe mein Vaterland, das Deutsche wie das Preußische, aber ich hätte ihm nicht mit Freuden gedient, wenn es mir nicht vergönnt gewesen wäre, es zur Zufriedenheit meines Königs zu thun. Die hohe Stellung, welche ich der Gnade Ew. Majestät verdanke, hat zur Unterlage und zum unzerstörbaren Kern den Brandenburgischen Lehnsmann und Preußischen Officier Ew. Majestät, und deshalb beglückt mich Ew. Majestät Zufriedenheit und wäre jede Popularität ohne dieselbe für mich werthlos. . . . . .

Ich habe am 23., neben vielen Telegrammen und Zuschriften aus dem In- und Auslande, sehr gnädige Grüße und Wünsche von Ihren Majestäten von Sachsen und Würtemberg, von Sr. Königl. Hoheit dem Regenten von Bayern, den Großherzögen von Weimar, Baden und Mecklenburg und andern regirenden Herrn erhalten, dann auch von Sr. Majestät dem Könige von Italien und dem Minister Crispi. Die beiden letztern streifen die Politik und waren schwierig zu beantworten; da der Text derselben Ew. Majestät vielleicht interessirt, so habe ich das auswärtige Amt zur Einsendung desselben veranlaßt.

Ich bitte Gott, daß er mir noch länger die Freude gönne, Ew. Majestät zu Allerhöchster Zufriedenheit zu dienen.

v. Bismarck.

Nr. 134.

Kaiser Wilhelm an Fürst Bismarck.

Berlin, den 23. Dezember 1887.

Anliegend sende ich Ihnen die Ernennung Ihres Sohnes 23. 12. zum Wirklichen Geheimen Rath mit dem Prädicat Excellenz, um dieselbe Ihrem Sohne zu übergeben, eine Freude, die ich Ihnen nicht versagen wollte. Ich denke, die Freude wird eine dreifache sein, für Sie, für Ihren Sohn und für mich!

Ich ergreife die Gelegenheit, um Ihnen mein bisheriges Schweigen zu erklären auf Ihren Vorschlag, meinen Enkel den Prinzen Wilhelm mehr in die Staatsgeschäfte einzuführen, bei dem traurigen Gesundheitszustande des Kronprinzen meines Sohnes! Im Princip bin ich ganz einverstanden, daß dies geschehe, aber die Ausführung ist eine sehr schwierige — Sie werden ja wissen, daß die an sich sehr natürliche Bestimmung, die ich auf Ihren Rath traf, daß mein Enkel W. in meiner Behinderung die laufenden Erlasse des Civil- und Militär-Cabinets unterschreiben werde unter der Ueberschrift „Auf Allerhöchsten Befehl" — daß diese Bestimmung den Kronprinzen sehr irritirt hat, als denke man in Berlin bereits an seinen Ersatz! Bei ruhigerer Ueberlegung wird sich mein Sohn wohl beruhigt haben. Schwieriger würde diese Ueberlegung sein, wenn er erfährt, daß seinem Sohn nun noch größere Einsicht in die Staatsgeschäfte gestattet wird und selbst ein Civil-Adjutant gegeben wird — wie ich seinerzeit meine vortragenden Räthe bezeichnete. Damals lagen die Dinge jedoch ganz anders, da ein Grund meinen Königlichen Vater veranlassen konnte, einen Stellvertreter des damaligen Kronprinzen zu bestellen, obgleich meine Erbschaft an der Krone schon längst vorher zu sehen war und unterblieb meine Einführung bis zu meinem 44. Jahre, als mein Bruder mich sofort zum Mitglied des Staatsministeriums ernannte mit Beilegung des Titels als Prinz von Preußen. Mit dieser Stellung war also Zutheilung eines erfahrenen Geschäftsmannes nothwendig, um mich zur jedesmaligen Staats-Ministerial-Sitzung vorzubereiten. Zugleich erhielt ich täglich die politischen Dépêchen, nachdem die-

12.87. selben durch 4 — 5 — 6 Hände, den Siegeln nach, gegangen waren! Für bloße Conversation, wie Sie es vorschlagen, einen Staatsmann meinem Enkel zuzutheilen, entbehrt also des Grundes einer Vorbereitung, wie bei mir, zu einem bestimmten Zweck u. würde bestimmt meinen Sohn von neuem u. noch mehr irritiren, was durchaus unterbleiben muß. Ich schlage Ihnen daher vor, daß die bisherige Art der Beschäftigung-Erlernung der Behandlung der Staats-Orientirung beibehalten wird, d. h. einzelnen Staats-Ministerien zugetheilt werde und vielleicht auf zwei ausgedehnt werde, wie in diesem Winter, also meinem Enkel freiwillig den Besuch des Auswärtigen Amts ferner zu gestatten neben dem Finanz-Ministerium; welche Freiwilligkeit dann von Neujahr ganz fortfallen könnte u. vielleicht das Minist. des Inneren, wobei meinem Enkel zu gestatten wäre, in (unleserlich) Fällen sich im Auswärt. Amt zu orientiren. Diese Fortsetzung des jetzigen Verfahrens kann meinen Sohn weniger irritiren, obgleich Sie Sich erinnern werden, daß er auch gegen dieses Verfahren scharf opponirt.

Ich bitte also um Ihre Ansicht in dieser Materie.

Ein angenehmes Fest Ihnen allen wünschend

Ihr

dankbarer

Wilhelm.

Das beifolgende Patent wollen Sie gefälligst vor der Uebergabe contrasigniren.

W.

Erläuterungen.

Zu Nr. 1.

Die zollpolitische Lage in Deutschland war damals folgende. Oesterreich war bemüht, die süddeutschen Staaten durch ein schutzzöllnerisches Bündniß an sich zu fesseln; damit drohte eine Sprengung des Zollvereins und für Preußen möglicherweise die Unterbrechung des freien Verkehrs zwischen beiden Hälften der Monarchie. Um dieses zu verhindern, brachte Preußen einen Zollvertrag mit Hannover zu Stande, der am 7. September 1851 in Berlin unterzeichnet wurde (Septembervertrag): Hannover und Oldenburg sollten auf Grund desselben am 1. Januar 1854 in einen Zollverein mit Preußen und dessen Zollverbündeten eintreten. Bald nach dem Regierungsantritt Georgs V. (18. November 1851), setzte Minister Freiherr von Schele die Anerkennung des Vertrages bei beiden hannöverschen Kammern durch.

Darauf kündigte Preußen im November 1851 den Zollverein für den 1. Januar 1854, erklärte sich aber gleichzeitig bereit, ihn auf Grund des Septembervertrages zu erneuern. Hierüber zu berathen, wurden alle Zollverbündeten für den 1. April 1852 nach Berlin eingeladen. Fürst Schwarzenburg arbeitete aber entgegen durch Einladung sämmtlicher deutscher Staaten schon für den Januar nach Wien. Hier legte er drei Urkunden vor: über den Handelsvertrag (Urkunde A), über eine vollständige Zolleinigung zwischen Deutschland und Oesterreich (Urkunde B), über eine Zolleinigung Oesterreichs mit Bayern, Württemberg, Sachsen, beiden Hessen und Nassau ohne Preußen (Urkunde C). Zu bestimmten Abmachungen führten diese Berathungen nicht, sondern es wurde nur für Anfang April eine engere Conferenz in Darmstadt verabredet.

Da starb am 5. April 1852 Fürst Schwarzenberg, Graf Buol-Schauenstein wurde sein Nachfolger. Wie auf allen anderen Gebieten, so trat er auch in der Zollvereinssache Anfangs sehr gebieterisch auf. Am 7. Juni war Herr von Bismarck nach Wien geschickt worden, um in Vertretung des dortigen preußischen Gesandten Grafen Arnim in der Zollfrage mit der österreichischen Regierung zu verhandeln. Er traf am 8. Juni Abends in Wien ein und kehrte erst am 8. Juli nach Berlin, am 10. nach Frankfurt zurück. Ein positives Ergebniß hatte sein dortiger Aufenthalt zunächst nicht; seine Gegner schoben das darauf, daß er in Wien seine Instruktionen überschritten hätte. Diesen Verdächtigungen gegenüber schrieb er am 21. Juli an den Ministerpräsidenten v. Manteuffel:

„Er (Wagener) fügte nachrichtlich hinzu, daß man in Berlin das Gerücht verbreite, als hätte ich in Wien meine Mission nicht richtig aufgefaßt, oder gar meine Instruktionen überschritten. Ew. Excellenz stelle ich anheim, ob es zweckmäßig ist, einem solchen Gerücht, falls es existirt, entgegenzutreten, da man, wenn es Bestand gewönne, in Wien nicht recht wissen würde, was man davon denken soll. Ich habe meine Mission ungefähr dahin aufgefaßt, die Beziehungen beider Cabinette so freundlich als möglich zu gestalten, ohne in der Zollfrage etwas nachzugeben, unnöthige Spannungen zu heben, und die Bedeutung der Zollfrage und der Divergenz in derselben nicht mehr als nöthig wachsen und auf andere Fragen und auf die allgemeinen Beziehungen beider Mächte Einfluß gewinnen zu lassen. Ich glaube in dieser Beziehung mich mit Ew. Excellenz in Einklang befunden, und durch Besprechung der Zollfrage mit Graf Buol zur Aufklärung der Haltung Oesterreichs gegen uns, wie gegen Darmstadt beigetragen zu haben, ohne in der Sache etwas zu vergeben." (Vgl. Poschinger, Preußen im Bundestag, IV 98.)

Am Schlusse dieses Berichtes findet sich noch folgende Notiz:

„Se. K. H. der Prinz von Preußen soll heute Abend hier eintreffen, falls nicht die von J. K. H. der Prinzessin entgegengeschickte telegraphische Depesche wegen Eintreffens Louis Napoleons in Baden, wo er bis morgen Abend bleibt, eine Aenderung im Reiseplan Sr. K. Hoheit verursacht."

Solche Aenderung des Reiseplans trat aber nicht ein: der Prinz kam und hatte noch an demselben Tage eine Unterredung mit Herrn von Bismarck. Aus ihr entnahm dieser, daß auch der Prinz dem in Berlin ausgesprengten Gerücht einige Bedeutung beizumessen schien. Das war die Veranlassung für diesen Brief.

Der im Eingange des Briefes erwähnte Brief an Herrn v. Manteuffel hat folgenden Wortlaut:

Ew. Excellenz,

Einige Mittheilungen, welche mir Se. Königl. Hoheit der Prinz von Preußen gestern gemacht haben, geben mir die Ueberzeugung, daß ich mich bei den mündlichen Erläuterungen über den Verlauf meiner Mission in Wien Ew. Excellenz gegenüber mißverständlich ausgedrückt habe.

Ich erlaube mir daher Nachstehendes zu wiederholen, respective zu berichtigen.

Ich habe in Wien weder mit Graf Platen noch mit sonst jemand Unterhandlungen in der Zollfrage gepflogen, sondern mich darauf beschränkt, die täglich wiederholten Erörterungen von vermittelnder Tendenz, welche mir in einer Weise, daß ich sie ohne Unhöflichkeit nicht ablehnen konnte, von den Herren v. Fonton, v. Platen, v. Könneritz und v. Lincke entgegengebracht wurden, conversationsweise anzuhören, meine Zweifel zu äußern, ob sie der Königlichen Regierung annehmbar sein würden, und sie, soweit es der Mühe werth schien, zur geneigten Kenntnißnahme Ew. Excellenz zu bringen. Auf die erhaltene Mittheilung, daß Graf Platen nach Hanover geschrieben habe, ich hätte mich auf seine Vermittelung eingelassen, habe ich denselben, soweit es Ew. Excellenz Weisung, dem Grafen Platen keine Vorhaltungen über die Sache zu machen, gestattete, über den Sachverhalt zu erforschen gesucht und sein Wort erhalten, daß er dergleichen „notorische Unwahrheiten" gegen niemand ausgesprochen habe. Sollte er es doch gethan haben, so könnte ich nur vermuthen, daß er, in der irrigen Voraussetzung, es werde doch schließlich zu Unterhandlungen kommen, sich selbst das Verdienst, sie herbeigeführt zu haben, in Hanover, wo er nicht gut angeschrieben ist, rechtzeitig habe sicher stellen wollen, wie ich mir schon mündlich Ew. Excellenz anzudeuten erlaubte. Nach den Aeußerungen Sr. Königl. Hoheit des Prinzen von Preußen spielte in den Höchstdemselben durch Herrn Klentze gemachten Mittheilungen auch das Blatt mit Vorschlägen des Grafen Platen, auf welchem ich die Abweichungen der preußischen Auffassung in margine bemerkt hatte, eine Rolle als Beweisstück, daß ich mich auf Unterhandlungen in Wien eingelassen hätte, und sollte diese Pièce durch Graf Platen nach Hanover eingereicht und von da nach Berlin gelangt sein! Ew. Excellenz wissen, daß ich diese Pièce von Graf Platen ohne irgend welche Erklärung in Empfang genommen, von dem Augenblick an, bis ich sie Ew. Excellenz übergab, niemand gezeigt habe, weil ich sie für irrelevant hielt, und daß ich sie lediglich zu meinem Privatgebrauch mit den gedachten Marginal-Notizen versehen habe, von welchen, so lange ich das Blatt in Händen hatte, und überhaupt durch mich niemand als ich selbst Kenntniß gehabt hat. Herr Klentze hat also Sr. Königl. Hoheit dieses Papier, welches ich Ew. Excellenz nachrichtlich vorlegte, in einer unrichtigen Bedeutung dargestellt. Ich würde mich darauf beschränken, Se. Königl. Hoheit den Prinzen über den wahren Sachverhalt aufzuklären, wenn nicht in mehren Zeitungen, besonders in der Deutschen Allgemeinen, von sonst offenbar gut unterrichteten Correspondenten, die Behauptung aufgestellt würde, daß ich im Widerspruch mit meinen Instructionen in Wien Unterhandlungen eingeleitet hätte. Je strenger meine Begriffe von Subordination und Dienstpflicht sind, um so mehr fühle ich das Bedürfnis, ein entschiedenes démenti derartiger Beschuldigungen in allgemein glaubwürdiger Weise ausgesprochen zu sehn, zumal im andern Falle meine Integrität und Glaubwürdigkeit fremden Cabinetten gegenüber mit einer levis nota behaftet bliebe. Ich habe in der Zollsache den Wiener Diplomaten gegenüber weder ein Wort schriftlich von mir gegeben, noch mündlich irgend jemand eine Zusicherung ertheilt, noch die Sache überhaupt anders als im Wege der Conversation besprochen, und gerade dem Grafen Platen habe ich erklärt, daß ich eher meinen Abschied nehmen, als die von ihm gewünschten Concessionen zu Hause befürworten oder das Werkzeug ihrer Ausführung in dem unglaublichen Fall ihrer Annahme sein würde, eine Aeußerung, die Graf Platen, wie ich weiß, seinen Collegen mitgetheilt hat.

Meine gehorsamste Bitte auf Grund des Vorstehenden geht dahin, daß Ew. Excellenz das literarische Cabinet geneigtest anweisen wollen, in solchen Blättern, welche als gouvernemental bekannt sind, den Insinuationen, als hätte ich in Wien abweichend von meiner Instruction gehandelt, zu widersprechen.

In ehrerbietigster Ergebenheit

Ew. Excellenz

gehorsamster

Frankfurt, 22. July 1852. v. Bismarck.

Personen, die in dem Briefe Nr. 1 und in dem Briefe vom 22. Juli erwähnt sind:

Graf von Platen-Hallermund, Hannoverscher Gesandter in Wien.

von Klentze (Klenze), Hannoverscher General-Steuerdirektor.

Freiherr von Budberg, Staatsrath, russischer Gesandter in Hannover.

Freiherr von Schele, Geheimer Rath, Hannoverscher Bundestagsgesandter.

Graf von Buol-Schauenstein, österreichischer Minister des Aeußeren und des Königlichen Hauses.

von Fonton, Staatsrath, Erster Botschaftsrath bei der russischen Gesandtschaft in Wien, dann russischer Gesandter in Hannover.

von Könneritz, Königl. Sächsischer Gesandter in Wien.

Zu Nr. 2.

Wie auf den ersten Blick ersichtlich ist, betrifft dieser Brief noch dieselbe Angelegenheit, wie der erste. Die am Schlusse erwähnte Erklärung, die Herr von Bismarck in seinem an den Ministerpräsidenten v. Manteuffel am 22. Juli gerichteten Brief erbeten hatte, erschien bereits am 23. Juli, also unmittelbar nachdem der Ministerpräsident den Brief aus Frankfurt erhalten hatte, in der „Preußischen Zeitung" und lautete

„Die Deutsche Allg. Ztg. vom 20. d. M. enthält die Behauptung, daß Herr v. Bismarck-Schönhausen seinen Auftrag in der handelspolitischen Frage nicht streng festgehalten habe. Obwohl nun bereits früher von verschiedenen wohlunterrichteten Seiten dieser eben so unwahren als nichtigen Erfindung das gebührende Dementi zu Theil geworden ist, sehen wir uns doch veranlaßt, wegen Wiederholung dieser Erfindung in jenem Blatte aufs Neue jene völlig unbegründete Behauptung als solche aufs Bestimmteste zurückzuweisen."

Tags darauf, am 24. Juli, hieß es in der „Neuen Preuß. Ztg.":

„Die ‚Kölnische Zeitung' brachte vor einigen Tagen einen etwas mysteriös gehaltenen Artikel in der handelspolitischen Frage, wonach Herr v. Bismarck in Wien ‚persönliche Ansichten' vertreten und Oesterreich die ‚vertraulichen Besprechungen' abgebrochen habe. Wir sind in der Lage, dies dahin zu berichtigen, daß sich die persönlichen Ansichten des Herrn v. Bismarck in dieser Frage in der vollständigen Uebereinstimmung befanden mit denen, welche er Namens der Regierung in Wien zu vertreten hatte, und daher die Insinuation des Correspondenten in der ‚Kölnischen Zeitung' ganz aus der Luft gegriffen ist, selbst wenn sie wiederum von einem Mitarbeiter der Centralstelle herrühren sollte, der im Stande wäre, aus ‚Quellen' zu schöpfen. Nicht anders verhält es sich mit der patriotischen Andeutung, daß von Seiten Oesterreichs die vertraulichen Besprechungen abgebrochen wären. Wir wissen so viel mit Bestimmtheit, daß die üblichen Conferenzen in der Staatskanzlei, welche durch die laufenden Geschäfte für einen preußischen Gesandten in Wien bedingt werden, regelmäßig und ohne Unterbrechung stattgefunden haben, und zwar die letzte wenige Stunden vor der Abreise des Herrn v. Bismarck. Was dieser mit Graf Buol unter vier Augen gesprochen, und wer von beiden die Conversation über ein bestimmtes Thema zuerst abgebrochen hat, das möchte selbst ein an der Quelle sitzender Central-Preß-Knabe nicht genau genug wissen, um officiöse Artikel darüber nach Köln schreiben zu können. Zu bemerken ist noch, daß die Abreise des Herrn v. Bismarck aus Wien auf dringendes und wiederholtes Verlangen des Grafen Thun stattgefunden hat, der der Mitwirkung seines preußischen Collegen in Frankfurt bedurfte, und daß diesem Verlangen mit Rücksicht auf die noch bis Mitte August sich verlängernde Abwesenheit Sr. Majestät des Kaisers von Oesterreich, welcher selbstständig die Auswärtige Politik leitet, entsprochen worden ist."

Die „Neue Preußische Zeitung" hatte aber vorher auch in ein anderes Horn gestoßen, sogar den Ministerpräsidenten scharf angegriffen und war deshalb confiscirt worden. Bismarck war über diese ihm ganz unerklärliche Haltung Wageners sehr ungehalten; das zeigen seine Briefe an den Ministerpräsidenten von Manteuffel vom 23. Juli (Poschinger, Preußen im Bundestag IV 100 f.) und an General von Gerlach vom 25. Juni/19. Juli (in der Kohlschen Ausgabe 32 f.).

In dem Briefe vom 23. Juli an den Ministerpräsidenten heißt es:

„Die ungeschickten Artikel der Kreuzzeitung haben diese Meinung („daß die Königliche Regierung in der Zollfrage nachgeben werde") bestärkt .... Ich begreife nicht, wie Wagner zu dem Irrthum gekommen ist, in dem er sich in Bezng auf die Zollsache namentlich befindet; er sagt, er habe den ‚Wortlaut', der unsere Nachgiebigkeit enthalte. Da muß ihm doch Jemand eine absichtlich unwahre Mittheilung gemacht haben. Ich verließ ihn bei meiner Abreise von Berlin, wo er mich noch auf dem Bahnhofe aufsuchte, scheinbar beruhigt, und habe ihm persönlich die Versicherung gegeben, daß nichts geschehen sei, was nicht in die Erklärung vom 7. Juni[1]) passe, die nach wie vor das Programm bleibe. Daß er absichtlich und wider eigene Ueberlegung seine Artikel wegen der ‚Nachgiebigkeit' in die Welt geschickt habe und behaupte, im Besitz des ‚Wortlautes' zu sein, traue ich ihm nicht zu; ebensowenig glaube ich, daß er Mißtrauen in meine ihm gemachten Erklärungen setzt. Er muß also von Jemand, den er für besser unterrichtet hält als mich, falsche Mittheilungen erhalten haben. Ich möchte empfehlen, in der Preußischen Zeitung eine alle falschen Gerüchte über das Nachgeben Preußens niederschlagende Erklärung publiciren zu lassen, falls nicht eine entscheidende Eröffnung in der Zollconferenz, mit Fristſtellung, in kurzem bevorsteht. Denn den Darmstädtern hier wächst der Kamm gewaltig."

Ausführlicher noch schreibt Bismarck am 19. Juli aus Frankfurt an Leopold von Gerlach:

. Ich habe bis jetzt, trotz aller Bemühungen, noch keine der confiscirten Nummern der ‚Kreuzzeitung' erlangen können und bin daher nicht in der Lage, mit Sicherheit mir ein Urtheil zu bilden. Bei meiner Abreise sprach ich Wagner auf dem Bahnhof, bat ihn mündlich, wie vorher schon schriftlich, den Zweifeln, die er

[1]) Preußen lehnte in der Erklärung vom 7. Juni die Verhandlung über den Zollvereinigungs-Vertrag mit Oesterreich unbedingt ab, und stellte die Verhandlung über einen Handelsvertrag mit Oesterreich in Aussicht, sobald die Erneuerung des Zolltarifs erst gesichert sei.

über die Festigkeit der Regirung in der Zollsache angeregt hatte, durch eine decidirte Erklärung ein Ende zu machen, und setzte ihn, um ihn dazu zu vermögen, mit aller Offenheit au fait der Situation, verließ ihn, wie mir schien befriedigt, und er zeigte sich auch keiner weitern Aufklärung bedürftig und schien an meinen Angaben damals nicht zu zweifeln. Ich sagte ihm sogar, daß Manteuffel fester und schroffer in der Sache sei als ich, der ich wenigstens den Schein der Billigkeit und Versöhnlichkeit in so hohem Grade als irgend möglich für uns wahren wollte. Wie ist Wagner nun dazu gekommen, nachdem ich in den einlenkenden Artikeln in Nr. 159 und 160 die Frucht meiner Bearbeitung gesehn hatte, plötzlich die Regirung wegen Nachgiebigkeit anzugreifen? Denn nach den Andeutungen andrer Blätter, welche, glücklicher als ich, die confiscirten Nummern gelesen haben, muß ich annehmen, daß dieß der materielle Kern seiner Angriffe gewesen ist. Glaubt er, daß ich ihm etwas vorgelogen habe, und weshalb? Die einzige Möglichkeit, aus der ich mir einen Vers machen kann, wäre diese: Platen in Wien hat, um sich das Verdienst einer von ihm für sicher gehaltenen Verständigung zu vindiciren, nach Hanover geschrieben, seiner Vermittlung sei es gelungen, mich zu gewinnen, und von Buol hoffe er ein Gleiches; durch Klenze, der mit Rudloff[1]) sehr vertraut ist, wird das an diesen und so weiter an Wagner gelangt sein. Wie kann W[agner] aber, wenn eine bestimmte schriftliche Versicherung und mündlich detaillirte Auseinandersetzung schnurstracks entgegensteht, solchen Unsinn glauben und daraufhin mit Keulen zuschlagen. Ich habe ihm noch nie etwas vorgelogen und finde das ein schnödes Verfahren von ihm, so gereizt und mit Recht gereizt er auch über die unwürdigen Angriffe sein mag, welche seine Person und sein Irvingianismus in der ‚Zeit' und andern Blättern erfahren haben. Ich kann nicht glauben, daß das Ministerium in neuster Zeit ohne mein Wissen Verhandlungen geführt haben sollte, die Wagners Angriffe rechtfertigten und das dementirten, was ich ihm bei meiner Abreise gesagt habe. Wenn das aber nicht der Fall ist, und ich habe schon vorgestern W[agner] um Aufklärung geschrieben, so hat er im Irrthum gehandelt, und die Existenz der Zeitung durch voreilige Heftigkeit compromittirt, jedenfalls durch sein einseitiges, ohne Einverständniß mit der Partei im Großen husarenmäßig ausgeführtes Herfallen über Manteuffel in den provinzialen Bestandtheilen der Partei der größte Verwirrung angerichtet. Er verfährt mit der Partei, wie der Bär mit dem Einsiedler, dem er die Fliege auf dem Gesicht mit dem Stein

---

[1]) Rudloff, Polizeidirector in Stettin, war der preußischen Bundestagsgesandtschaft attachirt.

todtwarf und den Einsiedler selber. Ich habe noch von keiner Seite etwas Klares über das ganze imbroglio erfahren können, und wenn mich nicht der Bundestag, meine Frau[1]) und die schuldige Rücksicht auf Wien hier fesselten, so wäre ich schon in Berlin. Es ist schauderhaft, bei so etwas nicht gegenwärtig zu sein, und Berliner Zeitungen hielt ich keine, außer der †=Zeitung, so daß ich nun ganz in Blindheit lebe. Können Sie mich in etwas orientiren, so versetzen Sie mich in dankbare Rührung.

Keine Quertreiberei der Presse (z. B. auch in der Spenerschen Zeitung, in der Zeit und in der Kölnischen Zeitung) und keine Verleumdungssucht der Herren Klenze und Genossen war aber im Stande, das persönliche Vertrauen zu Herrn v. Bismarck bei dem Prinzen von Preußen wie bei dem Ministerpräsidenten v. Manteuffel zu erschüttern oder auch nur vorübergehend zu trüben. Am 1. August wurde dem Gesandten der zweite Sohn geboren, und schon am 7. August konnte der glückliche Vater Herrn v. Manteuffel herzlich danken für seinen Glückwunsch „und die Annahme der Pathenstelle"; bei der Taufe aber am 22. September waren der Prinz von Preußen, der zu einem früheren Termin persönlich hatte kommen wollen, und der Ministerpräsident als Pathen Wilhelms v. Bismarck vertreten.

Zu Nr. 3.

Der Brief behandelt zwei wichtige Fragen: die Holstein=Lauenburgische und die Rastatter; in beiden schlug Oestreich einen andern Weg ein als Preußen.

Schon seit Anfang 1857 beschäftigte den Bundestag eine Beschwerde der holsteinisch=lauenburgischen Stände über das verfassungs= und vertragswidrige Benehmen Dänemarks gegen die beiden deutschen Herzogthümer. Nach langem Berathen und Hin= und Herschreiben waren endlich im Februar und im Mai Bundesbeschlüsse zu Stande gekommen, die bestimmte Forderungen an Dänemark stellten. Dänemark fand aber Rückhalt an Oestreich und erklärte daher rundweg, dem Beschlusse der Bundesversammlung, daß die dänische Regierung in den Herzogthümern Holstein und Lauenburg sich aller weiteren die damalige Sachlage ändernden Schritte zu enthalten habe, nur zum Theil entsprechen zu können. Herr v. Bismarck entwarf nun ein Programm über das weitere Vorgehen des Bundestages in der Holstein=Lauenburgischen Verfassungsfrage. Wir finden es bei Poschinger, Preußen im Bundestage III 376 f.:

1) Der Holsteinische Ausschuß zieht den Executions=Ausschuß zu seinen Berathungen zu; beide Ausschüsse berichten der Bundes=

---

[1]) Am 1. August wurde Graf Wilhelm B. geboren.

versammlung, daß die dänische Antwort nicht genügend erscheint; der Executions-Ausschuß allein beantragt bei der Bundesversammlung die Einleitung des Executionsverfahrens, unter Vorlage des Entwurfs der ersten Aufforderung.

Anmerkung. Alle Mitglieder des Executions-Ausschusses (fünf an der Zahl) sind im Holsteinschen Ausschuß. Letzterer hat nach Beschluß vom 15. die Dänische Antwort zu begutachten, der Executions-Ausschuß aber handelt ex officio, sobald er sich überzeugt, daß ein Bundesglied seine Pflichten nicht erfüllt.

Will der Holsteinsche Ausschuß die Zuziehung des Executions-Ausschusses nicht, so macht der Preußische Gesandte von dem jedem Ausschußmitgliede zustehenden Rechte Gebrauch, indem er den Zusammentritt des Executions-Ausschusses allein fordert. Daß der Executions-Ausschuß, allein oder mit dem Holsteinschen combinirt, in Function tritt, erspart Zeit. Wenn jetzt der Holsteinsche allein das Gutachten erstattete, daß die Dänische Antwort nicht genügt, so würde alsdann erst die Bundesversammlung die Ueberweisung an den Executions-Ausschuß beschließen, und dieser in einer späteren Sitzung seinen Antrag auf Einleitung des Executionsverfahrens stellen.

2) Die Bundesversammlung beschließt auf den vom Executions-Ausschusse gestellten Antrag die erste executivische Aufforderung an Dänemark nach Artikel 3 der Executionsordnung.

Anmerkung. Diese Aufforderung kann etwa des Inhaltes sein, daß der Bund

a) von der Aufhebung der Gesammtverfassung Act nimmt und es Dänemark überläßt, dieser Auslegung seiner Erklärungen zu widersprechen, Preußen könnte einstweilen bei der Ansicht verharren, daß der Dänische Wortlaut auch in diesem Puncte ungenügend sei, und sich erst auf den Wunsch der übrigen Ausschußmitglieder zu der milderen Form, die Dänische Erklärung besser zu verstehn, als sie gemeint war, herbeilassen.

b) In Betreff der Vorschläge, welche laut Beschluß vom 20. Mai Dänemark machen sollte, ist es seinen Pflichten nicht nachgekommen. Der Bund fordert dasselbe daher auf, in einer Frist von vierzehn Tagen (lieber drei Wochen) Genüge zu leisten. Zu diesem Behufe erwartet der Bund, indem er mit Rücksicht auf die demnächst mit den Ständen noch erforderlichen Verhandlungen eine sofortige Erklärung Dänemarks zu Protocoll nicht für angemessen hält, daß der Dänische Gesandte in einer auf den anzuberaumenden vertraulichen Sitzung des Ausschusses (Executions- oder combinirt mit dem Holsteinschen Ausschusse) im Stande sein werde, solche Vorschläge in Betreff der Neugestaltung der Verfassungsverhältnisse und der deshalb den Ständen zu machenden Vorlagen, im Namen seiner Regirung zu produciren, daß die Bundesbeschlüsse vom 11. Februar und 20. Mai dadurch erledigt werden.

3) Entspräche Dänemark dieser Aufforderung nicht, so würde der Bund nach Artikel 4 der Executionsordnung zur weiteren Einleitung der Execution schreiten.

Träte dieser Fall ein, so würde der Bund beschließen, die Execution zu vollstrecken, und Dänemark hiervon, unter Anberaumung einer neuen kurzen Frist, in Kenntniß setzen.

Anmerkung. Erst in diesem Stadium kommt die Frage zur Entscheidung, von welchen Staaten und in welcher Form die Execution vollzogen werden soll. Vielleicht läßt Dänemark es gar nicht dahin kommen, sondern entspricht der ersten Sommation. Im entgegengesetzten Fall müssen wir bis dahin aus dem Verhalten der Andern entnehmen, ob sie mit uns eine gemeinschaftliche Bundes-Execution ehrlich vollstrecken, oder ob sie dieselbe zu einer specifisch Preußischen stempeln wollen, um uns Verlegenheiten zu bewirten und die Verantwortung für jede Unvollständigkeit des Erfolges auf uns zu werfen.

In demselben Maaße, daß wir letztere Tendenz bemerken, würden wir für die Stellung Holsteins, und schließlich für dessen Beziehungen zu Schleswig, solche Forderungen aufstellen, daß die Anderen schwerlich mit uns gehn und, wegen der Popularität der von uns gesteckten Ziele doch nicht wagen würden, es offenkundig werden zu lassen, daß sie uns gehemmt haben.

Sobald sie dergleichen merten, werden sie darauf verzichten, uns die Falle einer ausschließlich „Preußischen" Execution zu stellen, und sich zu einer ehrlichen, das heißt von Preußen, Oestreich und einem Mittelstaate ausgeführten, verstehn.

Ehe man zum Beschluß über die Betheiligung an der Execution gelangt, werden mindestens vier, vielleicht acht bis zehn Wochen von jetzt ab erforderlich sein. An Truppenbewegungen, wenn es zu denselben überhaupt kommt, dürfte unter drei Monaten nicht zu denken sein.

Die Entsendung von Commissaren, welche nicht blos verhandeln, sondern aus Machtvollkommenheit des Bundes bestimmend in den Verhältnissen der Herzogthümer Anordnungen treffen sollten, ist nur als Executions mittel, also erst dann zulässig, wenn der Bund die Execution wirklich beschlossen hat.

Dieses Programm legte Herr von Bismarck am 16. Juli in Baden-Baden dem Prinzen von Preußen vor und fand dessen volle Zustimmung dazu.

Die in diesem Briefe am Schluß des ersten Absatzes erwähnte Depesche lautet:

Kopenhagen, 26. July 1858 4 Uhr 58 M.

Au Ministre de Danemarc à Francfort s. M.

Le ministre pour les affaires intérieures communes de la monarchie a été supprimé à partir du 1. août.

Hall.

Mit der Rastatter Frage, die der zweite Theil des Briefes behandelt, hatte es folgende Bewandtniß. Die Festung war seit ihrer Erbauung durch Baden vorwiegend von badischen Truppen besetzt gewesen; und obgleich sie Bundesfestung war, konnte doch der Großherzog von Baden thatsächlich als ihr Herr betrachtet werden. Im Jahre 1849 wurde die Festung aber von badischen Truppen entblößt, von östreichischen besetzt und dieser transitorische Zustand durch ein Separatabkommen mit Oestreich in Permanenz erklärt. Dagegen erhob Preußen Widerspruch und verlangte, daß bei der Besatzung Rastatts Parität zwischen Preußen und Oesterreich hergestellt würde. Ernste Klage erhob Herr von Bismarck dabei über die Politik des Badischen Staatsministers von Meysenbug. Er verfaßte über ihn ein Mémoire, das er an den Ministerpräsidenten von Manteuffel sandte und abschriftlich auch dem Prinzen von Preußen übergab. Es ist datirt vom 4. Mai 1858 und lautet:

Während es den meisten deutschen Mittelstaaten seit 1850 durch geschickte Benutzung der Umstände und durch umsichtige Förderung ihrer dynastischen Particularinteressen gelungen ist, eine höhere politische Bedeutung zu gewinnen, als sie vor 1848 besaßen, hat das Großherzogthum Baden die nach Verhältniß seiner Ausdehnung wichtige Stellung, welche es früher in dem deutschen Staatenbunde einnahm, nicht wieder zu gewinnen vermocht.

Die Ursachen dieser Erscheinung sind vielleicht nicht alle erkennbar und liegen auf verschiedenen Feldern der Politik und der Verwaltung zerstreut. Aber wie in den andern deutschen Mittelstaaten, so ist auch dort der Minister des Hauses und der auswärtigen Angelegenheiten dazu berufen, die Rolle des leitenden Staatsmannes zu übernehmen, und dem Minister von Meysenbug wird daher die Verantwortlichkeit für das unbefriedigende Gesammtresultat der Badischen Politik, und für die Mißgriffe, welche sich derselben nachweisen lassen, vorzugsweise zufallen.

Es galt zu Anfang des vergangenen Jahrzehnts mit Recht für ein glückliches Ergebniß der Anstrengungen Badischer Staatsmänner, daß nicht nur die Erbauung von Rastatt durchgesetzt, sondern namentlich auch die Garnisonverhältnisse dieser Bundesfestung so geordnet wurden, daß der Großherzog von Baden thatsächlich als Herr derselben betrachtet werden konnte. So lange die Dynastie im Besitz dieser Festung blieb, war unter allen Umständen im ganzen Lande nichts für sie verloren, und sie besaß dadurch und durch die geographische Lage des Landes eine Wichtigkeit, die es der Europäischen Politik zur Nothwendigkeit machte, in allen deutschen Verwickelungen das Großherzogthum Baden in ihre Berechnungen aufzunehmen. Wenn diese Festung in Folge der Ereignisse von 1849 vorübergehend auswärtigen Truppen anvertraut werden mußte, so war dies ein Unglück; aber gewiß war es ein unverzeihlicher Fehler, aus diesem transitorischen Zustande einen permanenten werden zu lassen, und diese Permanenz demnächst durch einen Separatvertrag mit Oestreich zu sanctioniren. Der Widerspruch Preußens gegen einen Vertrag, durch den die Gr. Regierung sich selbst ein Armuthszeugniß ausstellte, und die werthvollste Perle aus Badens Krone verschenkte, war von jedem einigermaßen für die Stellung eines dirigirenden Ministers befähigten Politiker vorauszusehen, und der Streit, der gegenwärtig um die Theilnahme an der Garnison von Rastatt zwischen Oestreich und Preußen geführt wird, kann die Badische Regierung am besten darüber belehren, welchen Werth sie auf dieses Verhältniß zu legen hat. Wollte oder mußte sie sich einmal eines Theiles ihrer Garnisonrechte entäußern, so wäre es zuverlässig weniger bedenklich gewesen, auch noch andere deutsche Staaten, insbesondere Preußen, daran Theil nehmen zu lassen, als sich ausschließlich in die Arme Oestreichs zu werfen, und sich dadurch für alle Zeiten der Möglichkeit selbstständiger Entschlüsse in den wichtigsten Fragen des Landes und der Dynastie zu begeben. Auch heute noch sollte der Widerspruch Preußens dazu benutzt werden, um womöglich von dem Vertrage mit Oestreich loszukommen, und das Ganze auf den Bundesbeschluß von 1849 zurückzuführen. Gelingt dies nicht, so kommt es wahrscheinlich nunmehr zu keiner definitiven Ordnung der Garnisonverhältnisse von Rastatt. Es würde somit der Septembervertrag mit Oestreich fortbestehen, und damit der ganze Nachtheil eines provisorischen und bestrittenen Zustandes auf Baden lasten.

Noch größer wurde der begangene Fehler dadurch, daß der Vertrag mit Oestreich ohne Kenntniß und Theilnahme Preußens unterhandelt und zum Abschluß gebracht wurde. Bis dahin war es Axiom der Badischen Regirung, in allen wichtigen und gemeinsamen deutschen Angelegenheiten keinen Schritt zu thun, ohne vorher sich ebensowohl mit Preußen als mit Oestreich ins Einvernehmen gesetzt zu haben.

Eine Abweichung von diesem Axiom, kurz nachdem Baden von Preußen die ausgiebigste militairische Hülfe erhalten hatte, mußte von der Preußischen Regirung mit Recht übelgenommen werden, und insofern Herr von Meysenbug dieses Verfahren angerathen hat, muß ihm zum mindesten der Vorwurf einer Tactlosigkeit gemacht werden.

Mit diesem Vertrage hatte es überhaupt keine Eile. Nur ein Nenling in der Politik konnte fürchten, daß Oestreich wirklich ohne Weiteres seine Truppen aus Rastatt ziehen werde, wenn Baden den Vertrag nicht abschloß; aber selbst wenn dies geschehen wäre, so hätte Baden bereitwillig die Stellung wieder einnehmen müssen, welche es vor 1849 inne hatte. Es ist nicht wahrscheinlich, daß die Auflösung der Badischen Armee sich in derselben Gestalt wiederholt, wie in jenem Jahre. Ihr Geist ist ein besserer geworden; und man wird nicht wieder denselben Fehler machen, daß man Cadres, deren Gerigfügigkeit mit allen militairischen Regeln in Widerspruch stand, durch plötzliches und massenhaftes Herbeiziehen undisciplinirter Elemente aus der Mitte einer aufgeregten Bevölkerung zu einer zuchtlosen Masse anschwellt, in welcher der ursprünglich bei der Fahne gewesene und allein den militairischen Charakter bewahrende Theil der Truppen als eine unmerkliche Minorität verschwindet. Der militairische Geist ist erfahrungsmäßig ein besserer, wenn die Truppen in größeren Garnisonen zusammenstehen, als wenn sie in kleinen Abtheilungen über das Land zerstreut sind. Der Kern der Badischen Armee, in Rastatt concentrirt, würde dem Großherzog den Besitz des Landes sicherer gewähren, als die Stellung kleiner zerstreuter Truppentheile im Lande umher. Wenn die Badische Division keine zuverlässige Besatzung für eine im Lande belegene Festung mehr abgäbe, so wäre sie überhaupt nicht werth, beibehalten zu werden.

Schwer verständlich ist es, wie Diener des Großherzogs, auch wenn sie dem Militair nicht selbst angehören, sich nicht haben schämen können, direct oder indirect einzuräumen, daß eine Badische Besatzung allein keine Sicherheit für Rastatt gewähre; noch weniger verständlich ist es, wenn man damit sagen will, daß Baden nicht abgeben könne, weil seine Division vollzählig im Felde erscheinen sollte. Glaubt man mit derselben, je nachdem sie 1500 Mann stärker oder schwächer ist, einer französischen Invasionsarmee die Spitze bieten zu können, oder hat man der Eitelkeit, im 8. Armeecorps mit einer höhern Ziffer an Feldtruppen zu figuriren, den Besitz der einzigen Festung des Landes und nach Umständen die Selbstständigkeit des Fürstenhauses geopfert?

Die Badische Division kann in einem Kriege auf der deutschen Westgrenze an keiner Stelle eine ehrenvollere und für die Dynastie und das Land nützlichere Verwendung finden, als in der Vertheidigung von Rastatt.

Man sollte glauben, daß diese, für einen jeden, der es mit dem Lande und seinem Fürstenhause ehrlich meint, so einleuchtende Wahrheit auch dem Herrn von Meysenbug nicht hätte entgehen können; aber anstatt derselben Rechnung zu tragen, hat er Baden ohne Noth und ohne Vortheil in wahrhaft widernatürliche Mißverhältnisse mit Preußen, den nothwendigsten Bundesgenossen der Badischen Dynastie, gebracht, und derjenigen Macht, von welcher der unabhängige Bestand des Großherzogthums bei etwaigen Verwickelungen am meisten zu fürchten hat, ein ewiges Recht auf den Besitz des einzigen festen Punktes im Lande vertragsmäßig eingeräumt.

Nicht glücklicher als in dieser Lebensfrage für Baden, sind die Operationen des Herrn von Meysenbug auf dem Gebiete des zu seinem Ressort gehörigen Eisenbahnwesens gewesen.

Bei der zunehmenden Wichtigkeit und Ausdehnung der Eisenbahnen hätte man erwarten dürfen, daß der dirigirende Minister die Unterhandlungen über den Anschluß Badischer Bahnen an die der Nachbarstaaten in ein System bringen werde, welches den Interessen des Landes Rechnung trüge. Weun dies der Fall gewesen wäre, so würde man vor allen Dingen die Erbauung einer stehenden Rheinbrücke zunächst bei Mannheim ins Auge gefaßt haben. Abgesehen von dem allgemein deutschen Interesse, eine Brücke da zu besitzen, wo beide Ufer deutsch sind, ist Mannheim weitaus der bedeutendste Handelsplatz des Landes, dessen Wichtigkeit aber von den Anordnungen einer umsichtigen und intelligenten Verwaltung des Landes abhängig bleibt. So gewiß als Mannheim bei richtiger Unterstützung der Regirung zum Mittelpunkt eines großartigen Verkehrs erhoben werden kann, ebenso sicher ist es, daß diese Stadt rückwärts gehn muß, wenn ihre Interessen derjenigen andrer Localitäten hintenangesetzt werden. Diese Interessen hätten aber unbedingt die schleunigste Herstellung einer Eisenbahnverbindung mit den Bayerischen Bahnen in der Pfalz durch eine Brücke und in Franken durch eine Odenwälder Bahn erfordert. Diese Verbindung ist um so dringender, als von andern Seiten die größten Anstrengungen gemacht werden, um den Handelsverkehr zwischen Osten und Westen von Mannheim abzuleiten. Statt nun mit aller Energie sich hierauf zu werfen, und die allgemeinen deutschen Interessen ins Spiel zu ziehn, hat Herr von Meysenbug die Verhandlungen mit Bayern völlig vernachlässigt, und ohne Rücksprache mit den deutschen Mächten den Vertrag über die Kehler Brücke mit Frankreich abgeschlossen. Dadurch hat Baden seine Verkehrsinteressen denen einer großen auswärtigen Macht untergeordnet, welche diese Gelegenheit begierig ergriff, um sich in deutsche Angelegenheiten zu mischen, und Baden behufs Ausführung des Kehler Brückenvertrages bei den deutschen Bundesgenossen zu vertreten. Dieser ungeschickte Gang der Verhandlungen setzte die Gr. Regierung dem Vorwurf eines undeutschen Benehmens und einer separaten Hinneigung zu Frankreich aus. Ebenso wie der Brückenbau bei Straßburg überwiegend das Interesse Frankreichs fördert, weil der wichtigere Endpunct der Brücke der Französische ist, und Kehl neben Straßburg verschwindet, so wäre die Brücke bei Mannheim in demselben Maaße dieser Badischen Handelsstadt vorzugsweise zu gut gekommen. Sie würde die Erbauung der Odenwälder Bahn, die engere Verschmelzung der nordöstlichen mit den übrigen Landestheilen in ihrem Gefolge gehabt, und bewirkt haben, daß Mannheim durch eine gedeihliche Entwickelung, die es der Gr. Regierung verdankte, sich unter derselben wohl fühlte. Aehnliche Vortheile, wie für diesen Kreuzungspunkt der Eisenbahn und des Rheins sind auf der Straße über Kehl für keine der Badischen Stationen zu erwarten. Die Vortheile des Brückenbaues fallen auf jener Seite allein Straßburg zu, und die etwaigen ärarischen Mehrerträge, welche eine erhöhte Frequenz auf der Strecke der Staatsbahn zwischen Kehl und Bruchsal gegen die zwischen Mannheim und Bruchsal in Aussicht stellt, können nur von einer engen und kurzsichtigen Finanzpolitik gegen die Wohlfahrt der ersten Handelsstadt des gesammten Unterrheinkreises in die Wagschale gelegt werden.

Nicht minder hat sich Herr von Meysenbug durch den Abschluß des Vertrages mit Frankreich über die Waaren-Etiquetten eine Blöße gegeben, indem er wiederum ohne Rücksprache mit den übri- Zollvereinsstaaten die Interessen der Industrie Badens und Deutschlands ohne Gegenleistung von Seiten Frankreichs preisgab. Die Beschwerden der deutschen Industrie über diesen Vertrag sind bekannt, und haben den in politischer Beziehung nach Außen und für das Ansehn der Regierung im Lande nicht gleichgültigen Verdacht bestärkt, als hege Baden eine Hinneigung zu particularer Anlehnung an Frankreich, und gestatte demselben einen übermäßigen Einfluß auf deutsche Interessen.

Eineu auffälligen Mangel an Erfahrung oder an richtigem Blick für die Interessen des Großherzoglichen Hauses hat Herr von Meysenbug ferner in der Domainenfrage an den Tag gelegt. Es wäre unter den jetzigen Verhältnissen, bei geschickter Benutzung der Dispositionen der Stände, nicht schwer gewesen, dem Großherzog anstatt einer Erhöhung der Civilliste die Rückgabe der Domainen und ihre Verwaltung zu verschaffen. Darin hätte das sicherste Mittel zur Hebung und Befestigung der Macht und des Ansehens des Landesherrn gelegen, welcher auf diesem Wege eine von der Bevormundung durch das Beamtenwesen sehr viel freiere Stellung gewonnen hätte. Die Verhältnisse waren der Durchführung der Maßregel ungemein günstig. An einen ernstlichen Widerstand der Stäude war nicht zu denken, und der Großherzog hatte das Recht auf seiner Seite. Es scheint aber, daß der Großherzog den Hauptwiderstand bei einem Theile seiner Staatsdiener gefunden hat, welche mehr die Bedeutung der eignen Stellung als die ihres Fürsten im Auge haben. Dem Vernehmen nach hat Herr von Meysenbug selbst sich darüber nicht getäuscht, wie wichtig der Besitz und die Verwaltung des Domanialvermögens für die Stellung seines Herrn sein würde; schon das Beispiel so mancher andrer deutscher Dynastien, welche keine Anstrengung gescheut haben, diese Grundlage unabhängiger Würde, dieses wirksame Mittel directer landesherrlicher Einwirkung wieder zu gewinnen, hätte ihn darüber belehren können. Er hat sich aber, weil ihm die dem Staatsmanne unerläßliche Selbstständigkeit und Kraft eigner Ueberzeugung fehlt, andern Einflüssen untergeordnet, und auch auf diesem Felde, wo das Richtige so nahe lag, daß die Erkenntniß desselben nicht fehlen konnte, aus Mangel an Energie die Interessen des Großherzoglichen Hauses verkümmern und die Gelegenheit entgehn lassen, demselben nach dem Beispiele der übrigen deutschen Dynastien wiederum ein selbstständiges Patrimonialvermögen zu sichern.

Es ist nicht leicht, unter den Bewohnern des Badischen Landes jemand zu finden, welcher den Mißgriffen des dermaligen Ministeriums, dem Schaden, welchen dasselbe den Interessen des Landes und der Dynastie zugefügt hat, Erfolge gegenüber zu stellen vermöchte, durch welche sich das gegenwärtige Cabinet ein Recht auf die Anerkennung des Großherzogs und auf die Dankbarkeit seiner Unterthanen erworben haben könnte.

Zu Nr. 4.

Vgl. Poschinger, Preußen im Bundestage, Bd. III, S. 444.

Zu der in diesem Immediatbericht behandelten Brücke bei Kehl vergl. den oben zum Briefe Nr. 3 mitgetheilten Bericht Bismarcks über den badischen Staatsminister von Meysenbug.

Im Bundestage bestand die 15. Curie aus: Holstein-Oldenburg, Anhalt und Schwarzburg, die 16. aus Hohenzollern, Lichtenstein, Reuß, Schaumburg-Lippe, Lippe und Waldeck.

Baden machte erst in der Bundestagssitzung vom 13. April 1861 eine Anzeige über die Vollendung der Kehler Brücke und die Ausführung der seiner Zeit von der Militaircommission für nothwendig erachteten Schutzmaßregeln, d. h. Unterbrechung der Communication durch eine Drehbrücke, Minenanlage und Batterien im Norden. (Poschinger.)

Zu Nr. 5.

Vgl. Poschinger, Preußen im Bundestag, Band III, S. 448 f.

Die in diesem Immediatberichte mitgetheilten Maßregeln Dänemarks waren die Folge des durch den Prinzregenten gutgeheißenen Bismarck'schen Operationsplanes: der Dänemark angedrohten bewaffneten Execution.

Zu Nr. 6.

Dieser Immediatbericht befindet sich bei Poschinger a. a. O. Bd. III, S. 452 f.

Graf von Montessuy war, wie sich aus dem Berichte ergiebt, französischer Gesandter am Bundestage. Er wurde am 15. November 1858 abgelöst und durch den Grafen von Savignac-Fénelon ersetzt.

Herr von Bülow, Kammerherr, war dänischer Gesandter am Bundestage und Holstein-Lauenburg'scher Bundestagsgesandter in einer Person.

Zu Nr. 7.

Auch dieser Immediatbericht findet sich bei Poschinger a. a. O., Band III, S. 454 f.

Ueber die Austrägalgerichte bestimmt Artikel XXI der Wiener Schlußacte vom 15. Mai 1820 Folgendes:

> Die Bundesversammlung hat in allem, nach Vorschrift der Bundes-Acte bey ihr anzubringenden Streitigkeiten der Bundes-Glieder die Vermittlung durch einen Ausschuß zu versehen. Können die entstandenen Streitigkeiten auf diesem Wege nicht beygelegt werden, so hat sie die Entscheidung derselben durch eine Austrägal-Instanz zu veranlassen, und dabey, so lange nicht wegen der Aus-

trägal-Gerichte überhaupt eine anderweitige Uebereinkunft zwischen den Bundes-Gliedern Statt gefunden hat, die in dem Bundes-Tags-Beschlusse vom sechzehnten Juny achtzehn-hundert und siebenzehn enthaltenen Vorschriften, so wie den, in Folge gleichzeitig an die Bundes-Tags-Gesandten ergehenden Instructionen, zu fassenden besondern Beschluß zu beobachten.

Zu Nr. 8.

Vgl. Poschinger a. a. O., Bd. III, S. 458 ff.

Im December 1856 war eine Commission mit der Ausarbeitung eines Entwurfes für ein allgemeines Handelsgesetzbuch in Nürnberg eingesetzt worden; zur Information über das Seerecht wurde sie im Sommer 1857 nach Hamburg verlegt. Obgleich am 16. December 1856 völlige Unabhängigkeit der Berathung dieser Conferenz beschlossen war, stellte Bayern jetzt den Antrag, daß die einzelnen Regierungen sich über ihre Geneigtheit zur Einführung des aus der zweiten Lesung hervorgegangenen Entwurfs der ersten vier Bücher eines allgemeinen deutschen Handelsgesetzbuchs erklären, eventuell ihre Einwendungen so schnell abgeben möchten, daß die frühere Nürnberger Conferenz, unter Sistirung der Seerechts-Conferenzen, bis Ostern 1859 zusammen treten könne, um die ersten vier Bücher zum Abschluß zu bringen.

Auf den Bericht an den Minister von Schleinitz wurde Bismarck von diesem am 21. December telegraphisch ermächtigt, sich über den Antrag Bayerns in der nächsten Bundestagssitzung nach Maßgabe der in diesem Immediatberichte ausgesprochenen Ansicht zu erklären. Das that er denn auch am 23. December 1858.

Zu Nr. 9.

Vgl. Poschinger a. a. O., Bd. III, S. 463 f.

Zur Rastatter Besatzungsangelegenheit vgl. den oben zu Nr. 3 mitgetheilten Bericht Bismarcks über den Badischen Staatsminister von Meysenbug. Das Eingangs dieses Immediatberichtes erwähnte Uebereinkommen der preußischen mit der oesterreichischen Regierung ging darauf hinaus, daß die Gesandten Oesterreichs und Badens angewiesen wurden, der Bundesversammlung den Wunsch auszusprechen, es möge sich diese mit Rücksicht auf die gegenwärtige Sachlage und die sich daran knüpfende Hoffnung auf eine Vermittelung der differirenden Ansichten veranlaßt sehen, die weitere Verhandlung über den von ihnen gestellten Antrag einstweilen auf sich beruhen und jede Erörterung über die Besatzungsverhältnisse von Rastatt, so viel es sich nicht um die Angelegenheiten der laufenden Festungsverwaltung handeln werde, bis auf erneuerte Anregung, die hoffentlich alle Bürgschaften für das Zustandekommen einer allseitig befriedigenden endgültigen Regelung in sich vereinigen würde, ausgesetzt sein zu lassen.

Thatsächlich kamen erst 1860 auch preußische Truppen mit nach Rastatt; durch die preußisch-badische Militairconvention vom 25. November 1870 wurde unter Vorbehalt der badischen Landeshoheit die Festung preußischer Fürsorge unterstellt, 1892 wurden die Werke geschleift.

Ueber die in dem Immediatbericht genannten Personen geben wir noch folgende Notizen:

von Biel, Generalmajor, Bayrischer Bevollmächtigter bei der Bundes-Militaircommission;

Bessel, Major, Bayrisches Mitglied der Festungsabtheilung bei der Bundes-Militaircommission;

Frhr. Rzikowsky von Dobrschitz, Oberst und Kämmerer, österreichischer zweiter Bevollmächtigter in der Bundes-Militaircommission;

von Spiegel, Oberst und Flügeladjutant des Königs von Sachsen, Bevollmächtigter in der Bundes-Militaircommission;

Frhr. Max von Gagern, seit 1854 in österreichischem Staatsdienst, Bruder Heinrichs von Gagern;

von Biegeleben, österreichischer Hof- und Ministerialrath im Ministerium des Kaiserlichen Hauses und des Aeußern;

Braun, österreichischer Legationsrath, Legationssekretär bei der österreichischen Gesandtschaft am Bundestage und Geschäftsträger bei der Freien Stadt Frankfurt;

von Linde, Dr., Großh. Hessischer Geheimer Staatsrath a. D., Bundestagsgesandter für Liechtenstein;

Jürgens, ehemaliger evangelischer Pfarrer, Mitarbeiter der Zeitung „Deutschland“ in Frankfurt a. M.

Zu Nr. 10.

Vgl. Poschinger a. a. O., Band III S. 466 f.

Bismarck kam von Frankfurt a. M. aus vielfach nach Darmstadt. Als am 17. April 1895 eine Darmstädter Abordnung dem Fürsten in Friedrichsruh eine Glückwunschadresse überreichte, sagte dieser in seiner Ansprache: „Ich habe für Darmstadt ich möchte es heute beinahe Jugenderinnerungen nennen, in der Zeit, wo ich in Frankfurt war. Ich kam dahin, wie ich 36 Jahre, glaube ich, war. Es ist im Verhältniß zum 80. Jahr eine Jugend, und ich habe Ihre hübsche Gegend, Ihre Wälder, die Leichtigkeit des Verkehrs und des Reisens lieben gelernt. Ich habe die Straßen von Darmstadt gekannt. Ich hatte in dem preußischen Gesandten dort einen intimen Schul- und Jugendfreund, Herrn von Kanitz, der sich nachher mit dem Minister Dallwigk nicht vertragen konnte und deshalb wegging. . . . Ich habe sehr angenehme Erinnerungen an Ihre Stadt und auch an den alten Groß herzog Ludwig, den großen Dicken; er war ein liebenswürdiger Herr und namentlich auf der Jagd; da habe ich ihn am meisten gesehn auf dem Kranichstein, da war er am behaglichsten. Ein bischen mehr Feierlichkeit, als wir bei uns gewöhnt waren, war immer am Darmstädter Hofe; aber es war ein liebenswürdiger, wohldenkender Herr." — Bei der Betrachtung des Bildes von Einsiedel bemerkte der Fürst: „Das wird da sein, wo wir die bayrischen Semmeln mit Wurst darin frühstückten auf der Jagd. Der Großherzog hatte eine wunderliche Vorliebe im Essen: wenn Schwarzwild angeschossen war, da ließ er noch von dem Schweiße auffangen und das rasch zu einer Blutwurst verarbeiten."[1])

Dieser Großherzog war Ludwig III. (1848—1877); er war seit 1833 in kinderloser Ehe vermählt mit Mathilde, Tochter König Ludwigs I. von Bayern. Sein Bruder war Prinz Karl von Hessen (1809—1877), vermählt mit Elisabeth, Prinzessin von Preußen, Tochter des Prinzen Wilhelm von Preußen, jüngsten Sohnes König Friedrich Wilhelms II. Um die 1837 und 1838 geborenen Söhne Ludwig und Heinrich des Prinzlich Carlschen Paares handelt es sich hier. Der in dem Immediatbericht erwähnte Prinz Alexander von Hessen war ein jüngerer Bruder Großherzog Ludwigs III.

Zu Nr. 11.

Vgl Poschinger a. a. O., Baud III, S. 473.

Die Schärfe der politischen Lage zu Anfang des Jahres 1859 war in letzter Linie durch die Worte geschaffen worden, die Napoleon am 1. Januar bei der Gratulationscour in Versailles an den österreichischen Gesandten gerichtet hatte: „Ich bedaure, daß die Beziehungen zwischen unsern Regierungen nicht mehr so gut sind wie früher, bitte Sie aber, Ihrem Kaiser zu versichern, daß meine persönliche Hochachtung für ihn unverändert dieselbe ist." Napoleon war mit dem Grafen Cavour über den Krieg mit Oesterreich einig: damit Frankreich Nizza und Savoyen in Besitz nehmen konnte, mußte

---

[1]) Vgl. mein „Fürst Bismarck nach seiner Entlassung", Band VI, Seite 145 f.

Oesterreich Lombardo-Venetien, Parma und Modena preisgeben. Oesterreich aber warf nicht nur sofort 30000 Mann in die Lombardei, denen unablässig Verstärkungen folgten, sondern verlegte sich auch ganz gegen seine Gewohnheit auf die populäre Agitation. In Süddeutschland hatte es damit Erfolg, nicht aber im Norden. Hier herrschte nach Olmütz nicht nur tiefe Abneigung gegen den Kaiserstaat an der Donau, sondern auch lebhafte Sympathie für die italienischen Einheitsbestrebungen. Und der Prinzregent war sich ganz klar darüber, daß der Deutsche Bund mit der ganzen Bewegung nichts zu schaffen hatte, daß daher Preußen ihr nicht als Bundesstaat, sondern als europäische Großmacht gegenüberstand.

Herr von Bismarck war, als er diesen Immediatbericht schrieb, schon im Begriffe, nach Petersburg überzusiedeln und bei dem Czaaren die Vertretung zu übernehmen: Am 28. Februar und 1. März übergab er seinem Nachfolger in Frankfurt, Herrn von Usedom, die Geschäfte. Das war ein Mann der neuen Aera. So wenig der neue Ministerpräsident von Schleinitz und Bismarck sonst harmonirten, in der jetzt schwebenden Frage begegnete dem Bismarckschen Mißtrauen gegen Oesterreich des Herrn von Usedom Begeisterung für die Unabhängigkeit Italiens.

Am 29. Juli 1858 erfolgte die Abstimmung über Preußens Antrag, die Sache an die Militaircommission zu verweisen. Preußen wurde von Oesterreich majorisirt. Herr v. Bismarck bemerkte in seinem Bericht über diesen Vorgang an den Ministerpräsidenten:

> Im Allgemeinen war es unverkennbar, daß die Mehrheit meiner Collegen das Bewußtsein hatte, politisch unrichtig und nicht mit der Rücksicht, welche Preußen beanspruchen darf, zu verfahren, indem sie uns ein Verlangen abschlugen, welches in der Regel jeder Regirung ohne weitere Discussion gewährt wird, und welches zur Vertagung schwieriger Streitigkeiten sonst in vielen Fällen ein sehr beliebtes Auskunftsmittel ist. . . .
>
> Bemerkenswerth ist auch, daß keiner von meinen, der Majorität angehörenden Collegen in Privatbesprechungen mit mir für die Ablehnung der technischen Begutachtung einen andern Grund, als den des an Oestreich gegebenen Versprechens, hat anführen können, nachdem das einzige äußerlich haltbare Motiv, welches dem unnöthigen Zeitverluste entnommen wurde, durch die lange Verschleppung der Sache und den ausgesprochenen Wunsch, dieselbe noch weiter hinzuziehen, hinfällig geworden ist.

Im Briefe und in den Erläuterungen vorkommende Personen:

Hall, Conseils-Präsident, zugleich Minister des Kirchen- und Unterrichtswesens für das Königreich Dänemark, auch Minister ad interim. für die auswärtigen Angelegenheiten.

Graf von Rechberg und Rothenlöwen, österreichischer Wirklicher Geheimer Rath und Kämmerer, Bundestags-Präsident.
Freiherr von Schrenk, Staatsrath und Kämmerer, bayrischer Bundestagsgesandter.

Zu Nr. 12.

Dieser Brief bei dem Tode Friedrich Wilhelms IV. und der Thronbesteigung Wilhelms I. ist für die Leser von heute insofern von besonderem Werth und Interesse, als sie neben dem Gelöbniß die Bewährung der Treue, neben dem Wunsch einer „langen und gesegneten Regirung" die überreiche Erfüllung des Wunsches schauen.

Der König konnte den treuen, schlichten Brief nicht selbst beantworten; Herr v. Bismarck erhielt folgende Bestätigung seines Schreibens:

Sans-Souci, den 6. Januar 1861.

Ew. Excellenz

habe ich die Ehre, im Allerhöchsten Auftrage Seiner Majestät des Königs, Allerhöchstwelcher sehr bedauern, aus Zeitmangel am Schreiben verhindert zu sein, hierdurch gehorsamst zu melden, daß Seine Majestät Ihr theilnehmendes Schreiben erhalten haben, und mir befehlen, Ew. Excellenz Allerhöchstihren Dank für die darin ausgesprochenen Gesinnungen treuer Anhänglichkeit auszusprechen.

Indem ich diesem ehrenvollen Allerhöchsten Befehle nachkomme, habe ich die Ehre, mit der Versicherung ausgezeichnetster Hochachtung und Ergebenheit mich zu nennen

Ew. Excellenz
ganz gehorsamster
v. Strubberg,
Major u. Adjutant Sr. Majestät d. Königs.

Zu Nr. 13.

Diese Denkschrift veröffentlichte zuerst Horst Kohl im dritten Bande seines Bismarck-Jahrbuches (S. 193—200). Er setzt sie mit Recht in das Jahr 1861 und bemerkt in dieser Hinsicht Folgendes:

„Die Datirung ergiebt sich aus der Bezugnahme auf die Militärconvention mit Coburg-Gotha, die am 1. Juni 1861 unterzeichnet, am 30. Juli 1861 von dem vereinigten Landtage der Herzogthümer angenommen wurde. Sollte es die Denkschrift über die „deutsche Frage" sein, die Bismarck im Juli 1861 in Baden-Baden dem Könige überreichte?"

Was Herr v. Bismarck hier in großen Zügen entwirft, das hat er später zum guten Theil verwirklicht; es sei nur an den Bundesrath und den Reichstag, an den Zollbundesrath und das Zollparlament erinnert.

Die Denkschrift ist außer an der oben angeführten Stelle später auch in der 7. Auflage der von Horst Kohl herausgegebenen „Bismarck-Briefe“ (1898) Seite 315—320 zum Abdruck gekommen.

Zu Nr. 14.

Diese Denkschrift schließt sich inhaltlich eng an die vorige an; die Grundzüge sind dieselben: eine Einigung Deutschlands zuerst auf wirthschaftlichem Gebiete. Bedächtig, aber consequent zieht Herr von Bismarck den König in seinen politischen Plan hinein.

Der erste Abdruck der Denkschrift befindet sich in Poschingers Aktenstücken zur Wirthschaftspolitik des Fürsten Bismarck, Bd. I, Seite 4—6. Zu dem Begleitschreiben bemerkt der Herausgeber:

„Anfangs December 1862 drängte sich der preußischen Regierung die Ueberzeugung auf, daß sie wirksamer als bisher den Schwierigkeiten entgegentreten müsse, welchen dieselbe auf Seiten einiger Zollvereinsstaaten in Bezug auf die mit Frankreich unterzeichneten Verträge vom 2. August 1862 begegnete. Zu diesem Behufe schlug die preußische Regierung vor, diejenigen Theile der gedachten Verträge in Wirksamkeit zu setzen, welche von Preußen ohne die Zustimmung seiner Zollverbündeten zur Ausführung gebracht werden könnten, und welche zugleich von anderen Theilen, bei welchen diese Voraussetzungen nicht zutrafen, sogleich zu trennen waren. Es traf dies zu bezüglich gewisser Abmachungen über die gewerblichen Befugnisse und über die Gewerbebesteuerung der beiderseitigen Unterthanen, den eigentlichen Schifffahrtsvertrag, die Literarconvention u. s. w.“

Zur Erneuerung des Zollvereins, die in der Denkschrift oft erwähnt wird, ist zu bemerken: die im Jahre 1854 begonnene Vertragsperiode lief noch bis zum 31. December 1865; damals gehörten dem Zollverein sämtliche deutsche Staaten an mit alleiniger Ausnahme Oesterreichs, der beiden Mecklenburg und der Hansastädte. Der dann am 16. Mai 1865 abgeschlossene Erneuerungsvertrag sollte vom 1. Januar 1866 bis Ende 1877 laufen, trat auch Anfang 1866 in Kraft, wurde aber durch die politischen Ereignisse des Sommers 1866 hinfällig.

Die Bezugnahme auf die Würzburger, für deren preußenfeindliche Bestrebungen die liberalen Oppositionsparteien „ehrvergessener Weise“ Partei nahmen, betrifft die gegen Preußen gerichtete Coalition mittel- und süddeutscher Staaten, die vom 24. bis 27. November in

Würzburg eine freilich resultatlose Conferenz abgehalten hatten, trotzdem aber mit ihren antipreußischen Tendenzen nicht einhielten; es waren: Bayern, Sachsen, Württemberg, Kurhessen, Hessen-Darmstadt, Mecklenburg-Schwerin, Nassau, Sachsen-Meiningen und Sachsen-Altenburg.

Zu der sachlich nahe liegenden Forderung des letzten Absatzes der Denkschrift fügt H. von Poschinger folgende geschichtliche Notiz: „Unterm 20. Januar 1863 ladet Herr von Bismarck die Ressortminister von Bodelschwingh und Graf Itzenplitz zu Berathungen über den von Seiten der französischen Regierung nunmehr vorgeschlagenen Zusatz zu dem beabsichtigten Additional-Vertrage auf den 22. dess. M. ein. Die Sache kam später dadurch ins Stocken, daß man französischerseits einen Zusatz verlangte, der in Berlin Anlaß gab zur Aufstellung eines Gegenzusatzes, welcher wiederum in Paris Schwierigkeiten faud. Da bis November 1864 sämmtliche Zollvereinsstaaten ihre Zustimmung zu dem Handelsvertrage mit Frankreich erklärt hatten, so erledigte sich die Angelegenheit ohne Abschluß des Zusatzvertrages."

Zu Nr. 15.

Obgleich hier officiell von einem Berichte des Staatsministeriums die Rede ist, so trägt doch das Schriftstück ebenso unverkennbar das individuell Bismarck'sche Gepränge wie das folgende. Es braucht kaum erwähnt zu werden, daß es durch die maßlosen Angriffe der fortschrittlichen Presse nicht nur auf den verhaßten Ministerpräsidenten, dessen starken Willen man mit einem wüsten Anlauf brechen zu können wähnte, sondern auch auf die ganze Königliche Regierung veranlaßt worden war.

Die am Schlusse angezogenen beiden Artikel der preußischen Verfassungsurkunde mögen gleich hier mit angeführt werden.

Art. 27. „Jeder Preuße hat das Recht, durch Wort, Schrift, Druck und bildliche Darstellung seine Meinung frei zu äußern; die Censur darf nicht eingeführt werden; jede andere Beschränkung der Preßfreiheit nur im Wege der Gesetzgebung."

Art. 63. „Nur in dem Falle, wenn die Aufrechterhaltung der öffentlichen Sicherheit, oder die Beseitigung eines ungewöhnlichen Nothstandes es dringend erfordert, können, insofern die Kammern nicht versammelt sind, unter Verantwortlichkeit des gesammten Staats-Ministeriums Verordnungen, die der Verfassung nicht zuwiderlaufen, mit Gesetzeskraft erlassen werden. Dieselben sind aber den Kammern bei ihrem nächsten Zusammentritt zur Genehmigung sofort vorzulegen."

Die Folge des Immediatberichtes war, daß sofort im Königl. Preuß. Staats-Anzeiger vom 3. Juni die nachstehende Preßverordnung erlassen wurde. Der Bericht an den König wurde mit veröffentlicht.

Die Preßverordnung lautet:

Verordnung, betreffend das Verbot von Zeitungen und Zeitschriften.

Vom 1. Juni 1863.

Wir Wilhelm, von Gottes Gnaden König von Preußen ꝛc. verordnen auf den Antrag Unseres Staats-Ministeriums und auf Grund des Artikels 63 der Verfassungs-Urkunde vom 31. Januar 1850 was folgt

§ 1.

Die Verwaltungsbehörden sind befugt, das fernere Erscheinen einer inländischen Zeitung oder Zeitschrift wegen fortdauernder, die öffentliche Wohlfahrt gefährdenden Haltung zeitweise oder dauernd zu verbieten.

Eine Gefährdung der öffentlichen Wohlfahrt ist als vorhanden anzunehmen, nicht blos wenn einzelne Artikel für sich ihres Inhalts wegen zur strafrechtlichen Verfolgung Anlaß gegeben haben, sondern auch dann, wenn die Gesammthaltung des Blattes das Bestreben erkennen läßt oder dahin wirkt:

die Ehrfurcht und die Treue gegen den König zu untergraben,
den öffentlichen Frieden durch Aufreizung der Angehörigen des Staats gegen einander zu gefährden,
die Einrichtungen des Staats, die öffentlichen Behörden und deren Anordnungen durch die Behauptung entstellter oder gehässig dargestellter Thatsachen oder durch Schmähungen und Verhöhnungen dem Hasse oder der Verachtung auszusetzen,
zum Ungehorsam gegen die Gesetze oder gegen die Anordnungen der Obrigkeit anzureizen,
die Gottesfurcht und die Sittlichkeit zu untergraben,
die Lehren, Einrichtungen oder Gebräuche einer der christlichen Kirchen oder einer anerkannten Religionsgesellschaft durch Spott herabzusetzen.

§ 2.

Das Verbot erfolgt, nach vorheriger zweimaliger Verwarnung des betreffenden Verlegers, durch Plenarbeschluß der Regierung, in deren Bezirke die Zeitung oder Zeitschrift erscheint.

§ 3.

Wenn der Regierungs-Präsident die Ueberzeugung gewinnt, daß die Haltung einer Zeitung oder Zeitschrift den in § 1 bezeichneten Charakter hat, so hat er dem Verleger derselben zunächst eine mit Gründen unterstützte schriftliche Verwarnung zu ertheilen. Bleibt diese und eine nochmalige Verwarnung fruchtlos, so kann innerhalb der zwei auf die letzte Verwarnung folgenden Monate das Verfahren wegen des Verbots der Zeitung oder Zeitschrift bei der Regierung eingeleitet werden.

Ist innerhalb dieser Frist die Einleitung des Verfahrens nicht erfolgt, so ist vor späterer Einleitung eines solchen eine nochmalige vorherige Verwarnung erforderlich.

§ 4.

Der Präsident der Regierung verfügt, eintretenden Falls, die Einleitung des Untersuchungs-Verfahrens und bezeichnet den Beamten, welcher die Verrichtungen der Staatsanwaltschaft wahrzunehmen hat.

Letzterer überreicht der Regierung die Anklageschrift.

Der Angeschuldigte (der Verleger) wird unter abschriftlicher Mittheilung derselben zu einer vom Regierungs-Präsidenten zu bestimmenden Plenarsitzung zur mündlichen Verhandlung vorgeladen. Bei dieser Verhandlung, welche in nicht öffentlicher Sitzung stattfindet, sowie bei der Entscheidung der Sache, wird nach Vorschrift der §§ 35—39 und 31 des Gesetzes, betreffend die Dienstvergehen der nicht richterlichen Beamten vom 21. Juli 1852 (Gesetz-Sammlung S. 465) verfahren. Die Entscheidung kann jedoch nur auf Zurückweisung der Anklage oder auf zeitweises oder dauerndes Verbot des ferneren Erscheinens der Zeitung oder Zeitschrift lauten.

§ 5.

Gegen die Entscheidung der Regierung steht dem Staatsanwalt wie dem Verleger der Rekurs an das Staatsministerium binnen zehn Tagen zu. Im ersteren Falle ist die Rekursschrift des Staatsanwalts dem Verleger mit einer präklusivischen Frist von zehn Tagen zur Beantwortung mitzutheilen.

Die Einlegung des Rekurses hält jedoch die Vollstreckung einer auf dauerndes Verbot lautenden Entscheidung der Regierung nicht auf.

§ 6.

Wenn sich aus öffentlichen Ankündigungen oder aus andern notorischen Thatsachen ergiebt, daß eine verbotene Zeitung oder Zeitschrift unter demselben oder einem andern Namen anderweit fortgesetzt werden soll, so steht dem Präsidium der betreffenden Regierung die Befugniß zu, dieses Unternehmen ohne Weiteres zu verbieten.

§ 7.

Wer einem auf Grund dieser Verordnung erlassenen, öffentlich oder ihm besonders bekannt gemachten Verbote entgegen eine Zeitung oder Zeitschrift verkauft, ausstellt oder sonst gewerbsmäßig vertheilt oder verbreitet, wird für jede so verkaufte, ausgestellte oder sonst gewerbsmäßig vertheilte oder verbreitete Nummer, jedes Heft oder Stück derselben mit Geldbuße von zehn bis Einhundert Thalern oder mit Gefängniß von Einer Woche bis zu Einem Jahre bestraft.

Die Anwendung des durch die Verbreitung von Schriften strafbaren Inhalts sonst verwirkten Strafen wird durch diese Bestimmung nicht ausgeschlossen.

§ 8.

(betrifft den Polizei-Präsidenten von Berlin).

§ 9.

Auswärtige Blätter können wegen fortdauernder, die Wohlfahrt des Preußischen Staates gefährdender Haltung (§ 1) durch Beschluß des Staats-Ministeriums verboten werden.

§ 10.

Vorstehende Verordnung tritt mit dem heutigen Tage in Kraft.

Zu Nr. 16.

Zu seinem Rathe fügt Herr von Bismarck hier noch das Votum des Gesammtministeriums und verleiht damit dem eignen erhöhtes Gewicht. Die Vorgeschichte dieses Berichtes ergibt sich klar aus dessen eignem Wortlaut. Schon vor der Eröffnung des Fürstentages (17. August) hatte Bismarck klar und bestimmt sein Urtheil über die Reformvorschläge Oestreichs ausgesprochen. In der Depesche vom 14. August an Herrn von Werther nach Wien hieß es:

So weit man bis jetzt sehe, würde ein Bundesdirectorium, wenn seine Beschlüsse der Einstimmigkeit der fünf Mitglieder bedürften, den bestehenden Zustand unverändert lassen; sollte es aber nach den Mehrheitsbeschlüssen zu handeln berechtigt sein, so könnte Preußen nimmermehr seine Selbständigkeit und seine Gesetzgebung den Verfügungen von drei Stimmen unterordnen. Berathende Delegationen seien absolut bedeutungslos; Preußen bleibe bei der früheren Erklärung, daß es eine Ausdehnung der Bundesgewalt nur dann genehmigen könne, wenn zu deren Beschlüssen die Zustimmung eines aus Volksrechten hervorgegangenen Parlaments erforderlich sei.

Und bei der Mittheilung dieser Depesche an den preußischen Bundestagsgesandten von Sydow (seit Ende 1862 an Usedoms Stelle) schrieb Herr von Bismarck:

Ich betrachte das östreichische Reformproject als eine Schaumwelle, mit welcher Schmerling mehr noch ein Manöver der innern östreichischen Politik, als einen Schachzug antipreußischer Diplomatie beabsichtigt. Er arrangirt dem Kaiser eine glänzende Geburtstagsfeier mit weißgekleideten Fürsten, und fingirt ihm Erfolge der constitutionellen Aera Oestreichs. Von dem Dampf der Phrasen entkleidet, ist des Pudels Kern ein so dürftiger, daß man dem Volke lieber nicht praktisch vordemonstriren sollte, wie nicht einmal das zu Staude kommt. . . . Einen Einfluß auf die Verhandlungen zu erhalten, empfiehlt sich jetzt noch nicht; wir müssen die Weisheit der Reformen sich erst ungestört offenbaren lassen. (Vgl. H. v. Sybel, Begründung des Deutschen Reichs II 528.)

Der „nahe bevorstehende Zusammentritt des Landtages", auf den der Bericht (S.) Bezug nimmt, erfolgte am 9. November. Ueber die Bundesreform enthält die Thronrede folgenden Passus:

„Von dem bisherigen Verlauf der Verhandlungen über die von der Kaiserlich östreichischen Regierung angeregte Bundesreform wird Meine Regierung dem Landtage Mittheilungen zugehn lassen. Ich habe die Mängel der bestehenden Bundesverfassung niemals verkannt, aber zu ihrer Umgestaltung weder den gegenwärtigen Moment noch die eingeschlagnen Wege für richtig gewählt halten können. Tief werde Ich es bedauern, wenn die von Mir gegen Meine Bundesgenossen ausgesprochene Befürchtung sich bewahrheiten sollte, daß die Schwächung des Vertrauens, dessen die Bundes-Einrichtungen zur Erfüllung ihrer Zwecke bedürfen, und die Unterschätzung der Vortheile, welche sie den Mitgliedern des Bundes in der gegenwärtigen Lage Europas gewähren, das alleinige Ergebniß von Reformversuchen sein würden, welche ohne Bürgschaft des Gelingens unternommen werden. Diese Bürgschaft aber kann nur solchen Reformen beiwohnen, welche, in gerechter Vertheilung des Einflusses nach dem Verhältnisse der Macht und der Leistungen, dem Preußischen Staate die ihm in Deutschland gebührende Stellung sichern. Dies gute Recht Preußens und mit ihm die Macht und die Sicherheit Deutschlands zu wahren, sehe Ich als Meine heilige Pflicht an."

Der in der Denkschrift erwähnte Brief des Königs an Kaiser Franz Joseph vom 4. August lautet:

Es gereicht mir zur lebhaftesten Genugthuung, aus Eurer Majestät Schreiben zu ersehen, wie Ew. Majestät mit Mir in der Anerkennung des Bedürfnisses einer den Zeitumständen entsprechenden Reorganisation der deutschen Bundesverfassung, übereinstimmen und bin ich gerne bereit zu gemeinsamen Berathungen über eine Aufgabe, welche mir jederzeit am Herzen gelegen hat, und die in der Mannigfaltigkeit der Wege, auf welchen ihre Ordnung bisher versucht worden ist, ebenso die Wichtigkeit wie die Schwierigkeit der letzteren erkennen läßt.

Einer in die Interessen meines Volkes und der gesammten deutschen Nation so tief eingreifenden Frage gegenüber sind es zunächst zwei Erwägungen, welchen ich im Interesse der Sache selbst meine Entschließungen unterordne. Einmal kommt es darauf an, zu verhüten, daß das bestehende Maß der Einigung vor jeder Gefährdung durch das Streben nach einem festeren Bande bewahrt werde.

In dieser Beziehung entnehme ich aus Ew. Majestät Absicht, die wesentlichen Grundlagen der Bundesverfassung zu erhalten, die Bürgschaft, daß das Gute, soweit es vorhanden, nicht ohne Sicherheit des Erfolges dem Streben nach Besserem geopfert werden wird.

Meine zweite Erwägung ist die, daß die Erreichung des für die Zukunft gesteckten Zieles durch die Wahl des Weges wesentlich beeinträchtigt oder gefördert werden wird. Unsere Arbeiten würden, meines Erachtens, dadurch nicht erleichtert werden, daß wir sie mit einer Zusammenkunft der Souveraine beginnen. Es erscheint mir unerläßlich, daß einem so bedeutsamen Schritte, weun er den gewollten Erfolg haben soll, eingehende Vorarbeiten und Conferenzen unserer Minister vorausgehen, über deren Ergebniß schließlich von den Souverainen die Entscheidung zu treffen sein wird.

Aus diesem Grunde glaube ich mir die Annahme der Einladung zum 16. d. Mts. versagen und Ew. Majestät vorschlagen zu sollen, daß wir die Fragen, über welche von den Souverainen sämmtlicher Bundesstaaten zu beschließen sein wird, zunächst in Ministerial-Conferenzen der Vertreter der 17 Stimmen des engeren Rathes der Bundesversammlung berathen und feststellen lassen. Mit der Wahl Frankfurts als Ort einer solchen Versammlung bin ich einverstanden, und indem ich mich freuen werde, mit Ew. Majestät gemeinsam Hand an ein Werk zu legen, mit dessen Gelingen die Zukunft Deutschlands so innig verknüpft ist, ergreife ich 2c. 2c.

Wilhelm.

Gastein, den 4. August 1863.

Zu Nr. 17.

Diesen kurzen Brief theilt Fürst Bismarck selbst mit im ersten Bande seiner Gedanken und Erinnerungen, Seite 324; dort finden wir auch die näheren Umstände in dem sechzehnten Capitel „Danziger Episode". Zu einer militairischen Inspektion war Kronprinz Friedrich Wilhelm am 31. Mai 1863 nach Danzig gereist. Tags darauf erfolgte die auf Grund des oben unter Nr. 15 mitgetheilten Berichtes des Staatsministeriums erlassene Königliche Verordnung über die Presse. Der Kronprinz lernte den gleichzeitig veröffentlichten Bericht erst hierdurch kennen, richtete am 4. Juni ein Schreiben an den König, in dem er sich mißbilligend über diese Octroyirung aussprach und sich darüber beschwerte, daß er zu den betreffenden Berathungen des Staatsministeriums nicht zugezogen worden sei, und äußerte am 5. Juni bei dem Empfang im Danziger Rathhause: „Ich beklage, daß ich in einer Zeit hergekommen bin, in welcher zwischen Volk und Regierung ein Zerwürfniß eingetreten ist, welches zu erfahren mich in hohem Grade überrascht hat. Ich habe von den Anordnungen, die dazu geführt haben, nichts gewußt. Ich war abwesend. Ich habe keinen Theil an den Rathschlägen, die dazu geführt haben."

Aus Graudenz sandte der Kronprinz, dessen schnell verbreitete Worte im In- und Auslande begreifliches Aufsehen erregten, einen förmlichen Protest gegen die Preßverordnungen an den Ministerpräsidenten und verlangte Mittheilung des Protestes an das Staatsministerium, die jedoch auf Befehl des Königs unterblieb. Am 7. Juni ging ihm eine ernste Antwort des Königs auf die Beschwerdeschrift vom 4. zu. Er bat darauf den Vater um Verzeihung und stellte die Entlassung aus seinen Aemtern anheim. Am 11. erhielt er des Königs Antwort, die ihm die erbetene Verzeihung gewährte und ihm für die Zukunft Schweigen zur Pflicht machte. Herr von Bismarck machte es sich zur Aufgabe, den König zu beruhigen und von Schritten, die an Friedrich Wilhelm I. und Küstrin erinnert hätten, zurückzuhalten. Das gelang auch.

Später erhielt Bismarck ein aus Stettin vom 30. Juni datirtes Schreiben des Kronprinzen, das des Ministers Politik in starken Ausdrücken verurtheilte und die Erklärung des Absenders enthielt, er werde den König bitten, sich, so lange dieses Ministerium im Amte wäre, der Theilnahme an den Sitzungen desselben enthalten zu dürfen. Obgleich dann im August in Gastein eine freundliche Aussprache zwischen beiden Männern stattgefunden hatte, richtete der Kronprinz am 3. September, am Tage nachdem die Auflösung des Abgeordnetenhauses beschlossen worden war, abermals einen Brief an den Ministerpräsidenten, in dem er sich gegen diesen Schritt aussprach und mittheilte, daß er dem Könige gegenüber seine Bedenken geäußert und seine schweren Befürchtungen für die Zukunft dargelegt habe; der König wisse nun, daß er (der Kronprinz) der entschiedene Gegner des Ministeriums sei. Nun kam auch die Bitte, an den Sitzungen des Staatsministeriums nicht mehr theilnehmen zu brauchen, zur Sprache; der König hatte sich dafür entschieden, daß das, wie seit 1861, so auch künftig zu geschehen habe. Noch im Laufe des Septembers wiederholte der Kronprinz aber sein Verlangen und entwickelte die Gründe dafür in einer an den König gerichteten Denkschrift. Sie ist das in dem Briefe erwähnte „Memoir“. Zwischen dem König und Bismarck entstand darüber ein Briefwechsel, der mit diesen Zeilen des Königs seinen Abschluß faud.

Bismarck erzählt (Ged. u. Er. I 324): „Von der Denkschrift habe ich eine Abschrift nicht genommen; der Inhalt wird aber erkennbar aus meinen Marginal-Notizen, die hier folgen.“ Ihres hohen Interesses wegen übernehmen wir diese hier wörtlich aus den Gedanken und Erinnerungen:

Seite 1: Der Anspruch, daß eine Warnung Sr. Königlichen Hoheit die nach sehr ernster und sorgfältiger Erwägung gefaßten Königlichen Entschließungen aufwiegen soll, legt der eignen Stellung und Erfahrung im Verhältniß zu der des Monarchen und Vaters ein unrichtiges Gewicht bei.

Niemand hat glauben können, daß Se. K. H. „an den Octroyirungen Theil gehabt“, denn Jedermann weiß, daß der Kronprinz kein Votum im Ministerium hat, und daß die in älteren Zeiten übliche amtliche Stellung des Thronfolgers nach der Verfassung unmöglich geworden ist. Das démenti in Danzig war daher überflüssig.

Seite 2. Die Freiheit der Entschließungen Sr. K. H. wird dadurch nicht verkümmert, daß Se. K. H. den Sitzungen beiwohnt, Sich durch Zuhören und eigne Meinungsäußerung au courant der Staatsgeschäfte hält, wie es die Pflicht jedes Thronerben ist. Die Erfüllung dieser Pflicht, wenn sie in den Zeitungen bekannt wird, kann überall nur eine gute Meinung von der Gewissenhaftigkeit hervorrufen, mit der der Kronprinz Sich für Seinen hohen und ernsten Beruf vorbereitet.

Die Worte „mit gebundenen Händen“ u. s. w. haben keinen Sinn.

Seite 2. „Das Land“ kann gar nicht auf den Gedanken kommen, Se. K. H. mit dem Ministerium zu identificiren, denn das Land weiß, daß der Kronprinz zu keiner amtlichen Mitwirkung bei den Beschlüssen berufen ist. Leider ist die Stellung, die Se. K. H. gegen die Kroue genommen hat, im Lande bekannt genug und wird von jedem Hausvater im Lande, welcher Partei er auch angehören mag, gemißbilligt als ein Lossagen von der väterlichen Autorität, deren Verkennung das Gefühl und das Herkommen verletzt. Sr. K. H. könnte nicht schwerer in der öffentlichen Meinung geschadet werden, als durch Publication dieses mémoires.

Seite 2. Die Situation Sr. K. H. ist allerdings eine „durchaus falsche“, weil es nicht der Beruf des Thronerben ist, die Fahne der Opposition gegen den König und den Vater aufzupflanzen; die „Pflicht", aus derselben herauszukommen, kann aber nur auf dem Wege zur Rückkehr zu einer normalen Stellung erfüllt werden.

Seite 3. Der Conflict der Pflichten liegt nicht vor, denn die erstre Pflicht ist eine selbstgemachte; die Sorge für Preußens Zukunft liegt dem König ob, nicht dem Kronprinzen, und ob „Fehler" gemacht sind, und auf welcher Seite, wird die Zukunft lehren. Wo die „Einsicht" Sr. Majestät mit der des Kronprinzen in Widerspruch tritt, ist die erstre stets die entscheidende, also kein Conflict vorhanden. S. K. H. erkennt selbst an, daß in unsrer Verfassung „kein Platz für die Opposition des Thronfolgers" ist.

Seite 4. Die Opposition innerhalb des Conseils schließt den Gehorsam gegen Se. Majestät nicht aus, sobald eine Sache entschieden ist. Minister opponiren auch, gehorchen aber*) doch der Entscheidung des Königs, obschon ihnen selbst die Ausführung des von ihnen Bekämpften obliegt.

Seite 4. Wenn Se. K. H. weiß, daß die Minister nach dem Willen des Königs handeln, so kann Se. K. H. Sich auch darüber nicht täuschen, daß die Opposition des Thronfolgers gegen den regirenden König selbst gerichtet ist.

Seite 5. Zur Unternehmung eines „Kampfes" gegen den Willen des Königs fehlt dem Kronprinzen jeder Beruf und jede Berechtigung, grade weil Se. K. H. keinen amtlichen „status" besitzt. Jeder Prinz des Königlichen Hauses könnte mit demselben Rechte wie der Kronprinz für sich die „Pflicht" in Anspruch nehmen, bei abweichender Ansicht öffentlich Opposition gegen den König zu machen, um dadurch „seine und seiner Kinder" eventuelle Erbrechte gegen die Wirkung angeblicher Fehler der Regierung des Königs zu wahren, das heißt, um sich die Succession im Sinne Louis Philipps zu sichern, wenn der König durch eine Revolution gestürzt würde.

Seite 5. Ueber die Aeußerungen des Minister-Präsidenten in Gastein hat derselbe sich näher zu erklären.

Seite 7. Der Kronprinz ist nicht als „Rathgeber" des Königs, sondern zu seiner eignen Information und Vorbereitung auf seinen künftigen Beruf von des Königs Majestät veranlaßt, den Sitzungen beizuwohnen.

Seite 7. Der Versuch, die Maßregeln der Regirung zu „neutralisiren", wäre Kampf und Auflehnung gegen die Krone.

Seite 7. Gefährlicher als alle Angriffe der Demokratie und alles „Nagen" an den Wurzeln der Monarchie, ist die Lockerung der Bande, welche das Volk noch mit der Dynastie verbinden, durch

---

[1]) Hier ist am Rande von der Hand des Königs der Zusatz: „wenn es nicht gegen ihr Gewissen läuft".

das Beispiel offen verkündeter Opposition des Thronerben, durch die absichtliche Kundmachung der Uneinigkeit im Schoße der Dynastie. Wenn der Sohn und der Thronerbe die Autorität des Vaters und des Königs ansicht, wem soll sie dann noch heilig sein? Wenn dem Ehrgeize für die Zukunft eine Prämie dafür in Aussicht gestellt ist, daß er in der Gegenwart vom Könige abfällt, so werden jene Bande zum eignen Nachtheil des künftigen Königs gelockert, und die Lähmung der Autorität der jetzigen Regirung wird eine böse Saat für die zukünftige sein. Jede Regirung ist besser, als eine in sich zwiespältige und gelähmte, und die Erschütterungen, welche der jetzige Kronprinz hervorrufen kann, treffen die Fundamente des Gebäudes, in welchem er selbst künftig als König zu wohnen hat.

Seite 7. Nach dem bisherigen verfassungsmäßigen Rechte in Preußen regirt der König, und nicht die Minister. Nur die Gesetzgebung, nicht die Regirung, ist mit den Kammern getheilt, vor denen die Minister den König vertreten. Es ist also ganz gesetzlich, wie vor der Verfassung, daß die Minister Diener des Königs, und zwar die berufenen Rathgeber Sr. Majestät, aber nicht die Regirer des Preußischen Staates sind. Das Preußische Königthum steht auch nach der Verfassung noch nicht auf dem Niveau des belgischen oder englischen, sondern bei uns regirt noch der König persönlich, und befiehlt nach seinem Ermessen, so weit nicht die Verfassung ein Andres bestimmt, und dies ist nur in Betreff der Gesetzgebung der Fall.

Seite 8. Die Veröffentlichung von Staatsgeheimnissen verstößt gegen die Strafgesetze. Was als Staatsgeheimniß zu behandeln sei, hängt von den Befehlen des Königs über dienstliche Geheimhaltung ab.

Seite 8. Warum aber wird so großer Werth auf das Bekanntwerden „draußen im Lande" gelegt? Wenn Se. K. H. nach pflichtmäßiger Ueberzeugung im conseil Seine Meinung sagt, so ist dem Gewissen Genüge geschehn. Der Kronprinz hat keine officielle Stellung zu den Staatsgeschäften, und keinen Beruf, Sich öffentlich zu äußern; das Einverständniß Sr. K. H. mit den Beschlüssen der Regirung wird Niemand, der unsre Staatseinrichtungen auch nur oberflächlich kennt, daraus folgern, daß Se. K. H. ohne Stimmrecht, also ohne die Möglichkeit wirksamen Widerspruchs, die Verhandlungen des conseils anhört.

Seite 8. „nicht besser erscheinen"; der Fehler der Situtation liegt eben darin, daß auf das „Erscheinen" zu viel Werth gelegt wird; auf das Sein und Können kommt es an, und das ist nur die Frucht ernster und besonnener Arbeit.

Seite 9. Die Theilnahme Sr. K. H. an den conseils ist keine

14*

„active Stellung“, und „Abstimmungen“ des Kronprinzen finden nicht statt.

Seite 9. Die Mittheilung an „berufene“ (?) Personen ohne Ermächtigung Sr. Majestät würde gegen die Strafgesetze verstoßen. Das Recht der freien Meinungsäußerung wird ja Sr. K. H. nicht verschränkt, im Gegentheil, gewünscht; aber nur im conseil, wo die Aeußerung ja allein von Einfluß auf die zu fassenden Entschließungen sein kann. Den Gegensatz „vor dem Lande offen zu legen“, kann nur eine Befriedigung des Selbstgefühls bezwecken und leicht die Folge haben, Unzufriedenheit und Unbotmäßigkeit zu fördern, und dadurch der Revolution die Wege zu bahnen.

Seite 10. Erschweren wird Se. K. H. den Ministern die Arbeit ohne Zweifel, und bequemer würde ihre Aufgabe sein, wenn Se. K. H. Sich nicht an den Sitzungen betheiligte. Aber kann Se. Majestät Sich der Pflicht entziehn, so viel als in menschlichen Kräften steht, dafür zu thun, daß der Kronprinz die Geschäfte und Gesetze des Landes kennen lerne? Ist es nicht ein gefährliches Experiment, den künftigen König den Staatsangelegenheiten fremd werden zu lassen, während das Wohl von Millionen darauf beruht, daß Er mit denselben vertraut sei? S. K. H. beweist in dem vorliegenden mémoire die Unbekanntschaft mit der Thatsache, daß die Theilnahme des Kronprinzen an den conseils eine verantwortliche niemals ist, sondern nur eine informatorische, daß ein votum von S. K. H. niemals verlangt werden kann. Auf dem Verkennen dieses Umstandes beruht das ganze raisonnement. Wenn der Kronprinz mit den Staatsangelegenheiten vertrauter wäre, so könnte es nicht geschehn, daß S. K. H. dem König mit Veröffentlichung der conseil-Verhandlungen drohte, für den Fall, daß der König auf die Wünsche Sr. K. H. nicht einginge; also mit einer Verletzung der Gesetze, und obenein der Strafgesetze. Und das wenige Wochen, nachdem S. K. H. selbst die Veröffentlichung des Briefwechsels mit Sr. Majestät in sehr strengen Worten gerügt hat.

Seite 11. Der erwähnte Vorwurf ist allerdings für Jedermann im Volke ein sehr nahe liegender; Niemand klagt Se. K. H. einer solchen Absicht an, aber wohl sagt man, daß Andre, welche solche Absicht hegen, dieselbe durch die unbewußte Mitwirkung des Kronprinzen zu verwirklichen hoffen, und daß ruchlose Attentate jetzt mehr als früher ihren Urhebern die Aussicht auf einen Systemwechsel gewähren.

Seite 12. Das Verlangen, rechtzeitige Kenntniß von den Vorlagen der Sitzung zu haben, ist als ein begründetes jederzeit erkannt worden, und wird stets erfüllt, ja der Wunsch ist häufig laut geworden, daß S. K. H. die Hand dazu biete, genauer als es bisher möglich war, au courant gehalten zu werden. Dazu muß der

Aufenthalt Sr. K. H. jederzeit bekannt und erreichbar, der Kronprinz für die Minister persönlich zugänglich, und die Discretion gesichert sein. Besonders aber ist nöthig, daß die vortragenden Räthe, mit denen allein S. K. H. die schwebenden Staatssachen zu bearbeiten berechtigt sein kann, nicht Gegner, sondern Freunde der Regirung seien, oder doch unparteiische Beurtheiler ohne intime Beziehungen zur Opposition im Landtage und in der Presse. Der schwierigste Punkt ist die Discretion, besonders gegen das Ausland, so lange nicht bei Sr. K. H. und bei Ihrer K. H. der Frau Kronprinzessin das Bewußtsein durchgedrungen ist, daß in regirenden Häusern die nächsten Verwandten nicht immer Landsleute sind, sondern nothwendig und pflichtmäßig andre als die Preußischen Interessen vertreten. Es ist hart, wenn zwischen Mutter und Tochter, zwischen Bruder und Schwester eine Landesgrenze als Scheidelinie der Interessen liegt; aber das Vergessen derselben ist immer gefährlich für den Staat.

Seite 12. Die „letzte Conseilsitzung" (am 3.) war keine conseil-Sitzung, sondern nur eine den Ministern selbst vorher nicht bekannte Berufung zu Sr. Majestät.

Seite 13. Die Mittheilung an die Minister würde dem mémoire einen amtlichen Charakter geben, welchen Auslassungen der Thronfolger an sich nicht haben.

Zu Nr. 18.

Diesen Auszug aus Bismarcks Denkschrift über die schleswig-holsteinische Frage theilt zuerst H. v. Sybel mit (Begründung des Deutschen Reiches III 199 f.). Die Denkschrift stammt aus dem Anfang des Monats December 1863. Aehnlich wie hier über den zweiten Weg spricht sich Bismarck in der Namens des Staatsministeriums am 1. December 1863 im preußischen Abgeordnetenhause abgegebenen Erklärung aus:

> Für Preußens Stellung zur Sache ist zunächst der Londoner Vertrag von 1852 maßgebend. Die Unterzeichnung desselben mag beklagt werden; aber sie ist erfolgt, und es ist ein Gebot der Ehre wie der Klugheit, an unsrer Vertragstreue keinen Zweifel haften zu lassen.
>
> Indem wir aber dieses Gebot für uns selbst anerkennen, bestehn wir ebenso auf seiner Geltung für Dänemark.
>
> Der Londoner Vertrag bildete den Abschluß einer Reihe von Unterhandlungen, welche 1851 und 1852 zwischen Deutschland und Dänemark gepflogen worden waren. Die aus demselben hervorgegangenen Zusagen Dänemarks und der Vertrag, welchen

Preußen und Oestreich auf Grund derselben in London vollzogen haben, bedingen sich gegenseitig, so daß sie mit einander stehn und fallen. Die Aufrechterhaltung dieser Stipulationen ist einstweilen insbesondere für Schleswig von wesentlicher Bedeutung. Sie giebt uns das Recht, in diesem Herzogthum die Erfüllung vertragsmäßiger Zusagen von Dänemark zu fordern. Fallen aber mit dem Londoner Vertrage die Verabredungen von 1851/52, so fehlen uns in Betreff Schleswigs solche vertragsmäßige Rechte, welchen die Anerkennung der europäischen Großmächte zur Seite stände. Die Lossagung von den Verträgen von 1852 würde also der Stellung Schleswigs und den deutschen Forderungen in Betreff derselben die 1852 geschaffene vertragsmäßige Grundlage entziehn und die allseitige Anerkennung einer andern von neuen Verhandlungen oder von dem Ausgang eines europäischen Krieges abhängig machen.

Zu Nr. 19.

Der Brief des Königs findet sich in Bismarcks Gedanken und Erinnerungen Band II, Seite 27; schon früher ist er im Bismarck-Jahrbuch Band V, Seite 254 f. veröffentlicht worden.

Der vom König erwähnte und dem seinigen beigefügte Brief des Erbprinzen von Augustenburg ist in dem Jansen-Samwerschen Werke: Schleswig-Holsteins Befreiung, Seite 695 f. als 11. Beilage abgedruckt worden und hat folgenden Wortlaut:

Allergnädigster König!

Von jeher trieb mich mein Herz in schwierigen Lagen meines Lebens zu Ew. Majestät, um Hülfe und Schutz aufzusuchen und mich der Achtung und des Wohlwollens Ew. Majestät würdig zu erweisen. In diesen Gefühlen würde ich mir erlaubt haben, schon früher Ew. Majestät die Beweggründe unterthänigst vorzulegen, welche mich gezwungen haben, nach Holstein zu gehen, wenn ich nicht den Wunsch gehegt hätte, durch die That die Lauterkeit meiner Absicht bei diesem Schritte zu beweisen. Ich glaube, daß dies jetzt geschehen ist. Ich glaube bewiesen zu haben, daß durch meine Anwesenheit hier die Ruhe und Ordnung nicht gefährdet werden, sondern vielmehr, daß dadurch allein dieselbe erhalten werden konnte, sowie daß die Einmischung unreiner Elemente in die unvermeidlich hier herrschende Bewegung nur durch meine Vermittlung verhindert werden kounte. In mir sieht die so eigenthümlich loyale und conservative Bevölkerung ihre natürliche Autorität, durch meine Vermittlung faud dieselbe sich leicht in die gegenwärtigen Verhältnisse.

Und auch ferner vermag ich die Bürgschaft dafür zu übernehmen, daß nicht fremde Elemente die gegenwärtige Bewegung ausbeuten werden. Unter diesen Umständen erschien es mir aber unmöglich, mich nicht hierher zu begeben. Ich bin gewiß, daß Ew. Majestät für Allerhöchst Ihr Volk so warm empfindendes Herz diesen Gefühlen vollständige Würdigung wird angedeihen lassen.

In Folge meiner Anwesenheit hier haben sich die Bande zwischen der Bevölkerung und mir jeden Tag fester geknüpft. Ich habe vielfach Gelegenheit gehabt, bis ins Innerste dieser ehrlichen treuen Seelen zu schauen. Ein Gedanke ist es, welcher Alle beseelt. Es ist die Schmach der Bedrückung durch ein fremdes Volk, es ist die Ueberzeugung, daß uns Gott das Recht gegeben hat, durch die Erbfolge von diesem Drucke frei zu werden und daß unsere Befreiung sein Wille ist, es ist die Hoffnung, daß die deutschen Mächte uns in unserer Noth Beschützer und Helfer sein werden.

Allergnädigster König, wollen Ew. Majestät mir gestatten, daß ich mich im Namen aller dieser treuen Menschen an Ew. Majestät wende. Von Ew. Majestät vor Allem hoffen sie ihr Heil, zu Ew. Majestät blicke namentlich ich vertrauensvoll auf im Hinblick auf Ew. Majestät mir stets erwiesene wohlwollende und gnädige Gesinnung, sowie namentlich im Vertrauen auf Ew. Majestät mir geäußerten gnädigen Worte, als ich zuletzt in Berlin war, um Ew. Majestät mächtigen Schutz anzurufen.

Ew. Majestät würden mich zu tiefstem Dank verpflichten, falls Allerhöchst Sie geruhen wollten, dem Herrn Samwer, welcher dieses Schreiben überbringt, als meinen und meiner Familie langjährigen Freund zu sehen und ihm ein Wort der Hoffnung mitzutheilen.

Geruhen Ew. Majestät die 2c.

Kiel, den 14. Januar 1864. Friedrich.

An

Seine Majestät den König von Preußen
Berlin.

Die vom Könige erbetene Antwort, die Bismarck sollte „fertigen lassen", wurde am 17. Jannar im Entwurfe vorgelegt und am 18. Januar an den Erbprinzen Friedrich abgefertigt. Sie ist auch bei Jansen-Samwer veröffentlicht als Beilage 14 (Seite 701 f.)[1]. Hier ihr Wortlaut:

---

[1]) In den Gedanken und Erinnerungen Band II, Seite 27 ist irrthümlich Seite 601 angegeben.

Durchlauchtiger Erbprinz, freundlich lieber Vetter!

Das Schreiben Ew. Durchlaucht aus Kiel vom 14. d. Mts. habe Ich erhalten und beeile Mich es zu beantworten.

Mein Wohlwollen für Sie, auf welches Sie in diesem Schreiben von neuem Ihr Vertrauen aussprechen, habe Ich mannigfach bethätigt; Ich habe aber auch gehofft, daß dieses selbe Vertrauen Ew. Durchlaucht bewegen würde, Meine Rathschläge zu berücksichtigen. Neben dem Wohlwollen für Sie, neben dem warmen Interesse für die Sache der Herzogthümer ist meine erste Pflicht die Sorge für Meine Monarchie und Meine Unterthanen. Im Hinblick auf diese wie in Ihrem eigenen Interesse habe Ich Ihnen dringend abgerathen von denjenigen Schritten, die Sie dennoch demnächst gethan und dadurch zu Meinem Bedauern die Complication gesteigert und eine ruhige Entwickelung der Sache erschwert haben. Ich gebe zu, daß es Ihnen nicht möglich war zu verhindern, daß sich unreine Elemente Ihrer Sache anschlossen und dieselbe zum Vorwand revolutionärer Bestrebungen machten, so sehr Sie dies auch zu hindern gewünscht haben; aber ich kann Ihnen nicht verhehlen, daß Mir auch auf Ihrer Seite nicht die Vorsicht beobachtet erscheint, welche nöthig wäre, um alle solche Elemente fern zu halten und auszuschließen. Ihre Sache wäre in einer anderen Lage, wenn Ew. Durchlaucht sich mit conservativen Rathgebern umgeben, wenn Sie Meine wohlgemeinten Rathschläge befolgt und es vermieden hätten, vorzeitig den Charakter eines anerkannten Souverains in Anspruch zu nehmen und in dieser Eigenschaft selbst den Beistand ausländischer Souveraine anzurufen.

Auch die Ueberstürzung der Sache am Bunde kann Ich nur lebhaft beklagen. Es sind dadurch andere politische, die Gesammt-Interessen Preußens berührende Gegensätze auf diese Angelegenheit übertragen worden, und dies macht es nur noch schwieriger, die Preußischen Interessen mit Ihren Wünschen zu vereinigen.

Ueber Meine Theilnahme für Ew. Durchlaucht wie für die Rechte der Herzogthümer habe Ich, wie Sie selbst zugeben, niemals Zweifel gelassen. Es ist Mein fester Entschluß, die Rechte der Herzogthümer und ihrer deutschen Bevölkerung zur Anerkennung zu bringen, und sie nicht wieder in die Hand Dänischer Unterdrückung gelangen zu lassen. Daß dies in einer Ihren persönlichen Wünschen entsprechenden Weise geschehe, ist Mir aber durch Ihr eigenes Verhalten und durch die politischen Antecedentien Ihrer Organe in demselben Maße erschwert worden, in welchem unter diesen Umständen die Partheinahme der unreinen Elemente gefördert worden ist.

Der Ueberbringer Ihres Schreibens, Herr Samwer, hat vor einigen Tagen amtlich an Mein Ministerium als Ihr Minister in der Form geschrieben, als ob Ew. Durchlaucht als Souverain von Schleswig-Holstein bereits anerkannt wären. Dies macht es Mir unmöglich, mit einem Manne in Verbindung zu treten, welcher diese amtliche Eigenschaft beansprucht, und ihm Mein eigenes Schreiben anzuvertrauen.

Ich kann nur den Wunsch wiederholen, daß Ew. Durchlaucht das Vertrauen, welches Sie Mir persönlich bewahrt haben, dadurch bethätigen, daß Sie Meinen Worten und Rathschlägen, welche von Meiner Pflicht gegen Mein Land und Deutschland, wie von dem aufrichtigsten Wohlwollen für Sie eingegeben sind, Sich nicht verschließen.

Empfangen Sie bei diesem Anlaß die Versicherung der freundschaftlichen Gesinnungen, womit Ich verbleibe

Berlin, den 18. Januar 1864.

Ew. Durchlaucht freundwilliger Vetter

Wilhelm.

An

den Erbprinzen Friedrich zu Schleswig-Holstein-Sonderburg-Augustenburg.

Wegen des im vorletzten Absatze erwähnten Briefes Samwers an das Preußische Staatsministerium hatte Herr v. Bismarck am 17. Januar an Herrn Samwer folgende directe Zuschrift gerichtet:

Ew. Hochwohlgeboren haben an das Königliche Ministerium der auswärtigen Angelegenheiten das anliegende Schreiben d. d. Kiel, den 6. d. M. gerichtet. Das Königliche Ministerium ist in der dermaligen Sachlage nicht im Stande, eine amtliche Mittheilung, welche Ew. Hochwohlgeboren demselben auf Befehl „Sr. Hoheit des Herzogs von Schleswig-Holstein" zugehn lassen, amtlich entgegen zu nehmen. Ich beehre mich daher, Ew. Hochwohlgeboren das erwähnte Schreiben hierbei wieder zuzustellen.

Genehmigen Ew. Hochwohlgeboren die Versicherung meiner ausgezeichneten Hochachtung.

Berlin, den 17. Jannar 1864.

v. Bismarck.

Seiner Hochwohlgeboren

dem Herrn Dr. Samwer 2c. 2c.

Unter der vom König am Schlusse seines Briefes an Bismarck erwähnten „Punctation" ist die am 16. Januar in Wien abgeschlossene Vereinbarung zwischen Preußen und Oesterreich zu verstehen.

Zu Nr. 20.

Auch dieser Brief befindet sich in den „Gedanken und Erinnerungen" Band II, Seite 27 f., auch ist er schon zuvor im Bismarck-Jahrbuch Band V, Seite 255 abgedruckt worden.

Die „projectirte Antwort" kennen wir aus den Erläuterungen zum vorigen Briefe. Ueber die Unterredung, die der König in seiner Herzensgüte dem Dr. Samwer gewährt hat, liegt aus dessen Feder ein Bericht vor. Es ist natürlich, daß dieser an einer großen Einseitigkeit leidet. Wir sehen deshalb von einer Wiedergabe an dieser Stelle ab. Der Bericht findet sich in Jansen-Samwer, a. a. O. S. 696—701.

Zu Nr. 21.

Diesen Auszug der Immediateingabe vom 3. August 1864 theilt Poschinger mit in Band I der „Aktenstücke zur Wirthschaftspolitik des Fürsten Bismarck" S. 31 f. Die damalige Lage der Zollvereinsverhandlungen skizzirt Poschinger zutreffend folgendermaßen (S. 13, Note 2):

„Der Deutsche Zollverein, zu welchem mit Preußen fast alle deutschen Mittel- und Kleinstaaten (mit Ausnahme Mecklenburgs und der Hansastädte) gehörten, beruhte auf freien Verträgen, welche alle 12 Jahre erneuert werden mußten. Der gegenwärtige Vertragszeitraum lief mit dem Jahre 1865 ab, und es handelte sich jetzt darum, festzustellen, ob von 1866 ab alle bisherigen Glieder des Zollvereins auf fernere 12 Jahre bei demselben verbleiben wollten. Preußen hatte im Namen und im Auftrage des Zollvereins am 2. August 1862 einen Handelsvertrag mit Frankreich abgeschlossen (vgl. oben Nr. 14), welcher für den Gewerbebetrieb und Handel Deutschlands von Vortheil schien. Mehrere Staaten aber (Bayern an der Spitze) hatten auf Anregung Oestreichs gegen jenen Handelsvertrag allerlei Ausstellungen gemacht und sich schließlich geweigert, demselben ihre Zustimmung zu ertheilen. Sie verlangten, daß der Zollverein vor Allem in eine enge Verbindung mit Oestreich trete (s. u.) und daß der Vertrag mit Frankreich nur insoweit in Geltung komme, als dies mit jener Verbindung vereinbar sei. Preußen, welches ohnedies Frankreich gegenüber an den Vertrag rechtlich gebunden war, konnte denselben jedoch nicht aufgeben, ohne dem Gewerbe und Verkehr des eignen Landes den größten Schaden zuzufügen. Nachdem mit den Gegnern des Handelsvertrages lange vergeblich hin und her berathen war, lud Preußen sämmtliche Mitglieder des Zollvereins zu einer Conferenz nach Berlin ein, damit man hier endlich darüber ins Klare komme, welche Regierungen den Handelsvertrag anzunehmen und also im Zollverein zu bleiben gedachten und welche nicht. Die Conferenz trat am 5. December 1863 zusammen, und ihre Berathungen gaben Anfangs Grund zur Hoffnung auf eine schließliche Einigung. Als aber die Versammlung Ostern 1864 wieder eröffnet werden sollte, versuchte die bayrische Regierung, durch wiederholte Ausflüchte und Verzögerungen die Verhandlungen ins Stocken zu bringen, bis die preußische Regierung, um jeder ferneren Verschleppung vorzubeugen, die Wiederaufnahme der Conferenz auf den 2. Mai festsetzte. Bei dem Zusammentritt der Versammlung an dem genannten Tage fehlten die Abgesandten von Bayern, Württemberg, Nassau, Darmstadt und Hannover. Diese Staaten schienen entschlossen zu sein, an einem Zollvereine, welchem der Handelsvertrag zu Grunde lag, nicht theilzunehmen. Die preußische Regierung knüpfte demzufolge mit denjenigen deutschen Staaten, welche sich dem Handelsvertrage geneigt gezeigt hatten, unmittelbare Verhandlungen an, um mit ihnen die Bedingungen festzusetzen, unter welchen sie dem künftigen Zollvereine angehören wollten."

In München sollten auf Oesterreichs Veranlassung weitere, den preußischen analoge Verhandlungen mit den süddeutschen und den übrigen Preußen abgeneigten Bundesstaaten gepflogen werden. Da aber die Grundlagen für diese Verhandlungen von der österreichischen Regierung nur in sehr allgemeinen Umrissen angedeutet wurden, gelang es der rührigen Arbeit Preußens, weitere Abkommen zu treffen: bereits am 28. Juni wurde der neue Zollvereinsvertrag mit Sachsen, Kurhessen, den thüringischen Staaten, Frankfurt und Baden abgeschlossen. Hannover verhandelte gleichzeitig mit München und Berlin, schloß aber am 11. Juli auch mit Preußen ab. Am 28. Juli theilte dann Oesterreich die in München verabredeten Punktationen an Preußen mit und beantragte Verhandlungen darüber ausschließlich zwischen Preußen und Oesterreich. Die Punktationen bezogen sich besonders darauf, daß im Sinne des Artikels 25 des Vertrages vom 19. Februar 1853 die für den Verkehr zwischen dem Zollverein und Oesterreich bestehenden Begünstigungen erhalten und möglichst weit ausgedehnt werden sollten. Darauf bezieht sich Bismarcks Immediatbericht.

Der Art. 25 lautete: „Es werden im Jahre 1860 Commissarien der contrahirenden Staaten zusammentreten, um über die Zolleinigung zwischen den beiden contrahirenden Theilen und den ihrem Zollverbande alsdann angehörigen Staaten, oder, falls eine solche Einigung noch nicht zu Staude gebracht werden könnte, über weitergehende, als die am 1. Jannar 1854 eintretenden und durch die im Artikel 3 erwähnten commissarischen Verhandlungen nachträglich festzustellenden Verkehrs-Erleichterungen sowie über möglichste Annäherung und Gleichstellung der beiderseitigen Zolltarife zu unterhandeln."

Zu Nr. 22.

Dieser Immediatbericht über die Verhandlungen, die Preußen im Namen des Zollvereins über Zoll- und Handelsangelegenheiten mit Oesterreich geführt hat, ist abgedruckt bei Poschinger, Aktenstücke Baud I, S. 42—44.

Der Anfang des Immediatberichtes nimmt Bezug auf ein Telegramm vom Vorabend. Auch dieses finden wir bei Poschinger a. a. O. Seite 40 f. Es lautet:

(Biarritz, 9. Oktober 1864.)

Wenn das Verlangen des Grafen Rechberg nur die Zusage eines Termins zur Verhandlung über Zolleinigung betrifft, so erscheint es mir unverfänglich und ohne praktische Bedeutung; nach Art. 31 des französischen Vertrags müßte die Zolleinigung mit Frankreich in demselben Augenblicke erfolgen, wo wir sie Oestreich bewilligen; sie ist also unmöglich. Wären die Forderungen Oestreichs so gestellt, daß sie uns eine Aenderung des französischen Vertrages zumuthen, so rathe ich zur Ablehnung ohne Rückfrage. Was aber neben und mit dem französischen Vertrag und dem erneuten Zollverein bestehen kann, stelle ich anheim zu bewilligen.

Ich halte die ganze Sache entweder für eine Intrigue gegen Graf Rechberg oder für einen Probirstein, ob wir noch Werth auf die Allianz mit Oestreich legen, und ob wir nicht schon mit Frankreich engagirt sind. Wären wir letzteres, so würde Wien vielleicht suchen, uns den Rang in Paris abzugewinnen; ohne eine dieser beiden Voraussetzungen ist die praktische Bedeutung des Artikels 25 von 1853 für Oestreich zu gering, um Anlaß zu dem gedrohten Rücktritt[1]) zu geben. Soweit keine Aenderung des französischen Vertrages dadurch bedingt wird, schlage ich vor, auf das Verlangen einzugehn.

Zu Nr. 23.

Bismarcks Rath, Oestreich eine Thür offen zu lassen für weitere Verhandlungen im Sinne des Artikels 25 vom 19. Februar 1853 wurde nach langen Verhandlungen befolgt: am 11. April 1865 kam der neue Handels- und Zollvertrag zwischen dem Zollverein und Oestreich zu Staude. Den Sturz des östreichischen Ministerpräsidenten Grafen Rechberg kounte dieses Entgegenkommen aber doch nicht auf-

---

[1]) Des Ministers des Auswärtigen, Grafen Rechberg.

halten; er mußte schon am 24. Oktober dem Grafen Mensdorff-Pouilly seinen Platz einräumen. Dazu bemerkte am 2. November 1864 die officiöse „Provinzial-Correspondenz" (Nr. 45):

„Der östreichische Minister der auswärtigen Angelegenheiten, Graf Rechberg, hat den Kaiser um seine Entlassung gebeten und dieselbe erhalten. Zu seinem Nachfolger ist der Graf Mensdorff-Pouilly ernaunt. Da Graf Rechberg um der Festigkeit willen, mit welcher er die rege Verbindung mit Preußen aufrecht erhalten hat, viel Anfechtungen in den Wiener Zeitungen und auch von Seiten anderer östreichischer Staatsmänner erfahren hat, und da seine Gegner in letzter Zeit vielfach darauf hingewiesen, daß er von Preußen trotz jener Verbindung auch nicht einmal das gehoffte unbedeutende Zugeständniß in Betreff künftiger Verhandlungen über eine Zolleinigung habe erreichen können, so wurde die Kunde von seinem Rücktritt in vielen Zeitungen ohne Weiteres so gedeutet, als hätten die Gegner der Verbindung mit Preußen in Wien den Sieg davongetragen, und als werde Oestreich jetzt eine abweichende Politik befolgen. Diese Auffassung hat sich jedoch sehr bald als ganz irrthümlich erwiesen. Die Ursachen, welche den Grafen Rechberg schließlich zu jenem Schritt bestimmt haben, scheinen mit den Fragen der östreichisch-preußischen Beziehungen nicht im Zusammenhang zu stehen. Andrerseits ist der neue Minister nach Allem, was über seine Auffassungen und Absichten verlautet, in völliger Uebereinstimmung mit Sr. Majestät dem Kaiser von Oestreich, überzeugt von der Nothwendigkeit und Heilsamkeit eines aufrichtigen und engen Zusammengehens mit Preußen im gemeinsamen deutschen Interesse. Die östreichische Regierung hat sich daher auch beeilt, die Versicherung hierher gelangen zu lassen, daß durch den Ministerwechsel in den freundschaftlichen Beziehungen der beiderseitigen Regierungen nichts geändert werden solle."

Zu Nr. 24.

Mitgetheilt im Bismarck-Jahrbuch Bd. IV, S. 226 f.

Der 16. December war, ebenso wie der 7., der Einzugstag der siegreichen Truppen in Berlin. Der Generalfeldmarschall, der im Anfang des Briefes erwähnt wird, ist Wrangel; um was für einen Befehl es sich handelte, ist nicht ersichtlich.

Trotz der lebhaften Zustimmung des Königs zu Wrangels und Bismarcks Vorschlag eines Amnestieerlasses enthält der Staats-Anzeiger weder am 17. December noch an einem späteren Tage den betreffenden Erlaß. Aus welchen Gründen er unterblieben ist, haben wir nicht feststellen können.

Zu Nr. 25.

Zum Weihnachtsheiligabend sandte der König Herrn von Bismarck einen Spazierstock zum Geschenk. Die Kreuz-Zeitung vom 14. Januar 1865 (Nr. 12) beschreibt ihn folgendermaßen:

„Der Hakengriff des schönen Rohrs besteht aus einem großen und sehr schönen Elfenbeinstück; die überaus fein und sehr gut ausgeführte, mit den besten Wiener Arbeiten rivalisirende Schnitzerei zeigt auf einem Globus den preußischen Adler stehend, der auf seinen ausgebreiteten Flügeln ein Postament trägt. Auf diesem steht die vortrefflich ausgeführte ganze Figur Sr. Majestät des Königs, die linke Hand mit einer halb geöffneten Rolle auf einen Felsen stützend. Rechts und links recken sich Lorbeerbäume nieschenartig um die Gestalt des Monarchen empor und tragen mit der Spitze der Zweige über ihrem Haupte die Königskrone in durchbrochener Arbeit. Das Band, das Knopf und Rohr verbindet, zeigt die Inschrift: Gott mit uns."

Der Stock war hervorgegangen aus der Kunstschnitzerei von Vilain und Weyrowitz in Berlin, Königstr. 66; er war von deren Besitzer dem Bazar zum Besten der Prinzeß Maria-Anna-Stiftung und der Gründung eines Militair-Kurhauses in Warmbrunn überwiesen. Dort erregte er allgemeine Aufmerksamkeit und wurde vom König angekauft.

Zu Nr. 26.

Der Brief ist vielfach gedruckt worden. Der Text der beiden Bibelstellen ist folgender. Ueber den Stecken Arons berichtet 4. Mose 17, 1—11: „Und der Herr redete mit Mose, und sprach: Sage den Kindern Israel, und nimm von ihnen zwölf Stecken, von jeglichem Fürsten seines Vaters Hauses einen; und schreibe eines jeglichen Namen auf seinen Stecken. Aber den Namen Arons sollst du schreiben auf den Stecken Levis. Denn je für ein Haupt ihrer Väter Hauses soll ein Stecken sein. Und lege sie in die Hütte des Stifts, vor dem Zeugniß, da ich auch zeuge. Und welchen ich erwählen werde, des Stecken wird grünen, daß ich das Murren der Kinder Israel, das sie wider euch murren, stille. Mose redete mit den Kindern Israel; und alle ihre Fürsten gaben ihm zwölf Stecken, ein jeglicher Fürst einen Stecken, nach dem Hause ihrer Väter, und der Stecken Arons war auch unter ihren Stecken. Und Mose legte die Stecken vor den Herrn, in der Hütte des Zeugnisses. Des Morgens aber, da Mose in die Hütte des Zeugnisses ging, fand er den Stecken Arons, des Hauses Levis, grünen, und die Blüte aufgegangen und Mandeln tragen. Und Mose trug die Stecken alle heraus von dem Herrn, vor alle Kinder Israel, daß sie es sahen, und ein jeglicher nahm seinen Stecken. Der Herr sprach aber zu Mose: Trage den Stecken Arons wieder vor das Zeugniß, daß er verwahrt werde zum Zeichen den ungehorsamen Sündern, daß ihr Murren vor mir aufhöre, daß sie nicht sterben. Mose that, wie ihm der Herr geboten hatte."

Und im 2. Buch Mose heißt es Kapitel 7, Vers 8—12: „Und der Herr sprach zu Mose und Aron: Wenn Pharao zu euch sagen wird: Beweiset eure Wunder; so sollst du zu Aron sagen: Nimm deinen Stab und wirf ihn vor Pharao, daß er zur Schlange werde. Da gingen Mose und Aron hinein zu Pharao und thaten, wie ihnen der Herr gesagt hatte. Und Aron warf seinen Stab vor Pharao, und vor seinen Knechten, und er ward zur Schlange. Da forderte Pharao die Weisen und Zauberer; und die ägyptischen Zauberer thaten auch also mit ihrem Beschwören. Ein jeglicher warf seinen Stab von sich, da wurden Schlangen daraus; aber Arons Stab verschlang ihre Stäbe."

Zu Nr. 27.

Mitgetheilt im Bismarck-Jahrbuch Bd. V, S. 255, mit dem Hinzufügen: „Original im Besitz des Herrn Wolfgang Goetz in Leipzig."

Zu Nr. 28.

Des Königs Antwort auf Nr. 17, dort als Randnote aufgeschrieben. Entnommen aus der gleichen Quelle wie Nr. 17. Die Cartellfrage dürfte sich auf die Abmachung mit einem Nachbarstaate über gegenseitige Vollstreckung rechtskräftiger Urtheile beziehen.

Zu Nr. 29.

Am 27. Juli traf der österreichische Gesandte in München, Graf Blome, von Wien aus in Gastein ein. Er hatte den Auftrag erhalten, dort mit König Wilhelm und Herrn v. Bismarck über die Einsetzung des Augustenburgers als souveränen Herzogs von Schleswig-Holstein zu verhandeln, wenn dies aber erfolglos bliebe, über das etwaige Theilungsprogramm die Stimmung des preußischen Cabinets zu sondiren. Am 30. Juli hatte er eine Audienz beim König; aber in voller Uebereinstimmung mit den vorhergegangenen Erklärungen des Ministerpräsidenten erwiderte auch dieser: es müsse zuerst und vor Allem die Ordnung in den Herzogthümern hergestellt sein, ehe von einem Prätendenten die Rede sein könne; und sodann müsse dieser die Februarbedingungen ohne Einschränkung annehmen, und zwar vor seiner Einsetzung.

So kam die Unterhandlung keinen Schritt vorwärts. Es blieb nur noch die Frage übrig, ob sich eine minder kriegsgefährliche Einrichtung des bisherigen Gemeinbesitzes finden ließe. Blome glaubte hierfür im Princip die Geneigtheit Oesterreichs in Aussicht stellen zu können und trug jetzt seinen Gedanken vor, wenn nicht die Souverainetät, so doch die Verwaltung Schleswig-Holsteins, deren Gemeinsamkeit bisher die Quelle aller Händel gewesen war, zu theilen, so daß Oesterreich die eine, Preußen die andre Landeshälfte unter seine alleinige Administration nähme. Bismarck erklärte ihm, daß sich darüber reden lasse, und stellte nur, wenn Preußen in dieser Weise Schleswig erhalten würde, gewisse Vorbehalte preußischer Interessen hinsichtlich Holsteins in Aussicht. Eine bestimmte Erklärung über seinen Plan glaubte Blome jedoch der Zusammenkunft beider Souveraine selbst vorbehalten zu müssen, und auch Bismarck hatte gegen einen solchen Aufschub um so weniger etwas einzuwenden, als ein schärferes Auftreten preußischerseits offenbar unthunlich war, so lange der König auf österreichischem Boden verweilte. Er ließ sich nur für diese Zwischenzeit von Blome strenge Verschwiegenheit zusagen. (Vgl. Sybel, Begründung rc. Bd. IV, S. 168—170.)

Zwischen König Wilhelm und Bismarck scheint die Sache dann am 31. Juli nicht berührt worden zu sein; erst am 1. August erfuhr Bismarck vom Könige selbst, daß dieser von dem österreichischen Vorschlage der in Coblenz weilenden Königin briefliche Mittheilungen gemacht habe. Der Feldjäger war mit dem Briefe nach Coblenz schon unterwegs. Da erweckte die Mitwissenschaft der Königin ernste Bedenken in Bismarck und er bat, den Feldjäger von Salzburg noch telegraphisch zurückbeordern zu dürfen.

Zu Nr. 30.

Diese Antwort des Königs auf Bismarcks Brief von demselben Tage ist als Randbemerkung auf jenen geschrieben und zwar am Ende des ersten Absatzes. Beide Briefe sind mitgetheilt in den Gedanken und Erinnerungen Bd. II, Seite 15—17.

Zu Nr. 31.

Die Matrikel trägt wohl das Datum des 16. Septembers.

Zu Nr. 32.

Am 14. August war von dem Grafen Bismarck und dem östreichischen Grafen Blome die Gasteiner Uebereinkunft vollzogen worden, am 20. August wurde sie durch die beiden Monarchen in Salzburg ratificirt. Der Inhalt war kurz folgender: die Ausübung der gemeinsamen Rechte sollte künftig getheilt werden „unbeschadet der Fortdauer dieser Rechte beider Mächte an der Gesammtheit beider Herzogthümer"; Preußen bekam Schleswig, Oestreich Holstein; hier aber wurde Preußen eine zweite Etappenstraße, der Postverkehr auf der Eisenbahn, die Verbindung beider Länder mit dem Zollverein bewilligt. Lauenburg wurde an Preußen abgetreten und dafür an Oestreich eine Entschädigung von 2½ Millionen dänischer Thaler bezahlt. Rendsburg erhielt gemeinschaftliche Besatzung mit jährlichem Wechsel des Commandos; in Kiel aber erhielt Preußen das Commando, besetzte den Hafen und befestigte Friedrichsort.

Obgleich diese Uebereinkunft nur provisorische Bedeutung hatte, obgleich Preußens Ansprüche darin nur erst theilweise befriedigt wurden, erregte sie doch den Unwillen der von je her den Däuen zuneigenden Franzosen in hohem Maße. Besonders war der französische Minister des Auswärtigen Drouyn de Lhuys verstimmt über diesen angeblichen Sieg Preußens, dem gar keine Gegenleistung für Frankreich gegenüberstände. In diesem Sinne machte der Minister auch dem Kaiser Vorstellungen, und es gelang ihm, am 27. August von diesem den Befehl zum Erlaß eines den Vertrag tadelnden Rundschreibens an die Vertreter Frankreichs im Auslande zu erwirken, welches diese zwar nicht dem Wortlaute nach mittheilen durften, nach welchem sie aber bei etwaigen Unterredungen ihre Aeußerungen einrichten sollten.

Darin heißt es:

„. . . . Die Blätter haben uns den Text der Convention von Gastein gebracht. Ich beabsichtige nicht, die Stipulationen derselben im Einzelnen zu prüfen; dagegen ist es nicht ohne Interesse, nachzuforschen, welches die Motive sind, die in diesen Unterhandlungen die beiden deutschen Großmächte geleitet haben. Waren sie gemeint, das alte Recht der Verträge zu bestätigen? Offenbar nicht: die Wiener Nachträge hatten die Existenzbedingungen der dänischen Monarchie geregelt. Diese Bedingungen sind über den Haufen geworfen. Der Londoner Vertrag war ein neues Pfand der Sorge Europas für die Dauer der Integrität dieser Monarchie: er ist zerrissen durch zwei Mächte, die ihn unterzeichnet hatten. Oder haben sich Preußen und Oesterreich verständigt zum Schutze eines mißachteten Erbfolgerechts? Statt dem meistberechtigten Prätendenten das streitige Erbe zu überantworten, haben sie es unter sich getheilt. Befragen sie vielleicht das Interesse Deutschlands? Ihre Verbündeten haben ja die Abmachungen von Gastein erst aus den Zeitungen erfahren.

„Deutschland verlangte nach einem untheilbaren Staat Schleswig-Holstein, getrennt von Dänemark und unter einem eignen Fürsten, für den es Partei genommen hatte. Dieser populäre Candidat ist heute bei Seite gesetzt und die Herzogthümer, statt vereinigt, vielmehr auseinandergerissen werden verschiedenen Herrn unterstellt. Ist es das Interesse der Herzogthümer selbst, das die beiden Mächte sichern wollen? Die unauflösliche Vereinigung derselben war ja, wie gesagt wurde, die wesentliche Bedingung ihrer Prosperität. Hat die Theilung wenigstens den Zweck, zwei rivalisirende Nationen auseinander zu halten und dem inneren Hader ein Ende zu machen, indem jeder derselben ein gesondertes Feld der Existenz angewiesen wird? Auch das ist nicht der Fall, denn wir sehen, daß die Scheidungslinie ohne alle Rücksicht auf die Nationalitäten Deutsche und Dänen untereinander gemischt läßt. Wollte man allein den Wünschen der Bevölkerungen entsprechen? Sie wurden gar nicht gefragt, und es ist nicht einmal die Rede davon, die Stände in Schleswig-Holstein einzuberufen.

„Auf welchem Principe beruht denn die preußisch-österreichische Convention? Wir bedauern, in derselben keine andere Grundlage zu finden, als die Gewalt, keine andere Rechtfertigung als die gegenseitige Convenienz der beiden Theilungsmächte. Es ist das eine Praxis, der das heutige Europa entwöhnt war und für welche man nur in den traurigsten Zeiten der Geschichte Präcedenzfälle findet. Gewaltthat und Eroberung verderben den Rechtssinn und das Gewissen der Völker. An die Stelle der Grundsätze gesetzt, welche das Leben der modernen Staaten regeln, sind sie ein Element der Unordnung und der Auflösung und nur geeignet, die alte Ordnung der Dinge umzustürzen, ohne eine neue Ordnung fest zu begründen.

„Das sind die Betrachtungen, welche die Ereignisse, deren Schauplatz gegenwärtig Deutschland ist, der Regierung des Kaisers einflößen. Indem ich Ihnen diese Eindrücke mittheile, ist es nicht meine Absicht, diesfällige Bemerkungen an den Hof, bei dem Sie beglaubigt sind, zu richten, sondern lediglich Ihnen die Sprache anzudeuten, die Sie beobachten mögen, wenn sich eine Gelegenheit bieten sollte, Ihre Ansicht kundzugeben.“

Ein wörtlicher Abdruck dieses vom 29. August datirten, in seinen Ausdrücken nichts weniger als zarten Rundschreibens in der Brüsseler Emancipation belge machte rasch seinen Weg durch die europäische

Presse, wurde dem ausdrücklichen Verbote aus Paris zuwider an den Höfen von Dresden und Hannover durch Vorlesen zur amtlichen Kenntniß gebracht, verfehlte aber auf deutschem Boden auch in Preußen nicht freundlichen Kreisen den erhofften Eindruck: man empfand mit Unwillen die unberufene Einmischung in deutsche Angelegenheiten.

Während nun in Frankreich das Toben der officiösen Presse mit ungeschwächter Kraft fortdauerte, wurden, als am 7. September die kaiserliche Familie zu längerem Sommeraufenthalte nach Biarritz sich begab, der preußische Botschafter Graf Goltz und der jüngere preußische Diplomat von Radowitz zur Begleitung aufgefordert und in dem Pyrenäenbade beständig zum intimsten Verkehr mit der kaiserlichen Familie herangezogen. Dies Verhalten des Kaiserhofes war so unverständlich, daß Graf Bismarck vom König die Erlaubniß erbat und nach kurzem Bedenken auch erhielt, ebenfalls wieder nach Biarritz zu gehen und die Lage dort selbständig zu prüfen. Am 30. September reiste er von Berlin ab, blieb in Biarritz zunächst bis zum 12. Oktober mit Napoleon zusammen und weilte dann noch allein dort bis zum Ende des Monats.

In dem vorliegenden Briefe, den Sybel (Begründung 2c. IV, S. 213—221) mittheilen kann, erstattet er dem König ausführlichen Bericht über seine Unterredungen mit dem Kaiser der Franzosen.

Die gegen Ende des ersten Absatzes erwähnten Aeußerungen des französischen Geschäftsträgers Lefebvre hatten sich auf verschiedene Territorien französischer Zunge bezogen.

Ueber den kurzen Aufenthalt Bismarcks in Paris, Anfangs November, liegen sodann noch folgende Angaben vor.

Eine Audienz bei dem Kaiser in St. Cloud war sehr befriedigend. Napoleon sprach wiederholt sein Einverständniß mit der Erwerbung der Herzogthümer für Preußen durch Geldabfindung Oesterreichs aus. Nur sei es zweckmäßig, die Annexion durch irgend welches Organ des Landes nachher sanctionirt zu sehen; die Frage der Abtretungen an Dänemark könne der Zukunft je nach den Ereignissen vorbehalten bleiben. Uebrigens ersuchte Napoleon den Minister, dem Könige zu sagen, er sei mit ihm (Bismarck) ganz einverstanden, daß, um uns über die Zukunft unserer politischen Beziehungen zu verständigen, es nicht nöthig sei, die Entwicklung der Lage zu überstürzen, sondern daß man dieselbe abwarten müsse, um die Entschließungen ihr anzupassen.

Bismarck bemerkt hierüber:

> diese Zurückhaltung des Kaisers entsprach nicht nur meinen Wünschen, sondern war von mir selbst durch die Art meines Auftretens indicirt und veranlaßt, nach dem Willen des Königs, zur Zeit keine Verpflichtungen gegen Frankreich zu übernehmen.

Napoleon fügte dann die Aufforderung hinzu, der König möge ihm vertraulich schreiben, sobald ihm die Umstände ein engeres und specielleres Einvernehmen der beiden Regierungen zu erfordern schienen; es werde dann leicht sein, zu einem Verständniß zu gelangen. Dagegen erklärt er ohne eine Anregung von Seiten Bismarcks, daß ein Bündniß mit Oesterreich im Falle eines Conflicts in Deutschland für ihn eine Unmöglichkeit sei. Einen Versuch in dieser Richtung, welchen Fürst Metternich bei ihm vor Gastein gemacht, habe er abgelehnt.

Diese letzte Aeußerung, sowie die Mittheilungen Napoleons an Goltz vom 28. August, zeigten, mit welchem Widerstreben Oesterreich an den Gasteiner Vertrag herangetreten, und welche Wechselfälle bei der Ausführung desselben denkbar waren. Bismarck deutete demnach bei einem Gespräche mit Nigra diesem die Möglichkeit weiterer Verwicklungen in Deutschland und die Wichtigkeit eines festen Einvernehmens zwischen Preußen und Italien für solche Fälle an. Er bat den Gesandten, seine Regierung zunächst zur Wiederaufnahme der Verhandlungen über den rheinisch-italienischen Handelsvertrag zu bestimmen: wenn Sie dem Zollverein die Rechte der meistbegünstigten Nationen zugestehen, so werden Sie einen hochpolitischen, für alle Zukunft vortheilhaften Act vollziehen.

Am 7. November kam dann Bismarck nach Berlin zurück. Positive Vereinbarungen hatte er weder bezweckt, noch geschlossen; es war ihm genug, im Allgemeinen die Haltung des Kaisers Napoleon als eine günstige für Preußens Erhebung wahrgenommen zu haben, so daß, falls Oesterreich wieder in die feindlichen Bestrebungen des Frühlings zurückfiele, gegen eine energische Bekämpfung derselben Frankreich nicht als Hinderniß zu betrachten wäre.

Seine Stimmung war erregt und gehoben; in lebhaften Worten sprach er die Ueberzeugung aus, alle Hindernisse siegreich überwältigen zu können. (Vgl Sybel a. a. IV 221 f.)

Zu Nr. 33.

Französischer Botschafter in Berlin war schon damals Graf Benedetti.

Der Brief ist entnommen aus Horst Kohls Bismarck-Jahrbuch IV S. 25.

Zu Nr. 34.

Entnommen aus: Denkwürdigkeiten des General-Feldmarschalls Kriegsministers Grafen von Roon, Bd. II, S. 402.

Interessant ist, was Friedjung, Kampf um die Vorherrschaft in Deutschland, Bd. I, S. 202 f. über diese Tage berichtet:

„Vergebens versuchte Moltke die Zuversicht des Königs zu stärken. Er brachte immer wieder in Erinnerung, daß es für Preußen vortheilhaft wäre, so bald wie möglich loszuschlagen. Denn Preußen könnte seine mobilisirten Truppen auf fünf Eisenbahnlinien auf den Kriegsschauplatz befördern, Oesterreich nur durch die eine von Wien nach Prag gehende. Wenn demnach beide Staaten gleichzeitig mobilisirten, so könnte Preußen schon am 27. Tage 285000 Mann versammeln, Oesterreich aber nur um 110000 Mann weniger. Das wisse man in Oesterreich, und deshalb treffe man dort aus Besorgniß jetzt schon militairische Maßnahmen untergeordneter Natur. Auf jeden Fall bliebe Preußen zwischen dem 27. und 42. Mobilisirungstage überlegen, und erst zu diesem Zeitpunkt könne Oesterreich eine an Zahl ungefähr gleiche Macht aufbieten. In diese letzten 25 Tage, so legte Moltke dar, müsse aus militairischen Gründen der Einbruch in Sachsen und Böhmen verlegt werden. Nur dann werde für Oesterreich dieser Nachtheil wett gemacht, wenn Bayern mit ihm in Bund trete, aber nicht etwa wegen dessen Streitmacht, sondern weil die auf bayrischem Gebiete zwischen Inneröstereich und Böhmen gehenden Eisenbahnlinien die Beschleunigung der Aufstellung in Böhmen um vierzehn Tage ermöglichten.

„Der König fühlte sich durch diese Darlegung nicht überzeugt. Er hielt es schon für bedenklich, daß die Oesterreicher am 42. Tage so stark seien wie Preußen, und als gar Bayern sich feindselig stellte, machte er zu Moltkes Eingabe[1]) vom 3. April die Randbemerkung: ‚Sehr unangenehm bin Ich berührt durch die bayrische Schwenkung, die, wenn auch nur Württemberg hinzutritt, fast 100000 Mann mehr gegen uns, alliirt mit Oesterreich, hinstellen wird.‘ Der König meinte, man werde 60000 Mann gegen die Süddeutschen aufstellen müssen und um so viel weniger Oesterreich entgegenwerfen können. Der Kriegsminister übersendete diese Bemerkungen Moltke mit der bezeichnenden Bitte, ‚Seine Majestät in beruhigender Weise direct zu informiren‘. Darauf erwiderte Moltke gewissermaßen ablehnend: ‚Es kann Niemandes Absicht sein, den König zu einem Krieg wie dieser zu überreden, sondern ihm durch richtige und klare Darlegung der wirklichen Sachlage die eigene Beschlußfassung zu erleichtern‘. In einem Vortrage

---

[1]) Diese Angaben stimmen nicht ganz mit dem Wortlaute des Briefes überein; es müßte denn angenommen werden, daß der König die Eingabe Moltkes, mit den Worten des Briefes als Randbemerkung versehen, an Bismarck gesandt und diesen gleichzeitig veranlaßt habe, die Königlichen Bedenken an Moltke und Roon weiter zu geben. Möglich ist aber auch, daß am Rande von Moltkes Eingabe nur der hier von Friedjung angeführte Satz gestanden hat und der dann vom Könige wörtlich in den Brief an Bismarck übernommen worden ist.

an den König faßte Moltke in einer abschließenden Arbeit Alles zusammen, was er in den letzten Wochen durchgedacht hatte; das Schriftstück ist ein merkwürdiges Zeugniß seines Geistes, frei von Leidenschaft oder selbst nur von subjectiven Regungen, ein Blick vielmehr über die lebendigen Kräfte wie aus der Perspective des Geschichtschreibers. Der Vortrag handelt über den Vorsprung an Zeit, der Preußen zu Gebote steht, über die ganze Reihe der dem Gegner sich eröffnenden Kriegspläne und Entschlüsse. Alles stehe günstig für Preußen. ‚Nur dürfen wir,' so schließt diese in ihrer Art klassische Beweisführung, ‚wenn wir einmal mobil machen, den Vorwurf der Aggression nicht scheuen. Jedes Zuwarten verschlimmert unsere Begegnung entschieden.'"

Die „Sprache gegen Hannover" (vgl. den Schluß des Briefes) finden wir in Bismarcks Depesche vom 1. April an den preußischen Gesandten in Hannover Prinzen Ysenburg

> Die Anordnungen stehen in Widerspruch mit der Haltung, welche die Hanoversche Regierung bisher eingenommen, und verrathen eine Tendenz, welche geeignet ist, uns über die Absichten derselben ernste Zweifel und Bedenken zu erregen. Die Rüstungen haben nur einen Zweck, wenn sie ein event. Eintreten Hanovers in die Action vorbereiten sollen. Welche Bürgschaft haben wir, daß dies nicht in einem uns feindlichen Sinne geschehen werde? Eine bewaffnete Neutralität Hanovers ist mit Rücksicht auf die geographische Lage des Königreichs im Verhältniß zu den verschiedenen Theilen der Monarchie eine Unmöglichkeit.

(Der preußische Gesandte wurde angewiesen, diese Erwägungen dem Grafen Platen in freundschaftlichster Weise mit dem Hinweis auszusprechen,) daß der bedrohlichen Haltung Oesterreichs gegenüber die Sicherheit der Monarchie für das Preußische Cabinet die alleinige und gebieterische Rücksicht bilde. Ein erhöhter Stand der Hanoverschen Armee, nachdem für Preußen die Aussicht auf eine Verwendung derselben zu seinen Gunsten abgeschnitten sei, würde für den Grafen Bismarck die Veranlassung bilden, die Ausdehnung der bisher in Preußen angeordneten Sicherheitsmaßregeln auch auf das Westfälische Armee-Corps bei Sr. Majestät dem Könige anzuregen.

Zu Nr. 35.

Auch dieser Brief ist dem Kohlschen Bismarck-Jahrbuch Bd. IV, S. 25 f. entnommen.

Der Brief, der das Verbot des Pferdeverkaufs empfahl, war vom General von Manteuffel, seit dem 15. September 1865 Gouverneur von Schleswig. Die österreichische Mobilmachung hatte um diese

Zeit schon erheblichen Umfang gewonnen. Erst am 3. Mai ordnete König Wilhelm die Kriegsbereitschaft der gesammten Cavallerie und Artillerie der Feldarmee und den vollen Kriegsstand der fünf Armeecorps an der östreichischen und sächsischen Grenze, am 5. Mai die Mobilisirung des VIII. Corps an.

Die am Schlusse erwähnte Antwort an Oesterreich lautete folgendermaßen:

Berlin, den 21. April 1866.

Ew. Excellenz erhalten in der Anlage Abschrift derjenigen Depesche des Grafen Mensdorff, welche Graf Karolyi am gestrigen Tage mir vorgelesen und in meinen Händen gelassen hat. Die von Sr. Majestät dem Könige angeordneten militairischen Maßregeln hatten, wie Ew. Excellenz dies dem Kaiserlichen Cabinet wiederholt zu erklären in der Lage gewesen sind, lediglich den Zweck, das Gleichgewicht in der Kriegsbereitschaft wiederherzustellen, welches nach Ansicht der Königlichen Regierung dadurch gestört worden war, daß eine große Anzahl der in den verschiedenen Provinzen des Kaiserstaates vertheilten Truppenkörper solche Bewegungen vornahmen, durch welche die von ihnen im Kriegsfalle bis zur Preußischen Grenze zurückzulegenden Entfernungen vermindert wurden, zum Theil sehr erheblich. Dieser den Preußischen Rüstungen ausschließlich zu Grunde liegende Beweggrund bringt es von selbst mit sich, daß Se. Majestät der König bereitwillig die Hand dazu dieten wird, die getroffenen Vorsichtsmaßregeln so bald und in dem Maße einzustellen, als von der Kaiserlichen Regirung die Ursachen, durch welche sie hervorgerufen wurden, beseitigt werden. In diesem Sinne ermächtige ich Ew. Excellenz auf Befehl Sr. Majestät des Königs, dem Kaiserlichen Minister der auswärtigen Angelegenheiten zu erklären, daß die Königliche Regirung den in der Depesche des Grafen Mensdorff vom 18. April enthaltenen Vorschlag mit Genugthuung entgegennimmt.

Dem entsprechend wird, sobald der Königlichen Regirung die authentische Mittheilung zugeht, daß Se. Majestät der Kaiser befohlen hat, die eine Kriegsbereitschaft gegen Preußen fördernden Dislocationen rückgängig zu machen, so wie die darauf bezüglichen Maßregeln einzustellen, Se. Majestät der König auch diesseits die Reduction derjenigen Heerestheile unvergänglich anordnen, welche seit dem 27. v. M. einen erhöhten Stand angenommen haben. Die Ausführung dieser Anordnung wird Se. Majestät alsdann in demselben Maße und in denselben Zeiträumen bewirken lassen, in welchem die entsprechende Verminderung der Kriegsbereitschaft der Kaiserlich Oestreichischen Armee thatsächlich vor sich gehn wird. Ueber das Maß und die Fristen, in welchem Letzteres geschieht, sieht also die Königliche Regirung den näheren Mittheilungen des Kaiserlichen Cabinets seiner Zeit entgegen, um demnächst in ihren eigenen Abrüstungen mit denen Oestreichs gleichen Schritt halten zu können.

Die Königliche Regirung setzt dabei voraus, daß auch die von andern deutschen Regirungen begonnenen militairischen Vorbereitungen wieder abgestellt und ihr durch Fortsetzung oder Erneuerung derselben nicht anderweite Veranlassung zu militairischen Vorsichtsmaßregeln gegeben werde. Sie wird sich in diesem Sinne den einzelnen Höfen gegenüber aussprechen, und erwartet, daß die Kaiserliche Regirung im Interesse des Friedens ihren Einfluß in gleicher Richtung verwenden werde.

Ew. Excellenz wollen den Inhalt dieses Erlasses zur Kenntniß des Herrn Grafen v. Mensdorff bringen und, wenn er es wünscht, Abschrift davon in seinen Händen lassen.

v. Bismarck.

Zu Nr. 36.

Wir entnehmen diesen Brief dem Werke von Paul Liman, Bismarckdenkwürdigkeiten, S. 325. Doch können wir ernste Bedenken gegen seine Echtheit nicht verhehlen.

Zu Nr. 37.

Vgl. Sybel, Begründung des Deutschen Reiches, Bd. IV, S. 437—440.

Die Eingangs erwähnten Anträge am Bunde waren von Oesterreich am 11. Juni gestellt worden und gingen dahin: da Preußen durch die Besetzung Holsteins den Gasteiner Vertrag und durch Ergreifung der Regierungsgewalt in Holstein den Wiener Frieden gebrochen, also zum Schutze vermeintlich verletzter Rechte den Weg der Selbsthülfe betreten habe, beantragte Oesterreich auf Grund des Artikels XIX der Wiener Schlußacte die Mobilmachung des ganzen Bundesheeres mit Ausnahme der dazu zählenden preußischen Corps, die Aufstellung der Ersatzcontingente und die Ernennung eines Bundesfeldherrn, der Corpscommandanten und ihrer Stäbe.

Die Abstimmung über diesen Antrag Oesterreichs sollte Donnerstag den 14. Juni in Frankfurt stattfinden. Am 12. Juni rief Oesterreich den Grafen Karolyi aus Berlin ab und stellte dem Freiherrn von Werther seine Pässe zu. An demselben 12. Juni beauftragte Graf Bismarck telegraphisch alle preußischen Gesandtschaften in Deutschland, an den betreffenden Höfen zu erklären, daß die Annahme der österreichischen Anträge von Preußen als Kriegserklärung aufgefaßt werden würde. Gleichzeitig erhielt der preußische Bevollmächtigte am Bundestag, von Savigny, die Weisung, am Donnerstag, den 14. Juni, „den preußischen Entwurf der Bundesreform als Antrag seiner Regierung einzubringen, nach Annahme des österreichischen Antrages aber die Auflösung des Bundes durch diese verfassungswidrige Kriegserklärung gegen ein Bundesmitglied auszusprechen, den Austritt Preußens anzuzeigen und den übrigen Staaten die Theilnahme an einem neuen, auf Grund des Reformplanes zu errichtenden Bund vorzuschlagen". (Vgl. Sybel a. a. O. S. 436.)

Der Plan, den Prinzen Friedrich Wilhelm von Hessen gegebenen Falls als Regenten des Kurfürstenthums zu proclamiren, wurde schon zwei Tage später aufgegeben; in einer Unterredung mit dem Grafen Bismarck am 14. Juni entpuppte sich der Prinz als Gegner Preußens und siegesgewisser Freund Oesterreichs.

Zu Nr. 38.

Fürst Bismarck selbst berichtet in den „Gedanken und Erinnerungen", Band II, Seite 43—48 hierzu Folgendes:

Am 23. Juli fand unter dem Vorsitze des Königs ein Kriegsrath Statt, in dem beschlossen werden sollte, ob unter den gebotenen Bedingungen Friede zu machen oder der Krieg fortzusetzen sei. Eine schmerzhafte Krankheit, an der ich litt, machte es nothwendig, die Berathung in meinem Zimmer zu halten. Ich war dabei der einzige Civilist in Uniform. Ich trug meine Ueberzeugung dahin vor, daß auf die österreichischen Bedingungen der Friede geschlossen werden müsse, blieb aber damit allein; der König trat der militärischen Mehrheit bei. Meine Nerven widerstanden den mich Tag und Nacht ergreifenden Eindrücken nicht, ich stand schweigend auf, ging in mein anstoßendes Schlafzimmer und wurde dort von einem heftigen Weinkrampf befallen. Während desselben hörte ich, wie im Nebenzimmer der Kriegsrath aufbrach. Ich machte mich nun an die Arbeit, die Gründe zu Papier zu bringen, die m. E. für den Friedensschluß sprachen, und bat den König, wenn er diesen meinen verantwortlichen Rath nicht annehmen wolle, mich meiner Aemter als Minister bei Weiterführung des Krieges zu entheben. Mit diesem Schriftstücke begab ich mich am folgenden Tage zum mündlichen Vortrag. Im Vorzimmer fand ich zwei Obersten mit Berichten über das Umsichgreifen der Cholera unter ihren Leuten, von denen kaum die Hälfte dienstfähig war.[1]) Die erschreckenden

[1]) Während des Feldzuges sind 6427 Mann der Seuche erlegen.

Zahlen befestigten meinen Entschluß, aus dem Eingehn auf die östreichischen Bedingungen die Cabinetsfrage zu machen. Ich befürchtete neben politischen Sorgen, daß bei Verlegung der Operationen nach Ungarn die mir bekannte Beschaffenheit dieses Landes die Krankheit schnell übermächtig machen würde. Das Klima, besonders im August, ist gefährlich, der Wassermangel groß, die ländlichen Ortschaften mit Feldmarken von mehreren Quadratmeilen weit verstreut, dazu Reichthum an Pflaumen und Melonen. Mir schwebte als warnendes Beispiel unser Feldzug von 1792 in der Champagne vor, wo wir nicht durch die Franzosen, sondern durch die Ruhr zum Rückzug gezwungen wurden.

Ich entwickelte dem König an der Hand meines Schriftstückes die politischen und militärischen Gründe, die gegen die Fortsetzung des Krieges sprachen.

Oestreich schwer zu verwunden, dauernde Bitterkeit und Revanche-Bedürfniß mehr als nöthig zu hinterlassen, mußten wir vermeiden, vielmehr uns die Möglichkeit, uns mit dem heutigen Gegner wieder zu befreunden, wahren und jedenfalls den östreichischen Staat als einen Stein im europäischen Schachbrett und die Erneuerung guter Beziehungen mit demselben als einen für uns offen zu haltenden Schachzug ansehn. Wenn Oestreich schwer geschädigt wäre, so würde es der Bundesgenosse Frankreichs und jedes Gegners werden; es würde selbst seine antirussischen Interessen der Revanche gegen Preußen opfern.

Auf der andern Seite könnte ich mir keine für uns annehmbare Zukunft der Länder, welche die östreichische Monarchie bildeten, denken, falls letztere durch ungarische und slavische Aufstände zerstört oder in dauernde Abhängigkeit versetzt werden sollte. Was sollte an die Stelle Europas gesetzt werden, welche der östreichische Staat von Tyrol bis zur Bukowina bisher ausfüllt? Neue Bildungen auf dieser Fläche könnten nur dauernd revolutionärer Natur sein. Deutsch-Oestreich könnten wir weder ganz, noch theilweise brauchen, eine Stärkung des preußischen Staates durch Erwerbung von Provinzen wie Oestreichisch-Schlesien und Stücken von Böhmen nicht gewinnen, eine Verschmelzung des deutschen Oestreichs mit Preußen würde nicht erfolgen, Wien als ein Zubehör von Berlin aus nicht zu regiren sein.

Wenn der Krieg fortgesetzt würde, so wäre der wahrscheinliche Kampfplatz Ungarn. Die östreichische Armee, die, wenn wir bei Preßburg über die Donau gegangen, Wien nicht würde halten können, würde schwerlich nach Süden ausweichen, wo sie zwischen die preußische und die italienische Armee gerathe und durch ihre Annäherung an Italien die gesunkene und durch Louis Napoleon eingeschränkte Kampflust der Italiener neu beleben würde; sondern sie würde nach Osten ausweichen und die Vertheidigung in Ungarn fortsetzen, wenn auch nur in der Hoffnung auf die in Aussicht stehende Einmischung Frankreichs und die durch Frankreich vorbereitete Desinteressirung Italiens. Uebrigens hielte ich auch unter dem rein militärischen Gesichtspunkte nach meiner Kenntniß des ungarischen Landes die Fortsetzung des Krieges dort für undankbar, die dort zu erreichenden Erfolge für nicht im Verhältniß stehend zu den bisher gewonnenen Siegen, also unser Prestige vermindernd ganz abgesehn davon, daß die Verlängerung des Krieges der französischen Einmischung die Wege ebnen würde. Wir müßten rasch abschließen, ehe Frankreich Zeit zur Entwicklung weitrer diplomatischer Action auf Oestreich gewönne.

Gegen alles dies erhob der König keine Einwendung; aber die vorliegenden Bedingungen erklärte er für ungenügend, ohne jedoch seine Forderungen bestimmt zu formuliren. Nur so viel war klar, daß seine Ansprüche seit dem 4. Juli gewachsen waren. Der Hauptschuldige könne doch nicht ungestraft ausgehn, die Verführten könnten wir dann leichter davon kommen lassen, sagte er, und bestand auf den schon erwähnten Gebietsabtretungen von Oestreich. Ich erwiederte: Wir hätten nicht eines Richteramts zu walten, sondern deutsche Politik zu treiben; Oestreichs Rivalitätskampf gegen uns sei nicht strafbarer als der unsrige gegen Oestreich; *unsre Aufgabe sei Herstellung oder Anbahnung deutsch-nationaler Freiheit unter Leitung des Königs von Preußen.*

Auf die deutschen Staaten übergehend, sprach er von verschiedenen Erwerbungen durch Beschneidung der Länder aller Gegner. Ich wiederholte, daß wir nicht vergeltende Gerechtigkeit zu üben, sondern Politik zu treiben hätten, daß ich vermeiden wollte, in dem künftigen deutschen Bundesverhältniß verstümmelte Besitze zu sehn, in denen bei Dynastie und Bevölkerung der Wunsch nach Wiedererlangung des frühern Besitzes mit fremder Hülfe nach menschlicher Schwäche leicht lebendig werden könnte; es würden das unzuverlässige Bundesgenossen werden. Dasselbe würde der Fall sein, wenn man zur Entschädigung Sachsens etwa Würzburg oder Nürnberg von Baiern verlangen wollte, ein Plan, der außerdem mit der dynastischen Vorliebe Sr. Majestät für Ansbach in Concurrenz treten würde. Ebenso hatte ich Pläne zu bekämpfen, die auf eine Vergrößerung des Großherzogthums Baden hinausliefen, Annexion der bairischen Pfalz, und eine Ausdehnung in der untern Maingegend. Das Aschaffenburger Gebiet Baierns wurde dabei als geeignet angesehn, um Hessen-Darmstadt für den durch die Maingrenze gebotenen Verlust von Oberhessen zu entschädigen. Später in Berlin stand von diesen Plänen nur noch zur Verhandlung die Abtretung des auf dem rechten Mainufer gelegenen bairischen Gebiets einschließlich der Stadt Bayreuth an Preußen, wobei die Frage zur Erörterung kam, ob die Grenze auf dem nördlichen rothen oder südlichen weißen Main gehen sollte. Vorwiegend schien mir bei Sr. Majestät die von militärischer Seite gepflegte Abneigung gegen die Unterbrechung des Siegeslaufes der Armee. Der Widerstand, den ich den Absichten Sr. Majestät in Betreff der Ausnutzung der militärischen Erfolge und seiner Neigung, den Siegeslauf fortzusetzen, meiner Ueberzeugung gemäß leisten mußte, führte eine so lebhafte Erregung des Königs herbei, daß eine Verlängerung der Erörterung unmöglich war und ich mit dem Eindruck, meine Auffassung sei abgelehnt, das Zimmer verließ mit dem Gedanken, den König zu bitten, daß er mir erlauben möge, in meiner Eigenschaft als Offizier in mein Regiment einzutreten. In mein Zimmer zurückgekehrt, war ich in der Stimmung, daß mir der Gedanke nahe trat, ob es nicht besser sei, aus dem offenstehenden, vier Stock hohen Fenster zu fallen, und ich sah mich nicht um, als ich die Thüre öffnen hörte, obwohl ich vermuthete, daß der Eintretende der Kronprinz sei, an dessen Zimmer ich auf dem Corridor vorübergegangen war. Ich fühlte seine Hand auf meiner Schulter, während er sagte: „Sie wissen, daß ich gegen den Krieg gewesen bin, Sie haben ihn für nothwendig gehalten und tragen die Verantwortlichkeit dafür. Wenn Sie nun überzeugt sind, daß der Zweck erreicht ist und jetzt Friede geschlossen werden muß, so bin ich bereit, Ihnen beizustehn und Ihre Meinung bei meinem Vater zu vertreten.“ Er begab sich dann zum Könige, kam nach einer kleinen halben Stunde zurück in derselben ruhigen und freundlichen Stimmung, aber mit den Worten: „Es hat sehr schwer gehalten, aber mein Vater hat zugestimmt.“ Diese Zustimmung hatte ihren Ausdruck gefunden in einem mit Bleistift an den Rand einer meiner letzten Eingaben geschriebenen Marginale ungefähr des Inhalts: „Nachdem mein Ministerpräsident mich vor dem Feinde im Stiche läßt und ich hier außer Stande bin, ihn zu ersetzen, habe ich die Frage mit meinem Sohne erörtert, und da sich derselbe der Auffassung des Ministerpräsidenten angeschlossen hat, sehe ich mich zu meinem Schmerze gezwungen, nach so glänzenden Siegen der Armee in diesen sauren Apfel zu beißen und einen so schmachvollen Frieden anzunehmen.“ — Ich glaube mich nicht im Wortlaut zu irren, obschon mir das Actenstück gegenwärtig nicht zugänglich ist; der Sinn war jedenfalls der angegebene und mir damals trotz der Schärfe der Ausdrücke eine erfreuliche Lösung der für mich unerträglichen Spannung. Ich nahm die Königliche Zustimmung zu dem von mir als politisch nothwendig Erkannten gern entgegen, ohne mich an ihrer unverbindlichen Form zu stoßen.

Im Geiste des Königs waren eben die militärischen Eindrücke damals die vorherrschenden, und das Bedürfniß, die bis dahin so glänzende Siegeslaufbahn fortzusetzen, war vielleicht stärker als die politischen und diplomatischen Erwägungen.

Von dem erwähnten Marginale des Königs, das mir der Kronprinz überbrachte, blieb mir als einziges Residuum die Erinnerung an die heftige Gemüthsbewegung, in die ich meinen alten Herrn hatte versetzen müssen, um zu erlangen, was ich im Interesse des Vaterlandes für geboten hielt, wenn ich verantwortlich bleiben sollte. Noch heute haben diese und analoge Vorgänge bei mir keinen andern Eindruck hinterlassen, als die schmerzliche Erinnerung, daß ich einen Herrn, den ich persönlich liebte wie diesen, so habe verstimmen müssen.

Heinrich von Sybel, dessen wiederholt citirtem Werk wir diese Immediateingabe entnehmen, berichtet über deren Erfolg:

„Der König nahm, Anfangs unter heftigem Widerstreben, den Vortrag zur Erwägung, und ertheilte am 25. Juli dem Minister seinen Bescheid. Seinen Gedankengang erkennen wir aus einigen Randnoten, welche er Bismarcks Sätzen hinzufügte. Gewiß, schrieb er, es ist ein Resultat, das *nie* vorherzusehen war, und bei der Congreßidee auch jetzt wieder problematisch ist. Er war einverstanden mit Bismarcks Wort, daß ein solches Resultat durch kleine Nebenforderungen nicht in Frage gestellt werden dürfte; aber, setzte er doch hinzu, es kommt darauf an, wie viel man an Geld oder Land erlangen *kann, ohne* das Ganze aufs Spiel zu setzen. Sonst bestätigte er die Richtigkeit aller Vordersätze der Erörterung seines Ministers, und schloß mit der Anerkennung, daß, wenn trotz Bismarcks pflichtmäßiger Vertretung der preußischen Ansprüche vom *Besiegten* nicht das, was Armee und Land erwarten dürften, zu erlangen sei, ohne das Hauptziel zu gefährden, so müsse der *Sieger* vor den Thoren Wiens sich eben fügen und der Nachwelt das Urtheil überlassen.“

Zu Nr. 39.

Dieser Brief ist zuerst durch das „*Deutsche Tageblatt*“ vom 16. December 1890 bekannt geworden. Den Anlaß dazu hatte eine Aeußerung des Abgeordneten Eugen Richter am 25. November dess. Js. im preußischen Abgeordnetenhause gegeben über den Erlaß von Fideicommißstempeln. Vergl. die Zusammenstellung des Materials in meinem Werke „Fürst Bismarck nach seiner Entlassung“ Bd. I, S. 289—297 und 356.

Mit der Dotation erwarb Bismarck am 23. April 1867 von Herrn von Blumenthal die Herrschaft Varzin (vgl. Neue Pr. Ztg. vom 26. April 1867 Nr. 99).

Zu Nr. 40. und Nr. 41.

In eine Briefsammlung gehört dieser Erlaß streng genommen nicht; trotzdem wollten wir von seiner Aufnahme nicht absehen, weil er die amtliche Urkunde für die Erhebung Bismarcks in das Amt ist, in dem er, wie auch in dem daraus hervorgegangenen Amte des Reichskanzlers die größten Verdienste um das deutsche Vaterland sich erworben hat.

Analoge Rücksichten waren maßgebend für die Aufnahme des Erlasses unter Nr. 41.

Zu Nr. 42.

Entnommen aus H. v. Poschinger, Aktenstücke rc. I, S. 102f. Poschinger bemerkt dazu:

Zur Linderung des Nothstandes in Ostpreußen hatte die Staatsregierung bereits seit dem Monat Oktober 1867 eine Reihe von Maßregeln ergriffen. Zunächst wurden dem Chausseebaufonds der Provinz Preußen zinsfreie Vorschüsse aus der Generalstaatskasse bis zum Betrage von 400000 Thalern zur Bezahlung von Rückständen an Bauprämien bewilligt, vornehmlich um die sofortige Fortsetzung oder Inangriffnahme von Chausseebauten in den von der schlechten Ernte dieses Jahres betroffenen Kreisen zu ermöglichen. Auf den nach Ostpreußen führenden Eisenbahnen erfolgte die Herabsetzung der Frachtsätze für die Beförderung von Getreide, Kartoffeln, Mehl und andern zur Nahrung und zur Saatbestellung dienenden Erzeugnissen in ausgedehntem Maße; es wurde mit der Schüttung für das zweite Geleis der Ostbahn degonnen, und es wurde sowohl den in der Ausführung befindlichen, wie den eingeleiteten oder in Vorbereitung begriffenen Staatsbauten, in den Forsten, an Chausseen, Wegen, Häfen, Canälen u. s. w. jede mit dem geordneten Betriebe vereinbare und finanziell zulässige Förderung zugewendet, um der ländlichen und der sonstigen Arbeiterbevölkerung Gelegenheit zu genügendem Erwerbe zu verschaffen. Endlich wurden von dem Kriegsminister zur Naturalverabsolgung bei dringendem Bedarf aus den Militairmagazinen der Provinz etwa 50000 Centner Roggen zur Verfügung gestellt, welche erst im nächsten Jahre in natura oder in Geld zu erstatten waren. Die Regierung hatte ferner die Ermächtigung nachgesucht, die noch nicht vernichteten Darlehnskassenscheine im Betrage von 1228000 Thalern wieder in Umlauf zu setzen, um dieselben als Darlehne für ländliche Grundbesitzer in den Regierungsbezirken Königsberg und Gumbinnen zu verwenden. Seitens des Abgeordnetenhauses wurde mit Zustimmung der Regierung vorgeschlagen, den Betrag der wieder auszugebenden Darlehnskassenscheine auf 2228000 Thaler zu erhöhen.

Zu Nr. 43.

Entnommen aus Poschinger, Fürst Bismarck und der Bundesrath, Bd. I, S. 133 f. Der König entsprach dem Antrage des Bundeskanzlers: unter dem 4. März erging die Einberufung des Bundesrathes für den 7., des Reichstages für den 23. März. Die Session des Reichstages dehnte sich ungeachtet der zeitigen Einberufung dann doch bis in den Sommer hinein aus: bis zum 20. Juni. Das Zollparlament, es war das erste, tagte vom 27. April bis zum 23. Mai; es wurde eröffnet und geschlossen mit einer Thronrede des Königs von Preußen.

Zu Nr. 45.

Diesem vom Fürsten Bismarck selbst in den Gedanken und Erinnerungen Band I, Seite 204 mitgetheilten Briefe des Königs liegt ein Entlassungsgesuch zu Grunde, das der Ministerpräsident, wie es scheint, zunächst mündlich durch den Geheimen Rath Wehrmann im Ministerium des Auswärtigen zur Kenntniß des Königs gebracht hat. Der Grund für diesen schwerwiegenden Entschluß war wohl allgemeine Abspannung; dazu kam eine ganze Reihe einzelner Ursachen, über die der nächste Brief Bismarcks an den König Auskunft gibt (vgl. Nr. 46).

Den unmittelbaren Anlaß aber bot eine Personenfrage: die Abberufung des Grafen von Usedom aus Florenz. Fürst Bismarck sagt darüber in den Gedanken und Erinnerungen Band I, Seite 204:

> Als ich im Februar 1869 die Abberufung eines so unbrauchbaren und bedenklichen Beamten verlangte, stieß ich bei dem Könige, der die Pflichten gegen die Brüder[1]) mit einer fast religiösen Treue erfüllte, auf einen Widerstand, der auch durch meine mehrtägige Enthaltung von amtlicher Thätigkeit nicht zu überwinden war und mich zu der Absicht brachte, meinen Abschied zu erbitten.

Aber der greise Fürst fügte diesen Worten rückblickend folgende Sätze hinzu:

---

[1]) Usedom „war ein hoher Freimaurer", heißt es unmittelbar vorher.

Indem ich jetzt nach mehr als 20 Jahren die betreffenden Papiere wieder lese, befällt mich eine Rene darüber, daß ich damals, zwischen meine Ueberzeugung von dem Staatsinteresse und meine persönliche Liebe zu dem Könige gestellt, der erstern gefolgt bin und folgen mußte. Ich fühle mich heut beschämt von der Liebenswürdigkeit, mit welcher der König meine amtliche Pedanterie ertrug. Ich hätte ihm und seinem Maurerglauben den Dienst in Florenz opfern sollen.

Der vom König und dann auch von Bismarck erwähnte Brief aus Varzin vom November 1868 (vor 3 Monaten) ist unsers Wissens dem Wortlaut nach bisher nicht bekannt geworden.

In der Frankfurter Angelegenheit handelte es sich um die Auseinandersetzung zwischen dem Staat und der Stadt Frankfurt: nachdem der darauf bezügliche Gesetzentwurf auf Grund eines Gutachtens der Kronsyndici vom Ministerium berathen und vom König genehmigt worden war, erlangte der Magistrat noch während der Verhandlungen im Landtage vom König die Zusage einer ausgleichenden Zahlung von 2 Millionen Gulden aus der Staatskasse, so daß deshalb der Gesetzentwurf abgeändert werden mußte.

Zu Nr. 46.

Die Datirung dieses von Horst Kohl im I. Bande des Bismarck-Jahrbuches (S. 79—83) veröffentlichten Entlassungsgesuches steht nicht ganz fest. Kohl sagt „Anfang März (bez. Ende Februar) 1869“. Weit genauere Bestimmung ist seit Veröffentlichung der „Gedanken und Erinnerungen“ möglich. Das Gesuch nimmt auf den Brief des Königs vom 22. Februar Bezug und ist eingehend deantwortet in dem hier unter Nr. 47 folgenden Briefe des Königs vom 26. Februar — zwischen diesen beiden Tagen liegt die Abfassung. Nun theilt aber Bismarck selbst einen Brief Roons an ihn mit vom 23. Februar; der lautet:

> Seit ich Sie gestern Abend verließ, mein verehrter Freund, din ich unausgesetzt mit Ihnen und Ihrer Entschließung beschäftigt. Es läßt mir keine Ruhe. Ich muß Ihnen nochmals zurufen, fassen Sie Ihr Schreiben so, daß ein Einlenken möglich dleidt. Vielleicht haben Sie es noch nicht abgeschickt und können noch daran ändern. Bedenken Sie, daß das gestern empfangene fast zärtliche Billet den Anspruch der Wahrheit macht, sei es auch nicht mit voller Berechtigung. Es ist so geschrieben und mit dem Anspruch, nicht als falsche Münze detrachtet zu werden, sondern als gute und vollgültige, und erwägen Sie, daß das beigemischte unächte Gut nichts anderes ist als das Kupfer der falschen Scham, die nicht eingestehen will und in Betracht der Stellung des Schreibers wohl

auch nicht kann: „Ich habe sehr Unrecht gethan und will mich bessern.“

Es ist ganz unzulässig, daß Sie die Schiffe verbrennen. Sie dürfen das nicht. Sie würden sich damit vor dem Lande ruiniren, und Europa würde lachen. Die Motive, die Sie leiten, würden nicht gewürdigt werden; man würde sagen: er verzweifelte sein Werk zu vollenden; deshalb ging er. Ich mag mich nicht ferner wiederholen, höchstens noch in dem Ausdruck meiner unwandelbaren und treuen Anhänglichkeit. Ihr Roon.

Aus Roons Brief ist mit hoher Wahrscheinlichkeit zu schließen, daß das Bismarcksche Schreiben an den König am 22. Februar noch nicht abgesandt ist, sondern erst am 23. Da Bismarck aber das Gesuch außerdem erst noch diktirt (s. u.) und dann umgearbeitet hat, kann über die endliche Abfertigung sogar der 24. herangekommen sein. Später dürfen wir es nicht ansetzen; denn einmal pflegte Fürst Bismarck nichts auf die lange Bank zu schieben, am wenigsten solche Sachen; dann aber hat auch der König Zeit gebraucht zu seinem ausführlichen Briefe vom 26. Februar. So ergiebt sich, daß Bismarcks Gesuch vom 23., vielleicht auch 24. Februar herrührt.

Auch die erste, diktirte Form ist Kohl für den ersten Jahrgang des Bismarck-Jahrbuchs (S. 76—79) zur Veröffentlichung übergeben worden. Der Vollständigkeit wegen müssen wir sie hier mittheilen:

Ich muß annehmen, daß Wehrmann die Gründe, welche mich nach schwerem Kampf zu der gefaßten Entschließung bestimmt haben, nicht ganz so wiederzugeben verstanden hat, wie ich es im Sinne hatte. Eine einzelne Meinungsverschiedenheit von verhältnißmäßig untergeordneter Natur, wie es die Frankfurter Frage ist, würde mich niemals zu einem so ernsten und meinem eignen Gefühle so sehr widerstrebenden Schritte bestimmt haben, wennschon ich nicht umhin kann, ehrfurchtsvoll zu bemerken, daß die Grundsätze, welche ich von Varzin aus betonte und auf welche Allerhöchstdieselben Bezug nehmen, hier nicht zutreffen, indem Ew. Majestät in diesem Falle nicht die Gnade gehabt haben, mich zur pflichtmäßigen Aeußerung meiner Ansicht zu berufen, sondern Ihre Entschließungen ohne Anhörung derselben auf den Vortrag gefaßt haben. So bereit ich auch bin, mich den Befehlen Ew. Majestät unterzuordnen, so kann ich dies, so lange ich die Ehre habe, Ew. Majestät Minister zu sein, doch für den Fall nicht unbedingt zusagen, wo Ew. Majestät Entschließung, durch andere, dem Ministerium fremde Organe vorbereitet, ohne Anhörung des ministeriellen Dissenses in das Stadium der Verkündung übergeht.

Ew. Majestät wollen verzeihen, wenn ich zu dieser Bemerkung durch das Bedürfniß veranlaßt werde, die Uebereinstimmung meines jetzigen Verhaltens mit meinen vor wenig Monaten gethanen Aeußerungen darzulegen.

Dennoch würde mich[1]) die Frage, ob der Stadt Frankfurt durch Ew. Majestät Huld ein Geschenk zugewandt wird, welches nach meiner Auffassung mit den Rücksichten auf andre Unterthanen nicht vereinbar und durch die Politik nicht geboten war, gewiß nicht veranlaßt haben, Ew. Majestät zum ersten Mal in meinem Leben um meine Entlassung aus dem Dienste zu bitten. Mein einziges Motiv dazu ist die Unzulänglichkeit meiner Kräfte und meiner Gesundheit für die von Ew. Majestät geforderte Art des Dienstes. Ew. Majestät wollen Sich huldreichst erinnern, daß ich zu Anfang des December 1865 zuerst nachhaltig erkrankte und seitdem unter stets wachsender Geschäftslast niemals meine Herstellung habe vollständig abwarten können. Wenn ich vor nicht ganz drei Monaten glaubte, den Geschäften bei ruhigem Verlauf derselben wenigstens für die Parlamentszeit wieder gewachsen zu sein, so hat sich dies als ein Irrthum, als eine Ueberschätzung meiner Kräfte herausgestellt. Ew. Majestät ist bekannt, daß die Gesammtheit der mir obliegenden Dienstgeschäfte auch dann, wenn mir von Allerhöchstdero Seite jede Berücksichtigung in Bezug auf das mitarbeitende Personal in meinem und in den anderen Ministerien und jede Erleichterung gewährt wird, welche in der Freiheit der Bewegung liegt, welche Allerhöchstdero Vertrauen mir gestatten kann, — daß selbst dann diese Arbeitslast die menschliche Kraft übersteigt, und jeden Tag Rückstände läßt, welche auf das eigne Pflichtgefühl beunruhigend einwirken. Zur vollen Unmöglichkeit aber wird die Leistung, wenn sie nicht von einheitlichem Zusammenwirken aller berufenen Organe mit Ew. Majestät getragen wird. Es ist an sich leichter, Entschließungen zu fassen und auszuführen, als Jemanden von der Richtigkeit derselben zu überzeugen; aber selbst die schwere Hemmung, welche in der Friktion des künstlichen Räderwerks eines constitutionellen Staates liegt, hat bisher den regelmäßigen Gang der Geschäfte nicht auffällig gestört. Die Aufgabe, über schwierige Fragen die Uebereinstimmung zwischen Ew. Majestät und acht Ministern herzustellen, und nachdem sie gewonnen, die Fühlung mit drei parlamentarischen Körperschaften zu erhalten, die nöthige Rücksicht auf verbündete und fremde Regierungen zu nehmen, hat bisher annähernd gelöst werden können. Für mich lag die entscheidende Vorbedingung dieser Lösung in dem Umstande, daß Ew. Majestät niemals, so lange ich die Ehre habe, als Minister im Dienste zu sein, eine nach Anhörung der Minister einmal gefaßte Entscheidung späterhin wieder in Zweifel gezogen und daß Ew. Majestät für die

[1]) Bei Kohl irrthümlich „mir".

Arbeiten eines jeden verantwortlichen Ressorts vor Festlegung einer Entschließung den von Ew. Majestät selbst dazu verordneten Rath gehört haben.

In der Frankfurter Sache hatte die Regirung mit Allerhöchstem Einverständniß die Vorlage zum Landtage eingebracht und damit öffentlich Stellung genommen auf der Basis des Gutachtens der Kronsyndici. Auf Ew. Majestät Befehl haben wir uns mit einer Zulage von 750000 Thlr. für die Stadt einverstanden erklärt, wenn es zum Receßabschluß käme. Ich enthalte mich ehrfurchtsvoll der weitern Darstellung des bisherigen Verlaufs der Sache, kann aber nicht umhin, für meinen vorliegenden Zweck hervorzuheben, daß das Staatsministerium in Betreff dieser im regelmäßigen Wege als erledigt angesehenen Sache in den letzten Wocheu täglich ein und an manchen Tagen zwei Mal hat Sitzung halten müssen.

Einen ähnlichen Zuschuß von Arbeitskraft im Vergleich mit dem regelmäßigen Geschäftsverlauf einer derartigen Sache bin ich in der Lage gewesen, auf die Usedomsche und vorher auf die Angelegenheit des Herzogs von Cambridge zu verwenden.

Die Einflüsse, welche Ew. Majestät Interesse für einzelne locale Fragen anzuregen verstehn, ohne gleichzeitig irgend welcher Verantwortlichkeit für die Gesammtheit der Geschäfte unterworfen zu sein, diese Einflüsse sind es, welche die Geschäftslast der von Ew. Majestät berufenen Minister bis zur Unerträglichkeit steigern. Die Entmuthigung, mit welcher mich diese Wahrnehmung erfüllt, wird wesentlich gesteigert durch den Umstand, daß in den Personalfragen Ew. Majestät dem Allerhöchsten persönlichen Wohlwollen für Ihre Diener dem strengen Bedürfnisse des Dienstes gegenüber ein stärkeres Gewicht beilegen, als mir mit den Interessen Derer verträglich zu sein scheint, deren dienstliche Lasten durch die Unbrauchbarkeit ihrer Mitarbeiter erhöht werden. Um die Entlassung Usedoms habe ich Ew. Majestät zuerst im Jahre 1864 gebeten und bereits damals hervorgehoben, daß dieser Gesandte sich nicht auf seinem Posten, sondern auf dem Lande der Regel nach aufhält. Die Ew. Majestät vorgetragenen Correspondenzen mit Usedom über seine Pflichtwidrigkeiten aus den Jahren 1864 bis jetzt füllen Actenbände, an denen ich manche Stunde und manchen Tag zu arbeiten gehabt habe. Am Sonntag vor 8 Tagen erlaubte ich mir Ew. Majestät mündlich zu erklären, daß meine Ehre mir verbiete, mit dem Grafen Usedom länger zu dienen, und ich glaube, daß Ew. Majestät unter kameradschaftlichen Verhältnissen im Militair, in Stellungen, welche minder bedeutend für die Geschicke des Landes sind, dieser Auffassung sofort beigetreten sein und mir gestattet haben würden, danach zu verfahren.

In Bezug auf den Unterstaatssekretär Sulzer stammen die ersten Anträge auf seine Ersetzung wegen Unbrauchbarkeit aus dem Anfange des Jahres 1863. Ew. Majestät erinnern sich vielleicht der schwierigen Verhandlungen, welche vor einigen Jahren nicht zu seiner Entlassung, wie das Ministerium beantragte, sondern zur Verminderung seiner Functionen führten. Jetzt unterliegt der Minister des Innern aus Mangel an Unterstützung der Last der Arbeit, und von dem Tage ab, wo er erkrankt, was, wie ich befürchte, bald wieder bevorsteht, hört jede Thätigkeit des Ministeriums des Innern vollständig auf, weil keine geschäftliche Vertretung existirt.

Ew. Majestät wollen mir glauben, daß ich unter dem Druck dieser Verhältnisse schwer gelitten, und daß ich meinen eignen erschöpften Kräften jede in der Möglichkeit liegende Anstrengung zugemuthet habe, bevor ich den Wunsch aussprechen konnte, aus dem Dienste zu scheiden.

Zu Nr. 47.

Mitgetheilt in „Gedanken und Erinnerungen" Band I, S. 206 bis 210. Fürst Bismarck schließt an den Brief folgende Bemerkung an: „Usedom wurde zur Disposition gestellt. Se. Majestät überwand in diesem Falle die Tradition der Verwaltung des Königlichen Hausvermögens so weit, daß er ihm die finanzielle Differenz zwischen dem amtlichen Einkommen und dem Wartegelde aus der Privatchatoulle regelmäßig zahlen ließ."

Zu Nr. 48.

Der Brief ist in Berlin geschrieben. Der „Fonds-Mangel" bezieht sich vielleicht auf das Deficit, von dem Bismarck am 21. im Reichstage erläuternd sagte:

In dem Deficit stecken 5 Millionen und etwas, die Niemanden haben überraschen können, denn sie sind die Folge eines Nachlasses der verschiedenen Revenuen, welche sich ungefähr auf 5 Millionen belaufen, und welche in dieser Denkschrift zusammengestellt sind.

Der Brief ist, wie auch die nächsten drei, dem 4. Bande des Bismarck-Jahrbuches entnommen worden.

Zu Nr. 49.

Der russische Reichskanzler Fürst Gortschakoff kam am Morgen des 29. Juni auf der Durchreise nach Baden-Baden in Berlin an;

am Mittag um 12 Uhr hatte er eine Unterredung mit dem Grafen von Bismarck, Nachmittags waren die beiden Staatsmänner zum Diner bei dem russischen Botschafter von Oubril. Am 30. Juli Mittags um 1 Uhr wurde Fürst Gortschakoff vom König Wilhelm in Audienz empfangen; am Abend desselben Tages setzte er seine Reise nach Baden-Baden fort.

Zu Nr. 50.

Eigentlich eine Allerhöchste Ordre und wegen der Uebertragung der Stellvertretung auf den Geh. Rath Delbrück sogar von Bismarck gegengezeichnet. Aber ungeachtet des amtlichen Charakters tritt in dem Schriftstück das Persönliche so sehr in den Vordergrund, daß es hier nicht fehlen durfte. Es ist entnommen aus Ludwig Hahn, Fürst Bismarck, Band I, Seite 858.

Zu dieser Beurlaubung schrieb die „Provinzial-Correspondenz" am 21. Juli 1869:

„Die Bedeutung der gegenwärtigen Beurlaubung des Minister-Präsidenten ergiebt sich einfach und klar aus der Allerhöchsten Ordre, durch welche dieselbe ausgesprochen worden ist; der Wortlaut dieser Ordre läßt erkennen, daß die Beurlaubung als eine vorübergehende, für die Zeit ihrer Dauer als eine vollständige anzusehen ist. Dieselbe ist erfolgt ‚in der Hoffnung auf baldige völlige Wiederherstellung und den damit verbundenen Wiedereintritt in den ganzen Umfang der Geschäfte' — bis dahin aber ist Graf Bismarck nicht blos ‚von dem Vorsitz im Staatsministerium', sondern auch ‚von der Betheiligung an den Berathungen desselben' ausdrücklich entbunden worden. Wäre dies nicht beabsichtigt gewesen, hätte vielmehr die Stellung des Minister-Präsidenten zu den wichtigeren Entscheidungen des Staats-Ministeriums während seiner zeitweiligen Entfernung von Berlin ganz dieselbe sein sollen, wie in früheren Jahren, so wäre überhaupt die förmliche und feierliche Entbindung von den Geschäften im Staatsministerium eben so wenig nöthig gewesen, wie eine solche in Bezug auf die Geschäfte des Grafen Bismarck als Bundeskanzler ausdrücklich erfolgt ist.

„Es kam darauf an, dem Staatsmanne, dessen Kraft und Gesundheit durch die fortgesetzte Wahrnehmung der verschiedenen Stellungen an der Spitze des preußischen Staats-Ministeriums, der Verwaltung des Norddeutschen Bundes und des Zollbundes ernstlicher Gefährdung ausgesetzt schien, in der Erfüllung seines Berufes bis auf Weiteres Erleichterung zu schaffen, soweit es das Staatsinteresse irgend gestattet — deshalb sollte er nicht nur der Sorge für die laufenden Geschäfte des Staats-Ministeriums, sondern auch der fortgesetzten Theilnahme, Fürsorge und geistigen Verantwortung in Bezug auf die nächsten Aufgaben der inneren preußischen Staatsverwaltung überhoben werden, während er die Leitung der Bundesverwaltung in dem Maße, wie es während einer Beurlaubung geschehen kann, auch jetzt wahrnimmt."

Graf Bismarck begab sich schon am Morgen des 1. Juli nach Varzin.

Zu Nr. 51.

Der Brief ist nach Varzin gerichtet, wo Bismarck damals noch den ihm am 30. Juni bewilligten Urlaub genoß. Am 10. Oktober hatte Bismarck an Motley geschrieben, er würde schwerlich vor dem 1. December nach Berlin zurückkehren. „Ich möchte gern abwarten, ob mir der Landtag nicht den Gefallen thut, einige meiner Collegen zu erschlagen; wenn ich unter ihnen bin, so kommt die Schonung, die man mir gewährt, den andern auch zu Gut. Unsere Verhältnisse sind so sonderbar, daß ich zu wunderlichen Dingen greifen muß, um Anbindungen zu lösen, die gewaltsam zu zerreißen mir manche Rücksichten verbieten." Nachdem der Minister des Innern, Graf Eulenburg, der vom 1. Oktober an in Varzin gewesen war, am 4. nach Berlin zurückgekehrt war, wurde der Landtag am 6. Oktober eröffnet; am 26. nahm v. d. Heydt seine Entlassung. Zur Beseitigung des Deficits wandelte Camphausen die 4½ procentige und 4 procentige Staatsschuld in eine 4 procentige Rentenschuld um.

Zu Nr. 52.

Reichsrath ist natürlich verschrieben für Reichstag.

Graf Herbert, damals in Bonn, war in Folge ärztlicher Behandlung nach einer Mensur ernstlich an der Kopfrose erkrankt. Auf diese Nachricht kehrte der Bundeskanzler, um seinem Sohne näher zu sein, nach Berlin zurück, während die Gräfin an das Krankenbett des Sohnes eilte. Als bessere Nachrichten eintrafen, verschob Bismarck die Reise nach Bonn bis zum Weihnachtsfest, feierte dieses aber im Kreise seiner Familie in der rheinischen Universitätsstadt.

Zu Nr. 53.

Diesen wie den folgenden Brief theilt Bismarck selbst mit in den Gedanken und Erinnerungen, Band II, Seite 293.

Es handelt sich um die Siegesmedaille von 1866. Sie zeigt auf der Aversseite den Kopf des Kaisers. Am Rande stehen, durch Linien von einander getrennt, die Namen der um den Sieg besonders verdienten Männer; obenan „F. W. Kr. Pr. v. Preuß.“, dann nach rechts herum weiter folgende Namen: „M. Pr. Gr. Bismarck, G. F. M. v. Herwarth, Gen. v. Manteuffel, Gen. v. Steinmetz, Gen. v. Mutins, Gen. v. Schmidt, Gen. v. Bonin, Gen. P. v. Würtemberg, Gen. Vog. v. Falkenstein, Gen. v. Moltke, Kr. Min. v. Roon, F. K. Pr. v. Preuß.“ Auf der Reversseite erblickt man eine schwebende Borussia, in der rechten Hand einen Lorbeerkranz, in der Linken eine Palme, die sie sich an der Schulter auflehnt und etwas hinter dem Kopf hervorsteht; unten links die Jahreszahl 1866

Zu Nr. 55.

Der Kronprinz hatte am 17. November 1869 an der Eröffnung des Suezcanals theilgenommen und im Anschluß daran eine Reise nach Palästina unternommen. In Jerusalem schenkte gelegentlich des kronprinzlichen Besuches der Sultan dem König von Preußen einen Platz, auf dem die preußische Regierung den Bau einer Kirche und eines Pfarrhauses plante; der Plan wurde aber aufgegeben, weil der Platz dafür zu klein war.

Zu Nr. 56.

Dieser Immediatbericht betrifft die Concessionirung der Eisenbahn Breslau-Raudten. Denselben Standpunkt hatte Graf Bismarck wenige Wochen zuvor schon zum Ausdruck gebracht in einem Schreiben vom 2. desf. Ms. an den Oberpräsidenten von Hannover, Grafen Stolberg, als es sich um den Bau einer Eisenbahn von Helmarshausen über Uslar und Einbeck nach Kreiensen handelte. Da schrieb er:

> Sofern das fiscalische Finanzinteresse ein Motiv abgibt, die Concession für zweckmäßige Eisenbahnlinien zu erlangen, halte ich diesen Standpunkt an sich für einen falschen und nur so lange vorübergehend zulässig, als der Landtag und der Reichstag der Regierung für ausfallende Revenuen jeden Ersatz in Form neuer Steuern principiell versagen. So lange muß aber allerdings der Staat, weil er keine seiner Einnahmen entbehren kann, an jeder Revenue, die er hat, mag sie aus bestehenden fehlerhaften Abgaben oder aus fiscalischem Eigenthum fließen, festhalten.

Der Auszug ist enthalten in Poschinger, Aktenstücke I, S. 153 f.

Zu Nr. 57.

Entnommen aus Hahn, Fürst Bismarck, Band II, S. 109—111; ergänzt durch einen Abdruck in den Hamburger Nachrichten vom 2. September 1895, wo dazu bemerkt ist: „Das Original dieses Berichts befindet sich in den Acten des Auswärtigen Amts, eine Abschrift im Kriegsarchiv des großen Generalstabes. Der Bericht ist mit Auslassungen bereits am 12. September 1870 im ‚Staatsanzeiger' veröffentlicht worden; hier folgt er vollständig."

Zu Nr. 58.

Am 18. December war im Schlosse von Versailles die Abordnung des Reichstages empfangen worden, die den König bat, die ihm von den deutschen Fürsten angebotene Kaiserkrone anzunehmen.

Zu Nr. 60

Gewissermaßen eine weitere Ausführung dieses königlichen Briefes bildet der nachstehende Artikel der halbamtlichen „Provinzial-Correspondenz":

In der denkwürdigen Stunde, wo sich die Vertreter des neuen Deutschen Reiches zum ersten Male um den Thron des deutschen Kaisers versammelten, ist der Bundeskanzler Graf von Bismarck zum Fürsten erhoben worden.

Kaum hätte zur Verleihung dieser Würde ein bezeichnenderer Tag gewählt werden können; denn mit der Wiedererstehung des Deutschen Reiches wird der Name Bismarck für alle Zeiten innig verknüpft sein, und in dem großen weltgeschichtlichen Akte, welcher am 21. März 1871 im Schlosse unserer Könige vollzogen wurde, durfte der neue Fürst-Reichskanzler mit tiefer Genugthuung die Frucht seines langjährigen politischen Denkens und Schaffens erblicken.

Es ist jetzt nicht die Zeit zu geschichtlichen und politischen Rückblicken; die Gegenwart mit ihren gewaltigen Eindrücken nimmt die Geister zu mächtig in Anspruch. Die künftige Geschichtsschreibung aber wird mit Bewunderung die stetig aufsteigende Entwickelung der Bismarckschen Politik in ihrem innern Zusammenhange überschauen und würdigen: von dem unscheinbaren Anfange, der raschen und gebieterischen Lösung der kurhessischen Wirren, von der festen Haltung Europa gegenüber in der Frage des polnischen Aufstandes, von der Abweisung des Frankfurter Fürstentages bis zu dem glorreichen Frieden von Versailles, welcher zwei seit Jahrhunderten von Deutschland getrennte Provinzen in die nationale Gemeinschaft zurückführt, geht derselbe Geist selbstbewußter Kraft und klarer, fester Entschlossenheit, dasselbe Streben einer wahrhaft deutschen Großmachtspolitik durch die ganze Reihe immer wichtigerer diplomatischer Thaten hindurch.

Diese Thaten und ihre großen Ergebnisse verdienen aber um so höhere Bewunderung, als sie lange Zeit hindurch der widerstrebenden öffentlichen Meinung des eigenen Landes abgerungen werden mußten und eine freudige Mitwirkung zum Theil erst eintrat, als die wesentlichsten Erfolge bereits errungen, als der Grund zum nationalen Neubau bereits sichtlich gelegt war.

Der Bundeskanzler hat die sehr hohe Genugthuung, daß die deutsche Entwickelung in den Bahnen, in welche er sie geleitet hat, rascher als irgend Jemand es ahnen konnte, zum glorreichen Abschlusse gelangt ist, daß aus den Keimen der Einigung zwischen Nord und Süd, die er gepflanzt und sorglich gepflegt hat, in der Stunde der Entscheidung die reife Frucht der vollen Einheit und Kraft hervorging. Die nationale Erhebung Süddeutschlands im vorigen Sommer und die glorreiche Waffengemeinschaft, welche Deutschland schützte und Frankreich niederwarf, waren nur möglich in Folge jener umsichtigen, wahrhaft bundesfreundlichen Politik, welche in den letzten Jahren unsere Beziehungen zu Süddeutschland leitete.

„Setzen wir Deutschland in den Sattel, reiten wird es schon können" — rief Graf Bismarck bei der Gründung seines nationalen Werkes allen Zweiflern zu, und seine Zuversicht hat sich in wunderbarer Weise erfüllt. Durch den Ritt des geeinigten Deutschlands nach Frankreich hinein ist nicht bloß die Kraft des deutschen Volkes herrlich erprobt und bewährt, sondern ein neues Zeitalter der europäischen Politik ist eingeleitet worden.

Der neue Fürst-Reichskanzler ist eine der großen weltgeschichtlichen Persönlichkeiten geworden, deren Wirken weit hinausragt über den Bereich des Landes, welchem sie angehören.

Die jüngste feierliche Kundgebung von dem Throne des deutschen Kaisers hat Zeugniß davon gegeben, in welch erhabenem Geiste die Schöpfer der neuen Ordnung der Dinge ihre und des deutschen Volkes weitere Aufgaben erfaßt haben: ein glorreicher Reichsfrieden, ein Wettkampf der Völker um die Güter des Friedens soll das Ziel der ferneren deutschen Politik sein.

Möge es dem Fürsten von Bismarck vergönnt sein, als herrlichste Frucht seines an Mühen und Erfolgen so reichen Wirkens fortan den Dank des Volkes auch für einen wahrhaft segensvollen Reichsfrieden und eine immer blühendere innere Entwickelung Deutschlands zu ernten.

Zu Nr. 61.

Schon am 27. Mai dess. Js. hatte der Kaiser in dieser Angelegenheit folgendes vom Fürsten Bismarck gegengezeichnetes Schreiben an die Mitglieder der Ritter- und Landschaft des Herzogthums Lauenburg gerichtet:

Auf Ihren Bericht vom 27. d. M. bestimme Ich, daß bezüglich des nach Maßgabe Meiner Ordre vom 27. d. M. aus den Lauenburgischen Domainen auszuscheidenden landesherrlichen Antheiles, mit Rücksicht darauf, daß eine veränderte Nutzung oder Zersplitterung desselben nicht in der Absicht liegt und ein von den gegenwärtigen Revenuen wesentlich verschiedener Ertrag aus denselben für die Zukunft nicht zu erwarten steht, von einer anderen Abschätzung als der aus dem gegenwärtigen Ertrage sich ergebenden abzusehen und der gegenwärtige Ertrag als maßgebend für den Werth des auszuscheidenden Complexes zu betrachten ist.

Zugleich will Ich genehmigen, daß der Werth der Domainen im Amte Schwarzenbek, welche den Lauenburgischen Ständen von Meinem Commissar bei der Landtagsverhandlung vom 24. d. M. als für die Ausscheidung bestimmt dereits bezeichnet worden sind und deren Ertrag für das laufende Jahr nach Abzug der darauf lastenden Ausgaben auf 34016 Thlr. berechnet ist, als dem Betrage von 1 Million Thalern entsprechend angenommen und die Ausscheidung dieses Domainencomplexes bewirkt werde.

Sie haben hiernach das Weitere zu veranlassen.

Berlin, den 27. Mai 1871. Wilhelm.

In der hier angezogenen Ordre vom 17. Mai heißt es ausdrücklich, daß „die Absonderung von Domainen im Werthe von 1 Million Thalern" vorzunehmen sei zur Ueberlassung „an den König von Preußen zu freiem unbeschränktem Eigenthum".

Somit stellt sich also die Verleihung der Herrschaft Schwarzenbek an den Fürsten Bismarck dar als ein durchaus **persönliches Geschenk** des Königs von Preußen.

Zu Nr. 63.

Den Stein des Anstoßes bildete das Schulaufsichtsgesetz. Am 14. Januar beschlossen die Vertrauensmänner aller liberalen Fraktionen des Abgeordnetenhauses für den Fall, daß der Cultusminister v. Mühler der ersten Lesung des Gesetzes noch beiwohnen sollte, folgende Mißtrauensresolution gegen ihn: „In Erwägung, daß der vorliegende Gesetzentwurf mit der Durchführung des der Verfassung entsprechenden Grundsatzes der Staatsaufsicht über alle Unterrichts- und Erziehungsanstalten der ausführenden Verwaltung sehr ausgedehnte Befugnisse überweist, daß aber die bisherige Amtsführung des jetzigen Herrn Cultusministers keine Gewähr der angemessenen und unbefangenen Handhabung einer so bedeutenden Gewalt bietet, daß daher eine sorgfältige Erwägung der in das Gesetz aufzunehmenden Garantie erforderlich erscheint, wolle das Abgeordnetenhaus beschließen, den Gesetzentwurf zur Vorberathung an eine besondere Commission von 14 Mitgliedern zu verweisen."

Am 17. Januar vollzog der König die Entlassung Mühlers, Dr. Falk wurde sein Nachfolger. Das Schulaufsichtsgesetz wurde am 9. Februar in erster Lesung mit 197 gegen 172, am 13. Februar in dritter mit 207 gegen 155 Stimmen angenommen, also ohne Commissionsberathung.

Unruh erzählt in seinen Erinnerungen, Bismarck habe in jenen Tagen auf die Frage, ob die Zeitungsnachricht wahr sei, daß der Minister von Mühler seine Entlassung eingereicht habe, geantwortet: „Das ist richtig, aber er steckt sich jetzt hinter die äußerste Rechte und hofft, daß sein Abschiedsgesuch abgelehnt werden wird."

Zu Nr. 64.

Am 2. März 1871 wurden von der Nationalversammlung in Bordeaux die Friedenspräliminarien ratificirt; Jules Favre legte die Ratification in Versailles vor.

Die vier Geschütze, die der Fürst für sich aussuchte, stehen vor dem Schlosse in Schönhausen; zwei sind aus der Zeit Ludwigs XIV. und Ludwigs XV. und zwei tragen die Embleme Napoleons III.; sie stammen alle aus der französischen Kriegsbeute. (Vgl. Georg Schmidt, Schönhausen und die Familie Bismarck, S. 174.)

Zu Nr. 65.

Die silberne Hochzeit feierten Fürst und Fürstin Bismarck in Varzin. Die Antwort Bismarcks an den Kaiser enthält der nächste Brief.

Zu Nr. 66.

Die am Schlusse erwähnten Kaiserbesuche fanden im Anfang des Septembers statt, als Kaiser Alexander von Rußland vom 5.—11. und Kaiser Franz Joseph von Oesterreich vom 6.—11. September als Gäste Kaiser Wilhelms in Berlin weilten. Die beiden fremden Monarchen waren von ihren leitenden Ministern Fürst Gortschakow und Graf Andrassy begleitet. Bismarck kam mit seiner Familie am 3. September nach Berlin und kehrte erst am 19. nach Varzin zurück.

Zu Nr. 67.

Der Oberhofprediger D. Wilhelm Hoffmann war 1852 von Friedrich Wilhelm IV. nach Berlin berufen worden; er wurde 1854 Mitglied des Staatsrathes. Er starb fast genau ein Jahr nach diesem Briefe Bismarcks, am 28. August 1873. Er hatte unter König Wilhelm bei Weitem nicht mehr den Einfluß wie unter Friedrich Wilhelm IV. Nach der Errichtung des Deutschen Reiches glaubte er auch die Zeit gekommen zu einer Kircheneinigung für das ganze Reich und veranlaßte deshalb 1871 die Berliner Oktoberversammlung, deren Erfolglosigkeit ihn schmerzlich berührte. Auf welche Angelegenheit sich die vorliegenden Aeußerungen Bismarcks beziehen, ist nicht ersichtlich. Graf Stillfried war Oberceremonienmeister.

Zu Nr. 68.

Die Krisis bestand in der ablehnenden Haltung des Herrenhauses gegenüber der Kreisordnung. Die Thatsachen folgten rasch auf einander: am 21. Oktober wurde der Landtag wieder eröffnet, am 31. Oktober lehnte das Herrenhaus die Kreisordnung ab, am 1. November wurde der Landtag geschlossen und gleichzeitig zum 12. November wieder einberufen, am 30. November erging die Allerhöchste Ordre wegen Berufung 25 neuer Mitglieder ins Herrenhaus auf Lebenszeit, am 9. December wurde die Kreisordnung im Herrenhause angenommen, am 13. December als Gesetz vollzogen, am 14. December kehrte Fürst Bismarck nach Berlin zurück.

Zu Nr. 69.

Der Conflikt mit dem Grafen Arnim bildete sich Ende des Jahres 1872 schon zu einiger Schärfe heraus. Am 23. November hatte in Vertretung des Ministers des Auswärtigen Herr von Balan die Berichte Arnims vom 10. und 12. desf. Monats beantwortet; schon da finden wir manche, wenn auch in der Form verbindliche, sachlich recht deutliche Zurechtweisung. Nach dem vorliegenden Antrag Bismarcks scheinen daraufhin wieder Immediatberichte bei dem Kaiser eingegangen zu sein. Der nächste Erlaß des Reichskanzlers an den

Botschafter, der bekannt geworden ist, datirt vom 20., ein weiterer vom 23. December dess. Js.; ihnen ist der in dem vorliegenden Briefe erwähnte „mündliche Bericht" bei dem Kaiser vorangegangen.

Zu Nr. 70.

Der älteste Staatsminister war General Graf von Roon. Vgl. die Notizen zu Nr. 72.

Zu Nr. 71.

Das in dem Briefe erwähnte Geschenk war eine broncene Nachbildung des Rauchschen Denkmals Friedrichs des Großen.

August Friedrich von Bismarck, der Urgroßvater des Fürsten, wurde am 2. April 1695 in Schönhausen geboren. Ueber seinen Tod berichtet P. Dr. Georg Schmidt in seinem Werke „Schönhausen und die Familie von Bismarck" Seite 116 f.:

> In der Schlacht von Czaslau wurde er an der Spitze seines Regiments verwundet. Er ließ sich aus der Schlacht nach Kattendorn (Kuttenberg) fahren, wurde aber unterwegs von österreichischen Husaren überfallen und, nachdem ihm Alles, was er besaß, abgenommen war, erschossen. Sein Leichnam, nach Schweidnitz überführt, wurde dort auf dem Kirchhof bei der Dreifaltigkeitskirche beerdigt. Ein auf seinen Tod bezügliches Trauergedicht von drei Folioseiten „Ehrendenkmal der v. Bismarck'schen Familie, gewidmet von Auen in Gollnow", findet sich im Archiv zu Schönhausen.
>
> Im Kirchenbuch zu Schweidnitz steht er in der Todtenliste verzeichnet als „geblieben in dem Treffen bei Kuttenberg, 23. Mai 1742 zu Schweidnitz begraben".
>
> Er besaß in höchstem Maße die Werthschätzung Friedrichs des Großen. Als Karl Alexander, der Großvater des Fürsten, wegen seiner gelehrten Bildung von seinem Onkel, dem Oberpräsidenten von Dewitz veranlaßt wurde, ihn auf seinen Gesandtschaftsposten nach Wien zu begleiten, befahl ihm der König mit den Worten: „Ein Officier wie Sein Vater ist mir lieber als alle Federfuchser von Gesandten", Soldat zu werden, und noch 1783, also 41 Jahre nach des Obristen Tode, gedachte seiner der hochbetagte Monarch, da Ferdinand von Bismarck, der Vater des Fürsten, ihm als Cornet bei den Leib-Carabiniers vorgestellt wurde, indem er erklärte: „Werde wie Dein Großvater, das war ein ganzer Kerl." Der Fürst Bismarck soll mit ihm eine sprechende äußere Aehnlichkeit besitzen. Er war 5 Fuß 11 Zoll hoch, eine mächtige Figur von robuster, kräftiger Natur, nur in den letzten Jahren kränkelnd.

Zu Nr. 72.

Gleichzeitig mit diesem Schreiben an den Fürsten Bismarck erging folgende Allerhöchste Ordre an den Kriegsminister Grafen von Roon

Berlin, den 1. Januar 1873.

Nachdem Ich den Reichskanzler Fürsten von Bismarck auf seinen Antrag von der Stellung als Präsident Meines Staats-Ministeriums entbunden habe, finde Ich Mich bewogen, Ihnen diese Stellung zu verleihen; Sie gleichzeitig von der des Kriegs-Ministers zu entheben, vermag Ich jedoch nicht, indem Ich Werth darauf lege, daß Sie als Kriegs-Minister und „Vorsitzender des Ausschusses für Landheer und Festungen" mit der oderen Leitung und Vertretung der Armee-Angelegenheiten auch ferner betraut bleiben. Da Ich gleichwohl ermesse, daß es Ihnen bei dem Ihnen nunmehr übertragenen Vorsitze im Staats-Ministerium und der darans für Sie erwachsenden Geschäftsvermehrung nicht möglich sein würde, die Pflichten als Kriegs-Minister in dem bisherigen Umfange zu erfüllen, so finde Ich Mich gleichzeitig veranlaßt, den Chef des Ingenieur-Corps und der Pioniere und General-Inspecteur der Festungen, General-Lieutenant von Kamecke, mit dem Titel und Range eines Staats-Ministers zum Mitgliede des Staats-Ministeriums zu ernennen mit der Bestimmung, den Geschäften des Kriegs-Ministeriums, in Uebereinstimmung mit Ihnen verantwortlich vorzustehen und Sie als Kriegs-Minister überall, wo es nöthig, ebenso zu vertreten.

Zu dieser Verschiebung in den höchsten Staatsämtern äußerte am 6. Januar der „Staats-Anzeiger":

„Die Allerhöchsten Entschließungen beruhen vor Allem darauf, daß kein anderer Staatsmann in demselben Maße wie Graf Roon nach seiner bisherigen Gesammtwirksamkeit und nach seiner persönlichen Vertrauensstellung zu dem Fürsten von Bismarck die Gewähr und Bürgschaft dafür giebt, daß er unter eigenem Namen und unter eigener Verantwortung in Wahrheit die Politik des Reichskanzlers in Uebereinstimmung mit dessen Sinn und Geist in jeder Beziehung fortzuführen Willens und im Staude sei, daß er, mit dem Verzicht auf eine großartige selbstständige Handhabung des Steuerruders, doch freudig die volle Mitwirkung und Verantwortlichkeit für eine Politik übernahm, deren höchste und folgenreichste Bethätigung auf dem Boden des gesammten Deutschen Reiches zu erfolgen hat, deren maßgebende Grundsätze und Gesichtspunkte aber auch in der innern preußischen Entwickelung und demgemäß in der Leitung des preußischen Staats-Ministeriums zur Geltung gelangen müssen.

„Daß dies auch in Zukunft geschehe, das ist die Aufgabe, welche durch das Vertrauen Seiner Majestät in vollem Einverständnisse mit dem Fürsten von Bismarck dem Grafen von Roon übertragen worden ist, und welche er in selbstloser Hingebung für den öffentlichen Dienst in der Voraussetzung übernommen hat, bei ihrer Lösung von allen denen unterstützt zu werden, denen des Vaterlandes Heil und Größe wichtiger ist, als jedes persönliche Interesse."

Zu Nr. 74.

Es ist hier nicht der Ort, die einzelnen in dem Briefe des Fürsten an den Kaiser erwähnten Schriftstücke zu reproduciren. Wir müssen uns auf die kalendarische Aufzählung der Ereignisse beschränken:

2. März: Fürst Bismarck theilt dem Grafen Arnim die Hauptpunkte des neuen mit Frankreich zu vereinbarenden Conventionsplanes über die Zahlung des Restes der Kriegskostenentschädigung und die Räumung des französischen Gebietes telegraphisch mit. In einem zweiten Telegramm instruirt der Reichskanzler den Botschafter dahin, daß die deutschen Vorschläge à prendre ou à laisser seien und daß die Sache selbst nicht geheim gehalten zu werden brauche.

3. März: Erlaß Bismarcks an Graf Arnim: Mittheilung des eben genannten Entwurfes im Wortlaut (durch Feldjäger am 4. März in Paris zugestellt).

8. März: Telegraphische Weisung an Graf Arnim, sich genauer an die Instruktion vom 3. März zu halten, die ganzen Vorschläge unverzüglich der französischen Regierung mitzutheilen und die Antwort darauf zu melden.

10. März: Telegramm an Graf Arnim betreffs der eventuellen Substitution Touls für Belfort, falls bei der französischen Regierung der Verdacht vertragswidriger Besitzergreifung Belforts bestände.

11. März: Telegramm an Graf Arnim, fest auf Belfort zu bestehen, die amtliche Mittheilung der deutschen Vorschläge an die französische Regierung „unverzüglich" und „ohne Rückhalt" zu machen und telegraphisch anzuzeigen, daß und wann sie erfolgt ist.

12. März: Dringendes Telegramm an Graf Arnim: Befehl Namens des Kaisers, unverzüglich den deutschen Vertragsentwurf, „dessen Existenz am 10. d. M. Herrn Thiers unbekannt war", der französischen Regierung amtlich mitzutheilen und telegraphisch die Ausführung des Auftrags zu melden.

13. März: Telegramm an Graf Arnim: die Convention in Versailles nicht unterzeichnen, weil der Reichskanzler sie mit dem französischen Botschafter in Berlin, mit dem er sich geeinigt, abschließen will.
15. März: Abschluß der Zusatzconvention zum Friedensvertrage von Frankfurt, betr. die Restzahlung der Kriegsentschädigung und die Räumung des Occupationsgebietes. Mittheilung vom erfolgten Abschluß an Graf Arnim.

Zu Nr. 75.

Am 9. November 1873 wurde Fürst Bismarck zum zweiten Mal preußischer Ministerpräsident. Gleichzeitig nahm Graf von Roon endgültig seinen Abschied. Der König richtete dabei an ihn folgendes Allerhöchste Handschreiben

Ich kann Mich leider der Ueberzeugung nicht verschließen, daß Ihr wiederholtes Gesuch um Uebertritt in den Ruhestand durch Ihre leidende Gesundheit zu sehr begründet ist, um dessen Gewährung ablehnen oder auch nur weiter verzögern zu können. Ich gewähre Ihnen daher — aber mit schwerem Herzen — den gewünschten Abschied, indem Ich Sie hierdurch, unter Entbindung von der mit so großer Auszeichnung bekleideten Stellung als Kriegs-Minister, mit der gesetzlichen Pension zur Disposition stelle.

Sie tragen in diesem Verhältniß auch ferner die activen Dienstzeichen und verbleiben auch in der Liste der activen General-Feldmarschälle, sowie in Ihrem Verhältniß als Chef des Ostpreußischen Füsilir-Regiments Nr. 33, damit Sie der Armee, auf deren Ehrentafeln Ihr Name für alle Zeiten steht, auch durch ein äußeres Band angehören, so lange Sie leben.

Ich danke Ihnen nochmals warm und von ganzem Herzen für Alles, was Sie in Ihrer langen Dienstzeit in allen Ihren innegehabten Stellungen für Meine Armee gethan haben. Vor Allem aber nehmen Sie nochmals Meinen Königlichen Dank entgegen für Ihre Leistungen für Mich und Meine Armee, seitdem Ich Sie zum Kriegs-Minister ernannte. Sie haben Mich bei Durchführung der Reorganisation der Armee mit seltener Umsicht, Consequenz und Energie unterstützt, und die Früchte Ihrer schweren Arbeit haben nicht auf sich warten lassen. Zwei glorreiche Kriege haben die Tüchtigkeit unsrer Kriegs-Institutionen bewährt, und bei der nunmehr erfolgten Vergrößerung des Heeres ist es wiederum Ihr Werk gewesen, dieselbe in kürzester Zeit ins Leben zu rufen.

Mögen Sie Sich nach Ihrer treuen Arbeit der wohlverdienten Ruhe noch lange erfreuen, und mögen Sie versichert sein, daß Ich niemals aufhören werde, Meinen in vielfach schwerer und bewegter Zeit immer bewährten Kriegs-Minister in ehrender und dankender Erinnerung zu behalten.

Als Andenken an den schweren Augenblick unsrer Trennung sende Ich Ihnen Meine Büste in Marmor.

Berlin, den 9. November 1873. Wilhelm.

Gleichzeitig erging unter Gegenzeichnung des Grafen Eulenburg folgende Allerhöchste Ordre an Camphausen:

Nachdem Ich unter Entbindung des General-Feldmarschalls Grafen von Roon von seinem Amte als Präsident Meines Staats-Ministeriums diese Stelle dem Reichskanzler und Minister der auswärtigen Angelegenheiten, Fürsten von Bismarck, wieder übertragen habe, finde Ich Mich bewogen, Sie unter Beibehaltung Ihres Amtes als Finanz-Minister zum Vice-Präsidenten Meines Staats-Ministeriums zu ernennen.

Berlin, den 9. November 1873.

Wilhelm.

An den Staats-Minister Camphausen.

Durch eine weitere Ordre an das Staats-Ministerium wurde auch dieses von den vorgenommenen Aenderungen in Kenntniß gesetzt.

Die „Provinzial-Correspondenz" lieferte zu diesen Veränderungen folgenden Commentar:

So hat denn der Reichskanzler Fürst Bismarck, nachdem er unterm 21. December v. J. auf seinen Antrag von dem Vorsitze im Staats-Ministerium entbunden worden war, nunmehr auf den Wunsch des Kaisers und Königs denselben wieder übernommen.

Se. Majestät hatte bereits in dem Schreiben vom 1. Jannar d. J. an den Fürsten ausgesprochen, mit wie schwerem Herzen er dem Antrage desselben gewillfahrt habe, wie er aber nach der geistigen und körperlichen Anstrengung, welche in den zehn Jahren dieser Stellung von ihm verlangt worden, nicht habe anstehen können, dem Fürsten die beantragte Erleichterung zu bewilligen. Wenn der König genehmige, daß derselbe die mit so sicherer und fester Hand geführte Verwaltung Preußens niederlege, so werde er mit derselben doch unter Fortführung der politischen Aufgaben Preußens in Verbindung mit denen der deutschen Reichskanzler-Stellung im engsten Zusammenhange bleiben. Se. Majestät sprach schließlich den Wunsch aus, daß die dem Fürsten gewährten geschäftlichen Erleichterungen die Kräftigung seiner Gesundheit sichern möchten, damit er noch länger dem engern und weitern Vaterlande seine bewährten Dienste widmen möchte.[1])

---

[1]) Vgl. oben Seite 112 f.

Der Feldmarschall Graf von Roon wurde in Uebereinstimmung mit den Wünschen des Fürsten Bismarck damals mit dem Präsidium des Staats-Ministeriums betraut. —

Nachdem der bisherige Minister-Präsident Graf von Roon aus dringenden Gesundheitsrücksichten nunmehr sein Abschiedsgesuch angelegentlichst erneuert hatte, und Se. Majestät ihm die Entlassung nicht länger zu versagen vermochte, trat von Neuem der lebhafte Wunsch in den Vordergrund, daß Fürst Bismarck selbst das Präsidium wieder übernehme.

Es konnte dies selbstverständlich nur geschehen, wenn ihm die unerläßliche Erleichterung, welche er zuvor nur in der Niederlegung des Präsidiums finden zu können geglaubt hatte, durch eine andere Einrichtung im Präsidium selbst, durch eine wesentliche Abbürdung der Geschäftslast desselben gewährt wurde.

In solcher Absicht ist neben dem Präsidenten des Staats-Ministeriums noch ein Vice-Präsident desselben eingesetzt und zu dieser Stellung der Finanz-Minister Camphausen unter Belassung an der Spitze der Finanzverwaltung berufen worden.

Es handelt sich bei dieser Einrichtung vor Allem darum, dem Reichskanzler die obere Leitung der preußischen Verwaltung im Zusammenhange mit der Reichspolitik zu ermöglichen, ohne daß die tägliche Sorge und Verantwortung für die mannigfachen besonderen Aufgaben des preußischen Ministeriums seine Kraft zersplittere und aufreibe.

Der Präsident des Staats-Ministeriums wird der preußischen Verwaltung auch ferner Ziel und Richtung in Uebereinstimmung mit den Aufgaben der allgemeinen Politik anweisen; dem Vice-Präsidenten wird in stetem Einvernehmen mit dem Präsidenten die bedeutende und ehrenvolle Aufgabe zufallen, den Gang in allen Zweigen der Verwaltung in steter Harmonie mit den leitenden Gesichtspunkten und den Erfordernissen der Gesammtpolitik zu erhalten.

Zu Nr. 76.

Am 13. Juli machte in Kissingen der Böttchergeselle Kullmann den Mordversuch gegen den Fürsten Bismarck. Der Kaiser erhielt die Nachricht in München, wo er sich auf der Durchreise nach Gastein gerade befand.

Der eine Satz der kaiserlichen Kundgebung ist mitgetheilt bei Jahnke, Fürst Bismarck und seine Zeit, Bd. II, Seite 846.

Zu Nr. 77.

Horst Kohl, dessen Bismarck-Jahrbuch Band VI, S. 227 wir diesen Brief entnehmen, war in den Stand gesetzt, schon Band IV, S. 34 f. zwei Concepte dieses Briefes zu veröffentlichen, eins von fremder Hand mit Bismarckschen Correkturen (A) und ein eigenhändiges (B).

A.

Kissingen, 27. Juli 1874.

Ew. Majestät

allergnädigstes Schreiben vom 17. d. M. zu beantworten, verbot mir bisher ärztliche Vorschrift und auch heut noch zwingt mich mein Zustand, mich einer fremden Hand zu bedienen.

Unter allen Zeichen der Theilnahme, die mir von so vielen Seiten zngegangen sind, konnte mich nichts mehr aufrichten und beglücken, als die Worte, welche Ew. Majestät an mich gerichtet haben. Denn sie reichen über den Augenblick hinaus und knüpfen an die Vergangenheit an, in der es mir vergönnt gewesen ist, Ew. Majestät unter Gottes Segen zu dienen. Möge es mir gelingen, mit Ew. Majestät mir zu jeder Zeit unentbehrlichem Beistand die Aufgabe meines Lebens zu vollenden, welches in Ew. Majestät Dienst gefährdet, auch diesmal wieder durch Gottes Hülfe aus Mörderhand gerettet worden ist.

Diese Gefahr und die Schädigung, welche meine Gesundheit dadurch erfahren, werde ich gern über mich nehmen, wenn die durch das Attentat allgemein gewordene Erkenntniß der Pläne unsrer Gegner die Durchführung der von Ew. Majestät mir gestellten Aufgabe erleichtert.

Geruhn Ew. Majestät mit meinem ehrfurchtsvollen Dank meinen allerunterthänigsten Wunsch für ungestörten und befriedigenden Erfolg von Allerhöchstdero Cur zu genehmigen.

v. Bismarck.

B.

Kissingen, 27. Juli 1874.

Ew. Majestät

wollen huldreich verzeihen, daß ich meinen ehrfurchtsvollen Dank für das so gnädige Schreiben vom 17. zurückgehalten habe, bis ich selbst wieder die Feder führen kann. Es geht noch schlecht, aber doch genug, um selbst schreiben zu können, wie sehr mich die Worte Ew. Majestät erfreut und erhoben haben.

Ew. Majestät sprachen bei meiner Ernennung zum General ein huldreiches Wort, welches meine innerste Empfindung traf, daß ich Ew. Majestät auch als Minister mit im Sinne des Soldaten diente. Ich bin bemüht, als solcher dem erhabenen Beispiel treuer Pflichterfüllung nachzustreben, welches Ew. Majestät Ihren Dienern geben. Möge es mir auch gelingen, Ew. Majestät darin nachzufolgen, daß ich mich durch dergl. Real-Injurien, wie die vom 13., weniger erbittern lasse. Ich bitte Gott um Demuth und Versöhnlichkeit, denn Zorn und Haß sind schlechte Rathgeber in der Politik.

v. Bismarck.

Die Ernennung Bismarcks zum General(-Major) erfolgte am 20. September 1866.

Zu Nr. 78.

Es hat den Anschein, als wäre niemals dem Fürsten Bismarck ein Brief so schwer geworden wie dieser. Das zeigen die Entwürfe, die Streichungen, Zusätze, Aenderungen, die daran vorgenommen worden sind. Horst Kohl ist die Benutzung der Concepte für den ersten Jahrgang des Bismarck-Jahrbuches (Seite 87—90) gestattet worden. Wir geben hier einen genauen Abdruck von dem Entwurf und seinen Bearbeitungen nach Kohls Darstellung:

Berlin, . Februar 1875.

An
Se. Majestät den Kaiser und König.

Ew. K. und K. M. erlaube ich mir Nachstehendes ehrfurchtsvoll vorzutragen.

Bei meiner Rückkehr nach Berlin im Spätherbst v. J. glaubte ich die Hoffnung für berechtigt halten zu dürfen, daß nach (längerer schwerer Krankheit und nach)[1]) einer mehrmonatlichen Beurlaubung (* und dem [2]) Gebrauch der Kissinger Brunnencur) meine Gesundheit sich genügend gekräftigt habe, um den Geschäften des von Ew. Majestät mir übertragenen Amtes[3]) noch längere Zeit hindurch[4]) unbehindert vorstehn zu können. Diese Hoffnung ist leider nicht in Erfüllung gegangen.[5]) (*Eine kurze Wiederaufnahme meiner Geschäfte hat genügt, um mich wiederum von Weihnachten an mehrere Monate an das Zimmer zu fesseln, so daß ich während derselben [des ganzen Winters, 2. Red.] nur einem geringen Theile meiner dienstlichen Obliegenheiten zu genügen vermochte. In dem

---

1) Ergänzung im Entwurf am Rande. — 2) Im Entwurf corrigirt in: unter dem. — (*Von hier an bis zum Ende der Klammer im Entwurfe als Ergänzung am Rande. — 3) Im Entwurfe corrigirt in: der . . . Aemter.
4) Im Entwurfe gestrichen und ersetzt durch: wiederum. — 5) Im Entwurfe:

Glauben, hinreichend gekräftigt [hergestellt] zu sein, bin ich Anfangs April dem Bedürfniß gefolgt, Ew. Maj. Dienst meine pflichtmäßige Mitwirkung zu leisten und habe [,habe aber, 3. Red.] nach wenig Tagen wiederum bis jetzt das Bett und das Zimmer hüten müssen.)[6]) Die Erfahrungen der letzten Monate[7]) lassen mir keinen Zweifel darüber, daß ich eine Wirksamkeit, wie solche von meinem Amte unzertrennlich ist, fernerhin durchzuführen außer Staude bin, und daß nach einer 24jährigen Dienstzeit [Thätigkeit, 2. Red.] (auf dem Felde der höheren Politik)[8]), von welcher mehr als die Hälfte durch die verantwortungsreiche Stellung als erster politischer Rathgeber Ew. Maj. ausgefüllt ist,[9]) meine Kräfte nicht mehr ausreichen, um (*die schwere Bürde der Geschäfte noch länger zu tragen. Letztere)[10]) erheischen ihrer Natur nach einen vollständigen Verzicht auf Schonung und Ruhe (* und wirken um so aufreibender, als an Reichskanzler und Ministerpräsidenten, so lange derselbe in Berlin ist, noch vielfach Ansprüche persönlicher Natur herantreten, welchen er sich in seiner Stellung nicht gut zu entziehen vermag. Unter dem Einfluß dieser Umstände, denen sich noch die unruhige Lage und ungünstige Configuration meiner hiesigen Dienstwohnung hinzugesellt, entbehre ich schon seit Wochen der für die Erfüllung meiner Pflichten unentbehrlichen Erquickung eines ruhigen und ausreichenden Schlafes.)[11]) Die Aerzte haben mir wiederholt erklärt, daß meine körperlichen Kräfte (* einer solchen)[12]) Lebensweise (* auf die Länge nicht)[13]) gewachsen seien[14]), vielmehr unter derselben (in kurzer Zeit)[15]) zusammenbrechen würden[16]).

Vom besten Willen erfüllt, Ew. Majestät und dem Vaterlande (* auch ferner)[17]) meine Dienste zu widmen, fühle ich mich (mit

---

„ist . . . gegangen“ gestrichen und ersetzt durch: ging. — 6) Von (* an im Entwurfe als Ergänzung am Rande. — 7) Im Entwurfe unter Streichung der Worte: „der letzten Monate“ corrigirt in: diese Erfahrungen. — 8) Im Entwurfe als Ergänzung am Rande. — 9) Im Entwurfe gestrichen und ersetzt durch: wurde. — 10) Von (* bis hierher im Entwurfe gestrichen und am Rande ersetzt durch: den hohen Aemtern, die Ew. pp. Gnade mir übertragen hat, in gewissenhafter Weise ferner vorstehn zu können. Dieselben u. s. w.

11) Von (* an im Entwurfe gestrichen und am Rande ersetzt durch: und auch bei zeitweisem längern Urlaub, wie Ew. Majestät ihn mir zu meiner Herstellung wiederholt allergnädigst bewilligt haben, ist es für mich nicht möglich, ohne Kenntniß und Theilnahme an den Geschäften zu bleiben, so lange mir bevorsteht, daß ich dieselben von Neuem zu übernehmen haben werde. Mein Interesse an meinen dienstlichen Obliegenheiten, so lange es solche für mich sind, bleibt zu lebhaft, und meine Verantwortlichkeit bei der Tragweite derselben ist zu groß, als daß ich in einer Zwischenzeit jeder Betheiligung entsagen könnte auf die Gefahr hin, die Lage bei dem Wiederantritt so verändert zu finden, daß die Weiterführung für mich nicht thunlich wäre. — 12) Im Entwurfe corrigirt in: meiner bisherigen. — 13) Durch Streichung und Correktur im Entwurfe geändert in: nicht mehr. — 14) Im Entwurfe corrigirt in: sind. — 15) Im Entwurfe Ergänzung über der Zeile. — 16) Im Entwurfe corrigirt in: werden. —

tiefem Bedauern)[18]) außer Stande dazu und (*halte mich verpflichtet)[19], Allerhöchstdieselben davon rechtzeitig[20]) allerunterthänigst in Kenntniß zu setzen. Wohl habe ich mich [noch in diesem Winter, Zusatz 2. Red.] eine Zeit lang mit der Hoffnung getragen, (*durch einen für den nächsten Sommer zu erbittenden längeren Urlaub — wenn Ew. Majestät mir denselben in Gnaden zu bewilligen geruhen würden[21]) — die Entscheidung[22]) hinausschieben zu können. Je länger, je mehr befestigt sich jedoch in mir die Ueberzeugung, daß ich den Pflichten des von Ew. Majestät mir anvertrauten Amtes nicht mehr in dem Umfange zu genügen vermag, (*wie Ew. Majestät es zu erwarten berechtigt sind und)[24]) wie [mein Pflichtgefühl und, Zusatz 2. Red.] die mir obliegende Verantwortlichkeit solches[25]) erfordert (erfordern, 2. Red.) (*und in dieser Ueberzeugung erachte ich es als unabweislich, der Nothwendigkeit meines Rücktritts schon jetzt näher zu treten. Dabei gestatte ich mir nur noch die allerunterthänigste Bemerkung, daß, wenn die politischen Verhältnisse des Reiches in diesem Augenblicke kritisch wären, ich es als meine Pflicht ansehen — und mich der Erfüllung dieser Pflicht sicherlich nicht entziehen — würde, meine letzten Kräfte für den Allerhöchsten Dienst einzusetzen. Die günstige Lage (der innern Verhältnisse und)[26]) unserer politischen Beziehungen[27]) läßt mich jedoch eine derartige Verpflichtung nicht als vorhanden annehmen, und ich habe daher nicht länger zögern zu dürfen geglaubt, im Hinblick auf die an die Nothwendigkeit meines Rücktritts sich knüpfenden Erwägungen und Entschließungen Ew. Majestät schon jetzt über die Sachlage allerunterthänigst Vortrag zu halten.)[28])

---

17) Im Entwurfe gestrichen. — 18) Im Entwurfe Ergänzung über der Zeile.
19) Im Entwurfe gestrichen und ersetzt durch: bin gezwungen. — 20) Im Entwurfe gestrichen. — 21) Im Entwurfe gestrichen und ersetzt durch: in Abwartung der Wirkungen des nächsten Sommers. In 2. Red. sind diese Worte wieder gestrichen. — 22) Im Entwurfe gestrichen und ersetzt durch: meine Entschließung. — 24) Im Entwurfe Ergänzung am Rande. — 25) Im Entwurfe gestrichen und ersetzt durch: es. — 26) Zusatz im Entwurfe. — 27) Im Entwurfe corrigirt in: der politischen Beziehungen Deutschlands. 28) Von (* gestrichen und am Rande durch Folgendes ersetzt:

Ew. Majestät bitte ich daher ehrfurchtsvoll, huldreichst genehmigen zu wollen, daß ich mit der gesetzlichen Pension aus dem Allerhöchsten Dienst ausscheide, und versichert zu sein (in 2. Red. ist nach „ausscheide" der Satz geschlossen. Die Worte: und versichert zu sein, sind corrigirt in: Ew. Majestät wollen versichert sein), daß ich Ew. Majestät (Allerhöchstdenselben, 2. Red.) lebenslänglich in ehrfurchtsvollem Danke verbunden bleibe für die Huld und Nachsicht, mit der Ew. Majestät mir gestattet haben, dem Kgl. Hause und dem Vaterlande in ehrenvollen Stellungen und in denkwürdigen Zeiten zu dienen, und für die hohen Auszeichnungen, deren Ew. Majestät mich in diesem Dienste gewürdigt haben. Die günstige Lage der innern Verhältnisse und der politischen

Von einzelnen Punkten seien noch folgende erwähnt: Fürst Bismarcks Rückkehr von Varzin nach Berlin im Spätherbst 1873 erfolgte am 27. Oktober; vom 2.—11. November verweilte er dann noch in Friedrichsruh. — Schon am Neujahrstage 1875 war der Fürst durch rheumatische Schmerzen an das Zimmer gefesselt; ein großer Theil der Sitzungen des Staats-Ministeriums während der ersten Monate des Jahres fand in der Wohnung des Fürsten statt. Mit dem Kaiserlichen Besuch ist die für den 10. Mai erwartete Ankunft Kaiser Alexanders II. von Rußland gemeint. — Daß das Abschiedsgesuch lange erwogen war, ergiebt die Datirung des ersten Entwurfs aus dem Februar.

Zu Nr. 80.

Die Unterschrift des Allerhöchsten Erlasses vom 4. Juni 1875, die Worte „Ihr treu ergebener Freund Wilhelm", ist vom Kaiser eigenhändig geschrieben worden.

Die Beurlaubung des Fürsten Bismarck erfolgte auf Grund mündlichen Vortrages bei dem Kaiser. Die Vertretung des Reichskanzlers wurde auf den Staatssekretär im Auswärtigen Amte von Bülow, den Präsidenten des Reichskanzler-Amtes Staats-Minister Delbrück und den Vicepräsidenten des Staats-Ministeriums Finanz-Minister Camphausen vertheilt.

(2. Red.: auswärtigen) Beziehungen Deutschlands gestattet Ew. Majestät eine Aenderung, die in Kurzem von jedem menschlichen Willen unabhängig eintreten muß, im gegenwärtigen Moment in jeder zweckmäßig erscheinenden Gestalt eintreten zu lassen (* und einem Diener, der Ew. Majestät gern die besten Jahre und die Kräfte seines Lebens dargebracht hat (2. Red.: der Ew. Majestät gern an Kräften dargebracht hat, was er zu leisten vermochte), den erbetenen Ruhestand zu gewähren. a)

a) Der Satz von (* an ist in 3. Red. gestrichen und ersetzt durch: Da Ew. Majestät bereits die Gnade gehabt haben, mir zu gestatten, daß ich in nächster Zeit zu meiner Erholung einen längern Urlaub antrete, so werden die für die Zeit eines solchen in der Regel getroffenen Einrichtungen für meine Vertretung auch jetzt genügen, und Ew. Majestät durch die Umstände nicht gedrängt sein, definitive Anordnungen früher, als vor Ablauf meines Urlaubs zu treffen. Ich möchte auch ehrfurchtsvoll anheimstellen, etwaige Verhandlungen über die Zukunft nicht so früh bekannt werden zu lassen, daß die eintretende Veränderung wegen des Kaiserlichen Besuches irrthümlich mit diesem in der öffentlichen Meinung in Verbindung gebracht werden könnte, und man ihr andere Gründe unterschöbe, als die Lage meiner Gesundheit.

Ew. Majestät wollen huldvollst überzeugt sein, daß der Schritt, den ich thue, mir ein sehr schwerer ist; ich scheide ungern aus Ew. Majestät Nähe und aus der gewohnten Thätigkeit, und habe meinen Entschluß Monate lang erwogen, gefaßt und wieder aufgegeben, schließlich aber von Neuem eingesehn, daß ich Ew. Majestät Dienst dargebracht habe, was ich zu leisten vermochte, und daß ich mein Amt in einer mit meinem Pflichtgefühl unerträglichen Weise nicht weiterzuführen vermag.

Zu Nr. 81.

Wir entnehmen den Brief den Gedanken und Erinnerungen Band II, Seite 177—179. Wenn auch die Umstände, denen er seinen Ursprung verdankt, selbst weiteren Kreisen bekannt sind, wollen wir doch den Commentar, den Fürst Bismarck an derselben Stelle selbst dazu giebt, hierher setzen. Der Fürst schreibt:

Als 1875 während der Vacanz des Botschafterpostens ein Legationssekretär als Geschäftsträger fungirte, wurde Herr von Radowitz, damals Gesandter in Athen, en mission extraordinaire nach Petersburg geschickt, um die Geschäftsführung auch äußerlich auf den Fuß der Gleichheit zu bringen. Er hatte dadurch Gelegenheit, sich durch entschlossene Emancipation von Gortschakows präpotenter Beeinflussung dessen Abneigung in einem so hohen Grade zuzuziehen, daß die Abneigung des russischen Cabinets gegen ihn ungeachtet seiner russischen Heirath vielleicht heut noch nicht erloschen ist.

Die Rolle des Friedensengels, sehr geeignet, Gortschakows Selbstgefühl durch den ihm über Alles theuren Eindruck in Paris zu befriedigen, war von Gontaut in Berlin vorbereitet worden; es läßt sich annehmen, daß seine Gespräche mit dem Grafen Moltke und mit Radowitz, die später als Beweismittel für unsre kriegerischen Absichten angeführt wurden, von ihm mit Geschick herbeigeführt waren, um vor Europa das Bild eines von uns bedrohten, von Rußland beschützten Frankreich zur Anschauung zu bringen. In Berlin am 10. Mai 1875 angekommen erließ Gortschakow unter dem Datum dieses Ortes ein zur Mittheilung bestimmtes telegraphisches Circular, welches mit den Worten anfing: „Maintenant“, also unter dem russischen Druck, „la paix est assurée,“ als ob das vorher nicht der Fall gewesen wäre. Einer der dadurch avisirten außerdeutschen Monarchen hat mir gelegentlich den Text gezeigt.

Ich machte dem Fürsten Gortschakow lebhafte Vorwürfe und sagte, es sei kein freundschaftliches Verhalten, wenn man einem vertrauenden und nichtsahnenden Freunde plötzlich hinterrücks auf die Schulter springe, um dort eine Circus-Vorstellung auf seine Kosten in Scene zu setzen, und daß dergleichen Vorgänge zwischen uns leitenden Ministern den beiden Monarchieen und Staaten zum Schaden gereichten. Wenn ihm daran liege, in Paris gerühmt zu werden, so brauche er deshalb unsre russischen Beziehungen noch nicht zu verderben; ich sei gern bereit, ihm beizustehn und in Berlin Fünffrankenstücke schlagen zu lassen mit der Umschrift: Gortschakoff protège la France; wir könnten auch in der deutschen Botschaft ein Theater herstellen, wo er der französischen Gesellschaft mit derselben Umschrift als

Schutzengel im weißen Kleide und mit Flügeln in bengalischem Feuer vorgeführt würde.

Er wurde unter meinen bittern Invectiven ziemlich kleinlaut, bestritt die für mich beweiskräftig feststehenden Thatsachen und zeigte nicht die ihm sonst eigne Sicherheit und Beredsamkeit, worans ich schließen durfte, daß er Zweifel hatte, ob sein kaiserlicher Herr sein Verhalten billigen werde. Der Beweis wurde vervollständigt, als ich mich bei dem Kaiser Alexander mit derselben Offenheit über Gortschakows unehrliches Verhalten beschwerte; der Kaiser gab den ganzen Thatbestand zu und beschränkte sich rauchend und lachend darauf, zu sagen, ich möge diese vanité sénile nicht zu ernsthaft nehmen. Die dadurch allerdings ausgesprochene Mißbilligung hat aber niemals einen hinreichend authentischen Ausdruck gefunden, um die Legende von unsrer Absicht, 1875 Frankreich zu überfallen, aus der Welt zu schaffen. (Ged. u. Er. II, S. 174 u. 175.)

Thatsache ist auch, daß die englische Regierung, an deren Spitze damals Disraeli stand — Lord Derby war Minister des Auswärtigen —, die gute Gelegenheit benützen wollte, um das Dreikaiserbündniß zu sprengen und Deutschland zu isoliren. Gegenüber der angeblichen Berliner Kriegslust wollte das englische Cabinet eine Friedensliga stiften und forderte die anderen Mächte zur Unterzeichnung einer „Friedensmediation“ auf. Der Plan mißlang, weil Graf Andrassy, der damalige Leiter der östreichisch-ungarischen Politik, rundweg erklärte, er sähe keinen Anlaß, Deutschlaud eine friedenstörende Tendenz zuzuschreiben, zumal er vom Fürsten Bismarck officielle Zusicherungen über die gemäßigten Absichten der deutschen Regierung habe. (Vgl. mein Werk „Fürst Bismarck nach seiner Entlassung“, Band IV, Seite 223.)

Die „Seite“, „von welcher her so ‚kräftige Irrthümer‘ nach Windsor haben befördert werden können“, ist wohl Seite 172 von Bd. II der Gedanken und Erinnerungen zu suchen. Der französische Botschafter in Berlin, von Gontaut-Biron, war kurz vor dem Berliner Besuch Alexanders II. bei Fürst Gortschakow in Petersburg gewesen.

Die letzten drei Absätze des Briefes sind in den Gedanken und Erinnerungen nicht, sondern nur im IV. Bande des Bismarck-Jahrbuches, Seite 37 f., enthalten.

Zu Nr. 82.

Die Hoffnung des Kaisers ging in Erfüllung: in Wien war diese Ernennung ebenso willkommen; so wurde denn Graf zu Stolberg-Wernigerode, damals Präsident des Herrenhauses, schon am 19. Februar zum Botschafter in Wien ernannt.

Zu Nr. 83.

Eduard von Möller, bis dahin Oberpräsident von Hessen-Nassau, wurde am 7. September 1871 an Stelle des Grafen von Bismarck-Bohlen mit den Geschäften des Generalgouvernements und zugleich denen des Civilcommissariats betraut; dies Amt wurde noch Ende 1871 in ein Oberpräsidium umgewandelt. In welchem Maße er das Vertrauen der Bevölkerung im Reichslande erworben hat, zeigt ein Satz der Resolution, die die Commission des Landesausschusses zur Vorberathung des Entwurfes über die Landesgesetzgebung am 1. Juni 1876 zur Annahme empfahl und auch einstimmig vom Landesausschuß angenommen wurde. Da heißt es: „Sie werden auch darin der Commission Ihre Zustimmung geben, wenn dieselbe ganz besonders und sehr nachdrücklich verlangt, . . . daß dem dermaligen Oberpräsidenten, der in hohem Grade das Vertrauen des Landesausschusses besitzt, die ausgedehntesten Befugnisse eingeräumt werden"

Zu Nr. 84.

Das Herzogthum Lauenburg war bis dahin in Personalunion mit Preußen verbunden gewesen; Fürst Bismarck war im Nebenamt Minister für das Herzogthum Lauenburg. Der am 2. Februar 1876 dem Landtage des Herzogthums vorgelegte Vertragsentwurf betr. Einverleibung des Landes in die preußische Monarchie wurde von diesem am 18. Februar angenommen, am 27. März in erster Lesung vom Abgeordnetenhause berathen und am 5. April auch hier angenommen.

Von der Berufung des Fürsten Bismarck ins Herrenhaus machte der Kaiser gleichzeitig dem Staats-Ministerium Mittheilung:

> Nachdem das Herzogthum Lauenburg in Gemäßheit des Gesetzes vom 23. v. M. am heutigen Tage mit Meiner Monarchie vereinigt worden, habe Ich beschlossen, dem Kanzler des Deutschen Reiches und Präsidenten des Staats-Ministeriums Fürsten v. Bismarck als Besitzer des mit der im genannten Herzogthum belegenen Herrschaft Schwarzenbek errichteten Fideicommisses das erbliche Recht auf Sitz und Stimme im Herrenhause zu verleihen.
>
> Indem Ich dem Staats-Ministerium hiervon Kenntniß gebe, veranlasse Ich dasselbe, darüber eine besondere Urkunde, in welcher das Nähere wegen der Vererbung des verliehenen Rechts anzugeben ist, auszufertigen und Mir zur Vollziehung vorzulegen.
>
> Den Fürsten v. Bismarck habe Ich persönlich von seiner Berufung denachrichtigt, von welcher dem Präsidium des Herrenhauses

Mittheilung zu machen ist. Bei der Eröffnung des Landtages Meiner Monarchie ist der Fürst Bismarck in derselben Weise, wie die übrigen Mitglieder des genannten Hauses, welche den Fürstentitel führen, einzuladen, seinen Sitz im Herrenhause einzunehmen.

Bad Ems, den 1. Juli 1876.

Wilhelm.

An das Staats-Ministerium.

Zu Nr. 85.

Dieser Immediatbericht, den wir der Poschingerschen Sammlung „Aktenstücke zur Wirthschaftspolitik des Fürsten Bismarck", Band I, Seite 238 f. entnehmen, gehört streng genommen nicht in einen Briefwechsel. Trotzdem glaubten wir ihm einen Platz hier einräumen zu müssen; denn er bekundet deutlich, wie auch die vom Fürsten Bismarck inaugurirte Schutzzollpolitik des Deutschen Reiches lange vor ihrem Hervortreten an die Oeffentlichkeit mit dem Kaiser eingehend und gründlich vorberathen worden ist.

Acquits-à-caution sind in Frankreich Begleitscheine für Waaren im Durchfuhr- oder Veredelungsverkehr; deren Verzollung wird auf die acquits hin aufgeschoben oder auch ganz nachgelassen.

Zu Nr. 86.

Graf Redern hatte dem Fürsten Bismarck die Ernennung zum Erboberlandjägermeister des Herzogthums Pommern überbracht. Wie aus dem Bismarckschen Briefe hervorgeht, ist dieses Erdamt an den Besitz der Herrschaft Varzin geknüpft, der inzwischen, wie der Fürst also schon damals beabsichtigt hat, an den Grafen Wilhelm Bismarck, Oberpräsidenten der Provinz Ostpreußen, übergegangen ist. Dessen Taufe fand in Frankfurt a/M. am 22. September 1852 statt. (Vgl. oben S. 186.)

Zu Nr. 87.

Am 27. März hatte Fürst Bismarck den Kaiser um Enthebung von seiner amtlichen Stellung im Reiche und in Preußen gebeten. Der Wortlaut dieses Entlassungsgesuches ist bisher nicht bekannt geworden. Wohl aber verbreiten zwei Zeitungsartikel aus jenen Tagen einiges Licht darüber. Der erste stand in der „Post" vom 6. April und lautete:

Zur Kanzlerkrisis.

Eine von höchst glaubwürdiger Seite uns zugehende Mittheilung gewährt ein weitaus verändertes Bild der schwebenden Regierungskrisis im Unterschied von demjenigen Bilde, welches bis jetzt auf Grund höchst lückenhafter oder eigentlich gänzlich mangelnder sicherer Kunde der bewegenden Vorgänge sich in stündlich schwankenden Umrissen bilden konnte.

Vor Allem ist festzustellen, daß der Reichskanzler am gestrigen Tage, 5. April, und ebenso an den Vortagen, die laufenden Vorträge in gewohnter Weise entgegengenommen, Erlasse gezeichnet und überhaupt seine Aemter noch regelmäßig versehen hat. Das auf Gesundheitsrücksichten gegründete Entlassungsgesuch liegt allerdings Sr. Majestät dem Kaiser vor. Aber in welchem Sinne die Allerhöchste Entscheidung darüber ausfallen wird, ob ein Urlaub auf längere bestimmte oder unbestimmte Zeit, oder ein ganz kurzer Urlaub bewilligt werden dürfte, der nur die nöthige Zeit zu den genügenden Verhandlungen über die wichtige Entscheidung gewähren soll, darüber war bis gestern Abend noch nicht das Mindeste bekannt oder auch nur zu vermuthen. Der Fürst hat daher noch keine Reiseanstalten getroffen, die Visitenkarten, die er gestern versendet, hatten nicht die Bedeutung eines Abschiedszeichens, sondern des Dankes für die am 1. April ihm ausgesprochenen Glückwünsche.

Was nun die Beweggründe zum Entlassungsgesuche anlangt, so macht der Fürst die in Folge angegriffener Gesundheit bemerkbare Abnahme seiner Arbeitskräfte geltend. Nach der Erinnerung verschiedener Personen hat der Fürst schon vor Wochen und keineswegs nur in vertraulicher Weise geäußert, daß ihm die Arbeitslast seines Dienstes zu groß werde, wenn derselbe so beschaffen bliebe, wie er jetzt ist. Der Fürst hat aber dabei durchaus nicht zu erkennen gegeben, daß ihm ohne Weiteres als die richtige Verminderung seiner Arbeitslast die Vertheilung derselben auf verschiedene verantwortliche Personen erscheine.

Der Fürst trägt vielmehr in seinem Haupte durchdachte und im großen Zusammenhange entworfene Reformpläne auf verschiedenen Gebieten der inneren Einrichtungen. Wir nennen als solche Gebiete die socialpolitische Gesetzgebung, das Steuersystem im Reich wie in den Einzelstaaten, die Eisenbahnfrage. Der Fürst glaubt, daß, wenn die auf diesen Gebieten unerläßlichen Reformen nicht in dem von ihm gefaßten großen Sinne baldigst in Angriff genommen und durchgeführt werden, Mißstände und Gefahren unseres Volkslebens eintreten müssen, für welche er die Verantwortung nicht ablehnen könnte und möchte, wie beschränkt immer der Umfang seines besonderen Dienstes und seiner besonderen Verantwortlichkeit geordnet werden möchte. Es liegt also eine Aufgabe vor, welche der Fürst als durchaus unerläßlich ansieht, für deren glückliche und schnelle Lösung er jedoch weder seine alleinigen Kräfte, noch die Ergänzung durch die ihm jetzt zur Seite stehenden Kräfte für zureichend hält. Die nothwendigen Reformen stückweise, unter Mißverständnissen und Aergernissen aller Art, vielleicht ohne genügenden Erfolg im Ganzen, erkämpfen zu müssen: das ist die Aussicht, welche den Fürsten zur Einreichung seiner Entlassung bewogen hat, weil er auf keinen Fall dieser Aufgabe seine Kräfte noch gewachsen hoffen darf. Er würde Leben und Gesundheit an ein vergebliches Beginnen gesetzt zu haben nach kurzer Zeit fürchten müssen. Ganz anders wäre die Lage, wenn der Fürst entweder Helfer zur Seite hätte, die auf seine Intentionen in den gedachten Beziehungen völlig, willig und wirksam eingingen, oder aber, wenn eine Mehrheit des Reichstags sich bilden könnte, welche für dieselben Intentionen mit geschlossener Kraft ohne Schwanken eintretend, die Leiter der betreffenden Dienstzweige von ihren Scrupeln befreien und dieselben zu einem schnellen Gang der Reformarbeit in die nach der Ueberzeugung des Fürsten richtige Bahn drängen würde.

Der andere Artikel ist im „Berliner Tageblatt" vom 9. April erschienen.

Der müde Jäger.

Die Gegner des Fürsten Bismarck — und ihre Zahl ist keine geringe — haben alle Ursache, die Jubelhymnen zu bereuen, mit denen sie seinen vermeintlichen Rücktritt feierten und in einer Weise escomptirten, welche keinen Zweifel an der Natur ihrer Empfindungen gestattete. Ist auch formell das lediglich mit Gesundheitsrücksichten motivirte Entlassungsgesuch des Reichskanzlers vom Kaiser noch nicht erledigt, so steht doch schon heut so viel fest, daß Wilhelm I. nicht daran denkt, sich von seinem Bismarck zu trennen! Was auch immer zu den Verstimmungen und Erschöpfungen des großen Staatsmannes Anlaß gegeben haben mag, seine Kraft soll dem Reiche unverloren bleiben, und wenn heute ein inspirirtes Orakel die Parole ausgiebt: „Die Möglichkeit eines anderen Ausgangs, als des bisher erwarteten, erscheint durchaus nicht ausgeschlossen," so glauben wir diese geheimnißvolle Meldung dahin ergänzen zu können, daß fürs Erste das Ausscheiden des Kanzlers aus seiner Machtsphäre nicht mehr befürchtet zu werden braucht. Der Kaiser mag dem Fürsten einen längeren oder kürzeren, einen „vorläufigen" oder definitiven Urlaub gewähren, die Reichsmaschinerie wird weder stille stehen, noch soll sie ihres Ober-Maschinenmeisters entbehren.

Darum sind freilich die Verstimmungen und Erschöpfungen des Reichskanzlers, welche ihm sein Pensionirungsgesuch diktirten, nicht minder vorhanden gewesen und sind vielleicht in diesem Augenblicke noch vorhanden. Der gestern von uns des dreiteren erörterte Artikel der „Post", dessen Ursprung sicherlich in der Wilhelmsstraße zu suchen ist, ließ ja darüber gar keinen Zweifel bestehen. Nach unseren Informationen war es dem Reichskanzler ganz aus der Seele gesprochen, wenn dort gesagt wurde:

„Ganz anders wäre die Lage, wenn der Fürst entweder Helfer zur Seite hätte, die auf seine Intentionen in den gedachten Beziehungen völlig, willig und wirksam eingingen, oder aber, wenn eine Mehrheit des Reichstags sich bilden könnte, welche für dieselben Intentionen mit geschlossener Kraft ohne Schwanken eintretend, die Leiter der betreffenden Dienstzweige von ihren Scrupeln befreien und dieselben zu einem schnellen Gang der Reformarbeit in die nach der Ueberzeugung des Fürsten richtige Bahn drängen würde."

Daraus ist zunächst zu entnehmen, daß die Helfer, welche dem Reichskanzler in diesem Augenblick zur Seite stehen, nicht „völlig, willig und wirksam" auf seine Intentionen eingehen mögen, ein Vorwurf, der sich in gleicher Weise gegen seine Collegen im preußischen Ministerrathe als gegen die nationalen Parteien im Reichstage wendet. In beiden Sphären vermißt mithin der Reichskanzler jene verständnißinnige Hülfsbereitschaft für die von ihm zunächst in socialpolitischer und wirthschaftlicher Beziehung gepflegten Reformideen, welche allein im Stande wären, das Manco an Kraft zu decken, über welches er sich, ob seiner geschwächten Gesundheit, zu beklagen hat.

Man theilt uns mit, daß der Reichskanzler selbst in drastischer Form sein Verhältniß zu diesen großen Plänen und zu seinen Mitarbeitern durch ein Gleichniß geschildert habe, welches allerdings geeignet ist, auch dem ferne Stehenden einen ungefähren Begriff von der Stimmung zu geben, in welcher er die Kanzlerkrisis über das Reich hereinbrechen ließ: „Fürst Bismarck verglich sich mit einem müden Jäger, der, von tagelanger, vergeblicher Pürsch abgemattet und fast verschmachtend, im Begriff ist, zu Boden zu sinken und die Jagd ganz aufzugeben; da signalisiren ihm die Jägerburschen ein paar herrliche Wildsauen, und flugs erwacht in ihm die alte Jägerlust, mit frischer Kraft bricht er auf und begiebt sich aufs Neue ans fröhliche Waidwerk. So auch würde er, müde und abgehetzt, wie er sich fühlt, dennoch mit neuer Energie und alter Kraft sich wieder an das Werk begeben, das zu vollbringen er sich vorgesetzt, wenn ihm die hülfreichen Jägerburschen zur Hand wären, um vereint mit ihm die Sauen zu stellen."

Wir vermögen in diesem Stoßseufzer des großen Staatsmannes nur eine Variation jener alten Klage zu erkennen, die er schon seit manchem Jahr über die Organisation unseres preußischen Ministeriums auf dem Herzen hat. Das Collegial-Verhältniß, welches dem genial Angelegten jede freie und kühne Initiative ungemein erschwert und den geistig hervorragenden Mann mit verantwortlich erscheinen läßt für die Unterlassungssünden — denn um diese handelt es sich vornehmlich — seiner Collegen, drückt ihn heute, wie in den Tagen, da Graf Roon auf kurze Zeit das Ministerpräsidium geführt, mit peinvoller Last. Dagegen empört sich seine innerste Seele. Er fühlt sich umgeben von unproduktiven Naturen. Während es in seinem Innern glüht und fluthet von ungeborenen Ideen, von Reformplänen, die ans Tageslicht wollen, ist kein einflußreicher und ergebener Faktor dienstwillig in der Nähe, welcher in der politischen Wochenstube, um es mit einem trivialen Wort zu bezeichnen, Hebammendienste zu leisten bereit wäre.

In der That, wenn es sich um so viel politische Reformen, um große Steuerfragen, um wirthschaftliche Neuerungen handelt, wird bei den Herren Camphausen und Achenbach von vornherein kein verständnißinniges Eingehen auf die Ideen des Kanzlers, geschweige denn jenes geistig verwandte Vorausahnen erwartet werden dürfen, welches zu finden dem Genie stets Bedürfniß bleibt. Fürst Bismarck ist in jenen nationalökonomischen und socialen Disciplinen, welche er jetzt im Sturmschritt nach seinem Bilde zu formen gewillt scheint, wenig mehr als ein Dilettant. Allerdings, so sehr oder so wenig man mit seinen Ideen übereinstimmen mag, ein genialer Dilettant. Solche genial angelegten Dilettanten arbeiten nothwendig nicht in regelmäßigem Bureauschritt an der endgültigen Ausschärfung der einmal angeregten Probleme; das überlassen sie den normal beanlagten Fachmännern, wenn diese „willig" sind. Dergleichen genialen Naturen gehen stoßweise vor und bedürfen einer Umgebung, welche den einmal empfangenen Stoß weitergiebt und fortpflanzt, ohne daß man jeden Augenblick in den Fall kommt zu constatiren, daß die ertheilte Anregung im Sande stecken geblieben ist.

Freilich, wenn Fürst Bismarck in der Lage wäre, sich auf eine parlamentarische Majorität zu stützen, welche, wie in England, Aussicht hätte, selbst an der Regierung mit theilzunehmen und für ihr Thun und Lassen jene Verantwortung zu übernehmen, die dem Regierenden allezeit obliegt, so wäre es wohl ein Leichtes, der Majorität des Parlaments die aufmerksamen „Jägerburschen" zu entnehmen, die noch nicht zu bequem geworden sind, um der Jagd auf die großen Reformen ihre frischesten und ausdauerndsten Kräfte zu widmen.

Aber will denn der Reichskanzler ein solches parlamentarisches Regiment, und wenn er es wollte, liegt es schon heute in seiner Macht, sich mit Gehülfen zu umgeben, die ihn verstehen, ihn anregen und bei denen seine intimsten Anregungen nicht auf unfruchtbares Erdreich fallen? Die Kanzlerkrisis hat sich somit für uns in eine Verfassungskrisis verwandelt, und wenn wir um den Preis einer solchen Krisis dahin gelangen können, ein wahres Cabinet, nach wirklich constitutionellem Zuschnitt einzutauschen, so ist uns das Collegialsystem, welches wir dafür im preußischen Ministerium aufzugeben hätten, schwerlich so sehr ans Herz gewachsen, daß wir demselben heiße Thränen nachzuweinen brauchten. Ein wirkliches parlamentarisches Cabinet in Preußen, mit einem Bismarck an der Spitze, der als Cabinetschef nicht, wie als Ministerpräsident, blos Erster unter Gleichen wäre, käme zunächst auch dem Reich zu Gute, und eine ganze Reihe der Mißstände unsers Reichsorganismus würde dann wie mit einem Zauberschlage verschwinden. Allerdings ist die Aussicht verlockend genug. Es kommt nur darauf an, ob die Kräfte des „müden Jägers" noch hinreichen, um solch edles Wild zu erlegen.

Die Krisis endete vorläufig damit, daß Fürst Bismarck durch Cabinetsordre vom 10. April einen längeren Urlaub erhielt. Durch folgendes Schreiben machte er dem Präsidenten des Reichstages, von Forckenbeck, davon Mittheilung:

Berlin, 11. April 1877.

Ew. Hochwohlgeboren beehre ich mich zu benachrichtigen, daß der Zustand meiner Gesundheit mir zu meinem lebhaften Bedauern nicht gestattet, mich an den bevorstehenden Verhandlungen des Reichstags zu betheiligen. Behufs meiner Wiederherstellung haben Se. Majestät der Kaiser die Gnade gehabt, mir einen Urlaub zu ertheilen und zu genehmigen, daß während der Dauer desselben meine Vertretung in den laufenden Geschäften bezüglich der inneren Angelegenheiten des Reichs von dem Herrn Reichskanzleramts-Präsidenten, bezüglich der äußeren Angelegenheiten von dem Herrn Staatssekretär von Bülow übernommen wird.

Ew. Hochwohlgeboren ersuche ich hierdurch, den Reichstag hiervon Kenntniß zu geben.

v. Bismarck.

Der Fürst begab sich dann am 16. April nach Friedrichsruh, kam am 21. Mai auf der Durchreise nach Berlin, wo er mit dem Kaiser conferirte, war vom 24. Mai bis 30. Juni in Kissingen, 1.—7. Juli in Berlin und vom 7. Juli bis 20. August in Varzin.

Zu Nr. 88.

Es waren sechs Fregatten gleichen Typs und gleicher Größe, von denen 1877 Bismarck, Moltke, Stosch und Blücher, 1879 Stein und Gneisenau von Stapel liefen. Ihre Maaße waren: 2856 Tonnen, 74 m lang, 14 m breit und 6 m Tiefgang; außer der zweiflügeligen Schraube hatten sie volle Takelung und machten unter Segel bis 11, unter Dampf bei 2500 Pferdestärken 13 bis knapp 14 Seemeilen. Armirt waren sie mit 14 kurzen 15 cm-Kanonen alter Art, zwei 8,8 cm-Schnellfeuerkanonen und sechs Revolverkanonen auf der Rehling; jedes Schiff hatte schließlich noch zwei Bugtorpedorohre.

Fürst Bismarck kam am 20. August nach Berlin, der Kaiser residirte schon wieder auf seinem geliebten Babelsberg. Dort meldete sich Bismarck am 21., dort war er Tags darauf auch mit Gemahlin und Tochter vom Kaiser geladen. Am 23. August reiste die Familie nach Gastein, am 18. September von dort nach Salzburg, am 22. September kam der Fürst wieder in Berlin an, hatte am 23. eingehende Besprechungen mit den Ministern und begab sich dann bis zum 5. Oktober noch nach Friedrichsruh.

Zu Nr. 89.

Hier kurz die Chronologie des russisch-türkischen Krieges von 1877:

25. April. Einmarsch der Russen in Rumänien.
29. April. Einnahme von Bajazid durch die Russen.
2. Mai. Cernirung von Kars Seitens der Russen.
13. Mai. Rumänien erklärt der Pforte den Krieg.
16. Mai. Die Russen erstürmen Ardahan.
2. Juni. Kaiser Alexander geht ins Hauptquartier nach Plojesti.
21.—29. Juni. Uebergang der Russen über die Donau bei Galatz, bei Simnitza und Turn Magarelli.
21. Juni. Niederlage und Rückzug der Russen in Asien.
5. Juli. Aufhebung der Belagerung von Kars.
13. Juli. Uebergang der Russen unter General Gurko über den Schipkapaß des Balkan.
Das russische Hauptquartier in Tirnowa.
20. Juli. Die Türken unter Osman Pascha besetzen Plewna in der rechten Flanke der Russen und verschanzen sich daselbst.
Ende Juli. Vergebliche Versuche der Russen gegen Plewna. Rückzug der Russen unter Gurko nach dem Schipkapaß, Festhalten desselben. — Rückverlegung des Hauptquartiers von Tirnowa nach Sistowo.
August. Vergebliche Versuche der Türken gegen den Schipkapaß.

7.—14. September. Neue vergebliche Angriffe der Russen und der mit ihnen vereinigten Rumänen unter Fürst Karl gegen Plewna.

September. Vergebliche Versuche der Türken unter Mehemed Ali, von Osten her zur Hülfe Osman Paschas nach Plewna vorzurücken.

Oktober. Weiteres erfolgreiches Vordringen der Türken in Asien.

Ende Oktober. Nene Erfolge der Russen in Asien, Rückzug der Türken von Kars nach Erzerum.

November. Die Russen vor Erzerum.

18. November. Die Russen nehmen Kars durch Sturm. Siegreiches Vorgehen der Montenegriner gegen die Türkei.

10. December. Capitulation Osman Paschas in Plewna. Vorrücken der Russen über den Balkan nach Sofia.

12. December. Die Türkei ruft die Vermittelung Englands und der Großmächte an.

16. December. Rückkehr Kaiser Alexanders nach Petersburg.

14. December. Serbien erklärt der Pforte den Krieg.

24. December. Anrufung der speciellen Vermittelung Englands Seitens der Türkei.

27. December. Anfrage Englands, ob Rußland zum Frieden geneigt.

29. December. Rußland verlangt direkte Schritte der Pforte.

Zu Nr. 91.

Die Unterhandlungen Bismarcks mit Rudolf v. Bennigsen haben von Mitte December 1877 bis in den Februar 1878 hinein gedauert, sie wurden theils schriftlich, theils mündlich geführt. Auf die Einladung Bismarcks vom 19. December weilte Bennigsen vom 26. bis zum 29. dess. Ms. in Varzin. Am 14. Februar kehrte Bismarck nach Berlin zurück. Am 22. Februar begann die erste Berathung der Steuervorlagen im Reichstage; sie wurden durch den Finanzminister Camphausen vertreten; den 26. entwickelte Fürst Bismarck sein Steuerprogramm. Am 23. März erhielt Finanzminister Camphausen seine Entlassung und wurde ersetzt durch den Oberbürgermeister Hobrecht; am 31. März folgte der Rücktritt der Minister des Innern Grafen zu Eulenburg und des Handels Achenbach; ihre Nachfolger wurden Oberpräsident Graf zu Eulenburg und Maybach.

Zu Nr. 92.

Die beiden Ereignisse, auf die sich dieser Brief des genesenden Kaisers bezieht, sind der Berliner Congreß und das Socialisten=

gesetz, dieses zuletzt unmittelbar veranlaßt durch die Attentate von Hödel und Nobiling am 11. Mai und 2. Juni. Die Anerkennung für Bismarcks Thätigkeit auf dem Congreß fand ihren Ausdruck darin, daß dem Fürsten das vom Kaiser für ihn bestimmte in lebensgroßer ganzer Figur gemalte Portrait des greisen Herrschers von Bülow überreicht wurde.

Große Mühe verursachte dem Fürsten die Annahme des Socialistengesetzes. Der erste Entwurf war vom Reichstage am 24. Mai abgelehnt worden, darauf erfolgte die Auflösung des Reichstages am 11. Juni. Der neue Reichstag wurde am 9. September durch den neuen Vicepräsidenten des Staatsministeriums, Grafen Otto zu Stolberg-Wernigerode, eröffnet und ihm sogleich der umgearbeitete Entwurf des Gesetzes gegen die gemeingefährlichen Bestrebungen der Socialdemokratie vorgelegt. Die erste Lesung fand am 16. und 17. September statt, am zweiten Tage vertrat der Reichskanzler die Vorlage in längerer Rede; der Entwurf wurde an eine Commission von 21 Mitgliedern überwiesen. Am 7. Oktober begann die zweite Lesung, auch hier griff der Fürst am 9. Oktober mit einer langen Rede ein; zeitweilig wurden die Aussichten für das Zustandekommen des Gesetzes ganz unsicher; sogar persönlicher Unterredungen mit hervorragenden Parteiführern, wie dem Abgeordneten von Bennigsen, bedurfte es. Endlich, am 19. Oktober, wurde das Gesetz angenommen und gleichzeitig der Reichstag geschlossen.

Der Kaiser hatte für die neue Auszeichnung des Fürsten Bismarck in sinniger Weise den Vermählungstag der einzigen Tochter des fürstlichen Paares gewählt: am 6. November fand die Vermählung der Gräfin Marie v. Bismarck mit dem Legationssekretär Grafen Kuno v. Rantzau statt. Gleichzeitig sandte der Kaiser der Fürstin ein prachtvolles Armband, durch dessen Arabesken sich der Namenszug „Maria" schlingt, und der Braut ebenfalls ein kostbares Armband.

Zu Nr. 93.

Der auf die Hochzeit der Gräfin Marie v. Bismarck bezügliche kaiserliche Brief ist uns nicht bekannt geworden. Dieser Brief findet sich im Bismarck-Jahrbuch I 140 und in Ged. u. Er. II 296 f. — Seitdem der Fürst am 5. Oktober 1877 von Friedrichsruh nach Berlin zurückgekehrt war, hatte er, auch trotz des mehrmonatlichen Aufenthaltes in Varzin, ununterbrochen inmitten voller Thätigkeit gestanden. Die Landtagssession, während deren Dauer er versuchen wollte, der Ruhe zu pflegen, wurde am 19. November eröffnet.

Zu Nr. 94.

Von den Verwundungen aus dem zweiten Mordversuch vom 2. Juni völlig genesen, kehrte Kaiser Wilhelm am 5. December nach Berlin zurück, um die Zügel der Regierung wieder selbst in die Hand zu nehmen. — Bismarck hatte am 15. September Mittags Gastein verlassen, war am 16. Mittags in Berlin angekommen, hatte am 17. bei der ersten Lesung des Socialistengesetzes im Reichstage gesprochen und war noch am Abend desselben Tages am Nesselfieber erkrankt. Am 23. September begab er sich nach Varzin, kehrte am 29. zurück und war dann bis zum 22. Oktober wieder angestrengt thätig gewesen; von da an weilte er in Friedrichsruh. Am 9. Februar 1879 siedelte er von dort wieder nach Berlin über, und am 12. Februar wurde dann der Reichstag eröffnet, der ganz so verlief, wie der Fürst es hier dem Kaiser vorausgesagt hatte.

Zu Nr. 95.

Das Weihnachtsgeschenk bestand in einer Denkmünze, die zur Erinnerung an die Genesung des Kaisers geprägt worden war.

Die gleiche Münze sandte der Kaiser am 26. December dem Generalfeldmarschall Grafen von Roon:

> Anliegend sende ich Ihnen meinen Weihnachten, klein an Dimension, aber vielsagend und bedeutungsvoll. Ein Andenken für die, die mir nahestehn!

(Vgl. Roon, Denkwürdigkeiten, Band III, S. 471.) Der Herausgeber Waldemar Graf von Roon bemerkt dazu: „Das ‚kleine‘, aber unvergleichlich kostbare Geschenk — das letzte, welches der Feldmarschall von seinem heißgeliebten Könige empfing, — ist eine ein fache silberne Medaille, in einem unscheinbar, kornblau gefütterten Etui, kaum so groß wie ein Zweimarkstück; sie zeigt auf der Vorderseite ein gothisches W. und auf der Rückseite nur die vielsagenden Worte: ‚Zur Erinnerung an 1878‘.“

Zu Nr. 97.

Die Kaiserin und Königin Augusta fuhr am 13. Mai 1879 von Coblenz nach England, um der Königin Victoria in Windsor einen Besuch abzustatten. Am 23. Mai verließ sie London, kehrte am 24. nach Coblenz zurück und begab sich am 27. Mai nach Berlin. Der Kaiser residirte in der Zeit auf Schloß Babelsberg. Die Begegnung der Kaiserin mit dem Kronprinzen Friedrich von Dänemark scheint in

England stattgefunden zu haben. Die Vermählung der Schwester des dänischen Kronprinzen, der Prinzessin Thyra von Dänemark, mit dem Herzog von Cumberland fand am 21. December 1878 in Kopenhagen statt.

Zu Nr. 98.

Der Bismarcksche Brief, auf den der Kaiser hier Bezug nimmt, muß nach dem 13. Juli geschrieben worden sein; denn an diesem Tage erhielten die beiden Minister Falk und Friedenthal (Frdthl) ihre Entlassung; jener wurde durch von Puttkamer, dieser durch Dr. Lucius ersetzt. — Die Annahme des Zolltarifgesetzes erfolgte am 12. Juli, und zwar mit 217 gegen 117 Stimmen, also mit einer Majorität von 100 Stimmen, so daß die „160" ein Druckfehler des Bismarck-Jahrbuches Bd. IV, Seite 7 sein muß.

Zu Nr. 99.

Diese Darlegungen entnehmen wir dem ersten Jahrgange des Bismarck-Jahrbuches (Seite 125—130). Horst Kohl bezeichnet sie dort als eine „geschichtliche Studie". Wir glauben nicht, daß damit die Bedeutung und vor allen Dingen der Zweck der Darlegung erschöpft ist. Der vielbeschäftigte Fürst hatte unsers Erachtens weder Zeit noch Neigung zu derartigen — wenn wir so sagen dürfen — akademischen Arbeiten. Ohne besonderen Anlaß und besonderen Zweck entwarf er schwerlich so ausführliche Schriftstücke. Es erscheint uns auch naheliegend genug, was die Darlegung für einen Zweck hatte: wir halten sie für einen Theil einer für den Kaiser bestimmten Denkschrift über die Nothwendigkeit des deutsch-österreichischen Bündnisses, das der Fürst in den Tagen vom 24. bis zum 26. September 1879 in Wien zum Abschluß brachte.

Wie hinreichend bekannt ist, war der Kaiser damals schwer für die Idee des deutsch-österreichischen Bündnisses zu haben. Fürst Bismarck berichtet darüber in Gedanken und Erinnerungen Band II, Seite 247 f. Folgendes:

> Alle Erwägungen und Argumente, die ich dem in Baden befindlichen Kaiser schriftlich aus Gastein, aus Wien und demnächst aus Berlin unterbreitete, waren ohne die gewünschte Wirkung. Um die Zustimmung des Kaisers zu dem von mir mit Andrassy vereinbarten und von dem Kaiser Franz Joseph unter der Voraussetzung, daß Kaiser Wilhelm dasselbe thun würde, genehmigten Vertragsentwurfe herbeizuführen, war ich genöthigt, zu dem für mich sehr

peinlichen Mittel der Cabinetsfrage zu greifen, und es gelang mir, meine Collegen für mein Vorhaben zu gewinnen. Da ich selbst von den Anstrengungen der letzten Wochen und von der Unterbrechung der Gasteiner Cur zu angegriffen war, um die Reise nach Baden-Baden zu machen, so übernahm sie Graf Stolberg; er führte die Verhandlungen, wenn auch unter starkem Widerstreben Sr. Majestät, glücklich zu Ende. Der Kaiser war von den politischen Argumenten nicht überzeugt worden, sondern ertheilte das Versprechen, den Vortrag zu ratificiren, nur aus Abneigung gegen einen Personenwechsel im Ministerium. Der Kronprinz war von Hause aus für das österreichische Bündniß lebhaft eingenommen, aber ohne Einfluß auf seinen Vater. —

Die Zeit, aus der die Denkschrift stammt, ergiebt sich nahezu von selbst. Die Wiener Verhandlungen sind vorüber, die ganze Sache ist aber noch frisch. Wir haben also Ende September anzunehmen, aber keinesfalls über Ende Oktober hinaus zu gehen.

Zu Nr. 100.

Am 25. September war Bismarck aus Wien nach Berlin zurückgekehrt und hatte sich dann am 9. Oktober nach Varzin begeben. Die Fürstin begab sich am 11. November nach Berlin zu ihrer Tochter, der Gräfin Rantzau, deren erster Sohn (Graf Otto) am 26. November dort geboren wurde; sie kehrte am 8. Januar nach Varzin zurück. Die Grafen Herbert und Wilhelm waren zum Weihnachtsfest bei ihrem Vater. Aus des Fürsten Rückkehr „in der ersten Woche des Jahres" wurde nichts, da er am 3. oder 4. Januar an einer sehr schmerzhaften Venenentzündung erkrankte; die Rückkehr mußte in Folge dessen bis zum 26. Januar verschoben werden.

Zu Nr. 101.

Der Kaiser ernannte am 22. März 1880 den Legationssecretair Grafen Herbert Bismarck zum Legationsrath. Der Fürst war in dem ganzen Monat, schon von Ende Februar an, durch rheumatische Schmerzen vielfach ans Zimmer gefesselt.

Zu Nr. 102.

Veranlassung zu diesem Entlassungsgesuch Bismarcks bot ein Zwischenfall im Bundesrathe. Dort hatte bei der Berathung der

Quittungssteuer der Vertreter des Reichspostamtes auf Veranlassung seines Chefs, des Staatssecretairs Dr. von Stephan ausgeführt, bei etwaiger Einführung der Quittungssteuer müßte von der Besteuerung der Postanweisungen abgesehen werden. Dem schloß sich der Bundesrath an. Da aber damit der Erfolg der projectirten Steuer zum großen Theile vereitelt wurde, erklärte sich der Reichskanzler außer Staude, diesem Beschluß weitere Folge zu geben, und reichte sein Abschiedsgesuch ein.

Wir fügen Folgendes hinzu. Die „Breslauer Zeitung" führte in ihrer Nr. 589 vom 24. August 1890 in einem „Kaiser und Kanzler" überschriebenen Artikel u. A. aus:

„Die Stellung des Kanzlers wurde immer dominirender, seine Reizbarkeit immer größer, seine Anwesenheit in Berlin immer seltener, und seine Entlassungsgesuche wurden immer häufiger. Man könnte fragen, warum unter solchen Umständen der Monarch nicht eines dieser Entlassungsgesuche genehmigte. Die Antwort darauf ist nicht schwer zu geben. Es war einmal die Verlegenheit um einen Nachfolger, der mitten in der schwierigen inneren und äußeren Lage die Erbschaft Bismarcks übernehmen wollte, und noch mehr das zunehmende Alter des Kaisers. Im Jahre 1867 mochte dieser noch in sich die Kraft fühlen, mit einem neuen leitenden Minister die Regierung zu führen. Zehn Jahre später, als er das 80. Lebensjahr erreichte, und als obendrein seine körperliche Rüstigkeit durch das Nobilingsche Attentat stark erschüttert wurde, da war dieser Gedanke für ihn so gut wie ausgeschlossen. Damit verband sich, daß die eminenten Erfolge des Kanzlers sowie seine erstaunliche Findigkeit in den verworrensten Situationen es dem Kaiser allmählich als ein geringeres Uebel erscheinen ließen, die Ausnahmestellung des Kanzlers zu ertragen, als sich seiner langbewährten Dienste zu berauben. Aus diesen Erwägungen heraus mag das bekannte „Niemals", wenn es historisch ist, seiner Feder entflossen sein. Aber es mag doch daran erinnert werden, daß dieses „Niemals" unter dem vorletzten Entlassungsgesuch des Fürsten Bismarck stand; das letzte dagegen wurde vom Kaiser so kühl abgelehnt, daß der Kanzler es für gerathen fand, kein neues mehr einzureichen. Es wurde die Parole ausgegeben, der Kanzler habe sich entschlossen, Meinungsverschiedenheiten nicht mehr zu verfolgen, sondern seinem kaiserlichen Herrn bis zum letzten Athemzuge zu dienen."

Darauf wurde von dem Fürsten nahestehender Seite in den „Hamburger Nachrichten" am 1. September 1890 (A.-A.) folgende Aufklärung gegeben:

In der „Breslauer Zeitung" und in der „Täglichen Rundschau" sind in den letzten Tagen Mittheilungen publicirt worden über das Verhältniß zwischen Kaiser Wilhelm I. und dem Fürsten Bismarck,

„Enthüllungen", über deren Werth kein unterrichteter Leser im Unklaren sein wird. Nur eine der aufgestellten Behauptungen wollen wir näher prüfen.

Das „letzte" Abschiedsgesuch des Kanzlers war vom Kaiser Wilhelm I. allerdings sehr kühl und einfach erledigt worden und zwar aus dem Grunde, weil sowohl die Einreichung des Gesuches wie seine Erledigung vorher zwischen Beiden verabredet worden war. Das Gesuch bildete in diesem Falle die Form, in welcher der Kaiser einem Bundesrathsbeschluß widersprach, mit welchem Se. Majestät nicht einverstanden war.

Der Kaiser hat bekanntlich in der Reichsverfassung kein ausgesprochenes Veto; er kann aber ein solches bis zu einem gewissen Grade factisch üben, wenn er erklärt, keinen Kanzler zu finden, der zur Contrasignation der Publication bereit sei. Dieser Fall lag vor, und der betreffende Bundesrathsbeschluß blieb ohne amtliche Folgen.

Nach dieser Aufklärung erscheint der den obigen Blättern aufgebundene Bär in seiner ganzen Lächerlichkeit. Es fällt damit die Bezugnahme auf die zwischen Fürst Bismarck einerseits, v. Schleinitz und v. Stosch andererseits angedeuteten Feindseligkeiten, welche bei dieser Angelegenheit mitgespielt haben sollen, in sich zusammen (aus der „Tägl. Rundschau"). Das ganze war ein politischer Schachzug von Kaiser und Kanzler, die dabei in völliger Uebereinstimmung einem Beiden unwillkommenen Bundesrathsbeschluß erfolgreich entgegentraten. Jeder sachkundige Zeitungsleser wußte das seit Jahren, nur den Fabeldichtern der „Breslauer Zeitung" wird es neu sein.

Uebrigens ist die Behauptung, „der Kanzler habe es für gerathen gefunden, kein neues Entlassungsgesuch mehr einzureichen"; „es wurde die Parole ausgegeben, der Kanzler habe sich entschlossen, Meinungsverschiedenheiten nicht mehr zu verfolgen, sondern seinem kaiserlichen Herrn bis zum letzten Athemzuge zu dienen" — weder in dieser gehässigen Form noch auch überhaupt zutreffend. Das Ganze beschränkt sich auf einen Satz in dem oben (S. 136 f.) mitgetheilten Briefe Bismarcks vom 9. November 1878 an den Kaiser:

In der Schlechtigkeit der Untreue liegt für treue Unterthanen ein Segen der Treue, und ich bitte Gott seitdem noch eifriger als früher, mir die Gesundheit zu geben, deren ich bedarf, um Ew. Majestät, so lange ich lebe, meine herzliche Dankbarkeit und meine Treue als geborner Dienstmann des Brandenburgischen Herrscherhauses durch die That beweisen.

Aehnlich hatte sich der Fürst, als er vom 24. August bis zum 15. September 1878 mit dem Kaiser zusammen in Gastein weilte, gegen diesen mündlich geäußert: er würde, nach dem, was im Mai und Juni vorgegangen war, dem Kaiser gegen dessen Willen den Dienst nicht versagen.

Zu Nr. 103.

Die Datirung dieses Briefes „ca. 26. Oktober 1880" giebt Horst Kohl im Bism.-Jahrb. I, S. 132; sie ist nach unsrer Ansicht falsch. Kohl stützt sich ausschließlich auf die am Schlusse des Briefes stehenden Worte: „Der Verlauf der mit dieser Woche beginnenden Landtagssession": der Landtag wurde am 28. Oktober eröffnet. Aber der Brief nimmt Eingangs offenbar auf ein unmittelbar vorangegangenes Ereigniß Bezug, eine tumultuarische Scene im Reichstag, eine Opposition unter Delbrücks Führung — solche war dem 26. Oktober nicht vorangegangen. Der Brief erwähnt weiter ein „vor 5 Wochen" eingereichtes Abschiedsgesuch, das „nicht ernsthaft gemeint sein kann" — wo ist ein solches in der zweiten Hälfte des Septembers? Wohl aber finden wir das formelle Abschiedsgesuch am 6. April, und dessen ebenso formelle, weil verabredete Ablehnung durch den Kaiser vom 7. April (vgl. oben den Brief unter Nr. 102). Am 8. Mai aber, also 4½ Woche später, war die Reichstagssitzung vom 8. Mai, in der die Frage des Zollanschlusses von Hamburg unter Delbrücks Führung und Betheiligung des Centrums so starken Widerspruch fand. Man lese nur die Rede des Fürsten von diesem Tage, sie enthält eine Reihe derselben Ausdrücke, wie dieser Brief, enthält vor Allem denselben Gedankengang. Da spricht er von den Kämpfen der Parteien, von dem wachsenden Particularismus, der Bundesgenossenschaft des Centrums, Unfrieden zwischen den Regierungen. Da sagt er wörtlich: „Das Einzige, was mich in meiner Stellung hält, das ist der Wille des Kaisers, den ich in seinem hohen Alter gegen seinen Willen nicht habe verlassen können". „Ich bin müde, todtmüde, und namentlich wenn ich bedenke, gegen was für Hindernisse ich kämpfen muß, wenn ich für das Deutsche Reich, für die deutsche Nation, für ihre Einheit eintreten will." In der Rede wendet er sich ganz direkt gegen Delbrück: „wenn ich mich auch nicht zu der Saturnischen Politik meines früheren Collegen, der vor mir gesprochen hat, verstehen kann."

Am 10. Mai wurde der Reichstag durch den Grafen Stolberg geschlossen; der Brief aber ist unzweifelhaft unter dem noch frischen Eindruck der Reichstagssitzung vom 8. Mai geschrieben. Vielleicht giebt die „mit dieser Woche beginnende Landtagssession" Auskunft.

Hier hat Kohl, wie es scheint, völlig übersehen, daß der Landtag im Frühsommer noch eine Nachsession gehalten hat. Diese begann am 20. Mai und dauerte bis zum 3. Juli. Die Worte „Der Verlauf der mit dieser Woche beginnenden Landtagssession" beziehen sich demnach nicht auf die am 28. Oktober eröffnete, sondern auf die am 20. Mai begonnene Session. Der 20. Mai fiel im Jahre 1880 auf einen Donnerstag, die Woche begann also Sonntag, den 16. Mai. Daraus folgt, daß die Abfassung des Briefes in die Tage vom 12. bis 14. Mai zu setzen ist, denn am 15. würde vom 16. vermuthlich schon die Bezeichnung „morgen" gebraucht worden sein.

Zu Nr. 105.

Schon am 23. August (vgl. Nr. 103) übertrug der Kaiser unter gleichzeitiger Pensionirung des Staatssecretairs des Innern, Staatsministers Hofmann, dem Fürsten Bismarck vorläufig das Ministerium für Handel und Gewerbe; am 15. September folgte dann die Ernennung des Fürsten Bismarck zum Handelsminister.

Ueber diese für die innere Entwickelung des Reiches hoch bedeutsame Maßnahme brachte die „Provinzial-Correspondenz" am 13. Oktober 1880 folgenden Artikel:

Fürsorge für die Arbeiter.

Für jeden, welcher den Gang der inneren Politik des Reichskanzlers in den letzten Jahren aufmerksam verfolgt hat, kann es keinem Zweifel unterliegen, daß die Uebernahme des Handelsministeriums durch ihn nur ein Glied in der Kette der wirthschaftlichen Reform ist, welche der Fürst vor zwei Jahren, im Gegensatz zu manchen, von alten Vorurtheilen und veralteten Lehrmeinungen irregeleiteter Parteigruppen, dann aber unter lebendiger Theilnahme weiter Kreise der Bevölkerung ins Werk setzte und mit einer Aenderung der Zollpolitik einleitete.

Fürst Bismarck hat von je her ein Herz und ein Interesse für die arbeitenden Klassen gehabt, und sich über deren Bedürfnisse und Klagen zu orientiren gesucht. Es hat sogar nicht an Stimmen gefehlt, welche ihm hieraus einen Vorwurf machten, und erst noch letzthin nahm der Kanzler Gelegenheit, sich wegen der Beziehungen zu vertheidigen, welche er vor etwa siebzehn Jahren zu dem politischen Führer der Arbeiterpartei gehabt hat und aus denen seine Widersacher eine Waffe des Angriffs zu schmieden vergeblich sich demühten. Nicht minder ist die Aufmerksamkeit bekannt, welche er selbst in Zeiten, wo ganz andere politische Fragen in den Vordergrund getreten waren, den auf die Arbeiterfrage bezüglichen Verhandlungen wissenschaftlicher Vereine zuwendete. Anderweitige politische Sorgen und Pflichten, welche die

Gründung eines so großen Staatswesens wie das Deutsche Reich mit sich brachten, hatten es zu gesetzgeberischen Thaten auf diesem Gebiete nicht kommen lassen; ferner aber fehlte auch der Boden, auf welchem sich eine wahrhaft gesunde Regeneration der Arbeiterverhältnisse aufbauen konnte, der Boden einer finanziellen und handelspolitischen Reform, welche die Industrie von den Schranken erlöste, die ihr durch die Freiheit der Concurrenz mit dem Auslande gezogen waren.

Die traurigen, verbrecherischen Excesse, zu welchen die socialdemokratischen Verirrungen im Sommer 1878 geführt haben, lenkten die allgemeine Aufmerksamkeit auf den Abgrund, vor welchem die Arbeiterpartei und mit ihr die menschliche Gesellschaft stand. Es wurden Maßregeln polizeilicher Natur nöthig, welche der Regierung durch das Gesetz gegen die gemeingefährlichen Bestrebungen der Socialdemokratie zur Bekämpfung der negativen und destruktiven Tendenzen und der durch gewissenlose Agitatoren systematisch gewordenen Ausschreitungen der socialdemokratischen Partei von dem Reichstag zur Verfügung gestellt wurden. Schon damals bei der Berathung dieses Gesetzes bemerkte der Fürst, daß er „eine jede Bestrebung fördern werde, welche positiv auf Verbesserung der Lage der Arbeiter gerichtet sei," und daß er, „wenn nur ein ernster Antrag vorläge, der auf die Verbesserung des Looses der Arbeiter gerichtet sei, ein freundliches Entgegenkommen zeigen und ihn einer wohlwollenden und geneigten Prüfung des Reichstags empfehlen würde."

Schon vorher, als die verbündeten Regierungen im Juni beschlossen hatten, den Reichstag aufzulösen und Neuwahlen anzuordnen, wurde über die weitergehenden reformatorischen Absichten kein Zweifel gelassen. Damals wurde an dieser Stelle ausgeführt, daß die verbündeten Regierungen nicht wähnen, durch Maßregeln staatlicher Einschränkung die socialistischen Verirrungen durchgreifend heilen und überwinden zu können; die Regierungen erblickten vielmehr in jenen Maßregeln nur „eine der Bedingungen für die Wiederbelebung des öffentlichen Vertrauens und für einen Aufschwung des gewerblichen und wirthschaftlichen Lebens der Nation", und betrachteten es schon damals für eine ihrer höchsten Aufgaben, „die positiv heilende Wirksamkeit aller dazu berufenen staatlichen, kirchlichen und bürgerlichen Kreise auf jede Weise anzuregen, zu beleben und mit Rath und That zu fördern", „die Gewerbeordnung unter Festhaltung ihrer Grundlagen und unter Berücksichtigung der hervorgetretenen praktischen Bedürfnisse zu verbessern" und „für die Wohlfahrt und das Gedeihen des Volkes in wirthschaftlicher Beziehung zu sorgen". Und als der Gesetzentwurf gegen die gemeingefährlichen Bestrebungen der Socialdemokratie vom Reichstag angenommen war, wurde sofort der positive Weg beschritten.

um das wirthschaftliche Wohl und Gedeihen des Volkes zu fördern. „Unter den Pflichten positiven Wirkens und Helfens für die ärmeren und bedrängten Volksklassen, unter den Voraussetzungen eines allmählichen Gesundens unseres Volkslebens, soweit dazu die staatliche Gesetzgebung helfen kann, stand aber die Fürsorge für eine ersprießliche wirthschaftliche Entwickelung im Reiche, in Staat und Commune in erster Linie."

Nachdem die wirthschaftliche Politik durch die Aenderung des Zolltarifs auf wahrhaft nationale Grundlage gestellt worden, haben sich, trotz der Ungunst augenblicklicher Verhältnisse, Handel und Verkehr belebt und die Industrie bereits einen Aufschwung genommen, welcher Zeugniß giebt von dem Vertrauen in die neuen Bahnen, wie von der Richtigkeit derselben, und welcher zu weiteren Hoffnungen berechtigt. Aber diese Wendung in den wirthschaftlichen Verhältnissen scheint um so mehr zu erfordern, daß auch das Wohl der arbeitenden Klassen selbst, von dem das Wohl der Industrie und des gesammten gesellschaftlichen Lebens bedingt ist, unter die staatliche Fürsorge und unter die bessernde Hand der Gesetzgebung genommen werde. Der Reichskanzler hat irgend welche positiven Anträge in dieser Beziehung schon seit Jahren vermißt, und bis heute noch hat sich diese Sachlage nicht verändert.

Durch die Uebernahme des Ministeriums für Handel und Gewerbe hat nun der Kanzler den Entschluß ausgedrückt, die Reform, die er auf einer Seite begonnen, nun auch von der anderen Seite in Angriff zu nehmen und diejenigen Vorschläge selbst vorzubereiten, welche geeignet sind, die Lage der Arbeiter zu verbessern und die Wohlfahrt des Gewerbes auf eine sichere moralische Grundlage zu stellen. Es ist dies die Consequenz eines zielbewußten, wohlberechneten Planes, dessen Durchführung im Interesse der Gesammtheit unaufschiebbar ist, und zu dessen Verwirklichung er auf die Mitwirkung aller positiv denkenden und staatserhaltenden Parteien rechnet. Wenn die Behandlung auch dieser Frage „nicht nach den Auffassungen und Geboten bloßer Lehrmeinungen, sondern vor Allem nach den Anforderungen der thatsächlichen Lage der Dinge und nach den wirklichen Bedürfnissen und praktischen Interessen des Volkes" gestaltet wird, und wenn ihr in diesem Sinne die Unterstützung der parlamentarischen Körperschaften zu Theil wird, dann dürfte auch die nie bestrittene Möglichkeit des Erfolges und des Gelingens nicht fehlen.

Wir wollen mit den Worten des Fürsten **Bismarck** schließen: „Nehmen Sie die Art, wie ich bisher procedirt habe, nur als ‚Signalschüsse'. **Der Kampf selbst wird uns Jahre hindurch beschäftigen; aber ich hoffe, er wird zum Heile, zum Glück, zur Wohlfahrt unsers Vaterlandes führen."**

Zu Nr. 106.

Am 13. März wurde Kaiser Alexander II. in St. Petersburg ermordet. Fürst Bismarck muß unmittelbar nach Empfang der Nachricht an den Kaiser geschrieben haben, obwohl beide in Berlin anwesend waren. Der Brief ist nicht bekannt.

Zu Nr. 107.

Ueber diese Reliefs gibt nähere Auskunft eine kleine Schrift von Hauptmann a. D. von Scharfenort: Der Feldmarschallsaal der Hauptcadettenanstalt zu Groß-Lichterfelde. Ihr entnehmen wir folgende lebendige Schilderung:

Schweren Herzens übergibt der Vater seinen Sohn dem Cadettencorps, das aus jenem einen wackeren Offizier bilden soll. Freilich heißt es, wie die erste Tafel darstellt, gar munter Geist und Körper rühren, wie die Kameraden es thun, welche durch Studien, durch Fecht- und Schießübungen sich für den hohen Beruf vorbereiten, dem sie sich geweiht und der keine Schwächlinge, sondern ganze Männer verlangt. Der Boden, auf dem der Zögling nun seine ersten Uebungen beginnt, ist ein historischer. Hier exercirte Friedrich der Große als Kronprinz seine „Cadets"; von dieser Stelle aus zogen Kinder in den siebenjährigen Krieg, als es dem Könige an Offizieren fehlte; diese Mauern entsandten noch nicht den Kinderschuhen entwachsene Knaben, als der König 1813 zum letzten Kampfe rief, während die zurückgebliebenen Zöglinge, „obgleich nicht an Muth, doch an Jahren", wie sie schrieben, „ihren bereits nach Breslau abgegangenen Mitbrüdern nachstehend, um wie diese schon die Bahn des Ruhmes betreten zu können, ihren Patriotismus dadurch zu bethätigen suchten, daß sie unter sich 40 Thaler sammelten und als einen herzlichen Beitrag zur Einkleidung unbemittelter Freiwilliger überschickten." Wie viele von Jenen, die hinauszogen in den heiligen Krieg, nicht zurückgekehrt, beweisen uns die Tafeln in dem Gotteshause der Anstalt, in denen auf Marmor eingegraben jene Glücklichen verewigt sind, die berufen waren „mit Gott für König und Vaterland" in den Krieg ziehen, zu kämpfen und ehrenvoll den Tod auf dem Schlachtfelde zu finden. So öffneten und schlossen sich die Thore des alten Hauses in der neuen Friedrichstraße, um Tausende zu empfangen, Tausende scheiden zu sehen.

Mit thränendem Auge sehen die Zurückbleibenden den glücklichen Kameraden ziehen, dem noch ein schwererer Abschied beschieden ist, der von Eltern und Geschwistern. In dem Städtchen, wo jene wohnen, ist Alles Bewegung, Alles Aufruhr.

An dem Denkmal auf dem Marktplatze, welches zur Erinnerung an 1813/15 gesetzt war, sammeln sich die Krieger; einer derselben leert seinen Krug schäumenden Bieres mit dem Freunde, der zurückbleiben muß. Noch einen Trunk auf glückliche Heimkehr! Fröhlichen Anges reicht eine Jungfrau ihn dem Scheidenden dar. Dann aber „Ade, Ade“.

Nicht Jeder aber zieht mit diesem fröhlichen Sinn ins Feld — bitter und schwer ist der Abschied vom Elternhause; der Vater legt segnend dem Scheidenden die Hand aufs Haupt Mutter und Schwester wollen ihn nicht ziehen lassen — immer und immer wieder drückt in wortlosem Schmerz die Mutter das geliebte Kind ans Herz aber es muß geschieden sein.

Diesen Ruf der Trompete versteht die Braut nicht, welche den Geliebten scheiden sieht; was sind die Worte des Trostes der Schwester, welche sie aufzurichten versucht. Sie weist mit einer bezeichnenden Geberde auf eine andere Gruppe, den Gatten, welcher Abschied von Weib und Kind nimmt. In namenlosem Schmerze vermag sich das Weib nicht von dem Gatten zu trennen, dessen linke Hand das jüngste Nesthäkchen umklammert, das unbekümmert um den Schmerz der Eltern und der Schwester, die ihren Thränen freien Lauf läßt, mit dem blanken Helme des Vaters spielt; doch es muß geschieden sein.

Der Rhein — die Grenze ist überschritten. Nach beschwerlichem Marsche wird ein Biwak bezogen, die Posten sind ausgesetzt.

Und zum Kochen giebt es schon etwas: Ein Gefangener ist eingebracht, der mit Jubel empfangen wird. Laut brüllend begrüßt der dem Tode Geweihte die Prussiens, welche ungeachtet der Klagen der Besitzerin dem Stier den Garaus machen. Vielleicht ist es das letzte gute Mahl, das die Tapfern einnehmen. —

Neben dem Zelt des Commandeurs, der eine Karte studirt, lehnt in der ganzen Sorglosigkeit der Jugend unser Freund, indem er aus dem Rapport eines Pasewalker Kürassiers die freudige Kunde vernimmt, daß der Feind im Anzuge ist. Während die Offiziere die letzte Nachricht besprechen, ist die Feldpost angelangt, die Briefe, aber auch materiellere Sachen in Hülle und Fülle bringt, wofür insbesondere der Bataillonshund eine besondere Vorliebe bekundet; der Abend ist hereingebrochen.

Aber nicht Jeder findet die Erholung des Schlafes. Der Landwehrmann, dessen Abschied wir beigewohnt, hat traurige Nachrichten empfangen; sein kleiner Liebling ist bedenklich erkrankt, und der Arzt konnte nur wenig Hoffnung geben. Wie oft hat er die Zeilen durcheilt; aber immer sieht er nur das Bild seines Knaben. Tröstend sucht ihn der Freund aufzurichten — vergeblich. Im Lager ist es nun ganz still geworden, auch ihm naht der Schlummer. An einen

Baum gelehnt, ist er, von Müdigkeit übermannt — entschlummert. Der Traum neigt sich lächelnd über ihn. Die Truppen, träumt er, kehren zurück, hurrah, wie ihm das Herz schlägt! Auf dem Marktplatz gehen die Korporalschaften auseinander, im Sturmschritt eilt er der Heimath zu — von fern grüßt ihn schon sein Häuschen, Weib, Kinder eilen ihm jauchzend entgegen, der kleine Liebling ist nicht mehr krank. Da —

Taratata — das Alarmsignal ertönt — der Feind rückt an. Der schöne Traum ist zerstört — schnell wird gepackt — aus der Entfernung erschallen Gewehrschüsse — „An die Gewehre! Gewehr in die Hand!" „Herr Major, das Bataillon soll in die Vorpostenlinie rücken." „Kinder, nun geht's los. — Gott mit uns." Zischend sanft die erste Granate über die Kämpferschaar — bald hat sich der Feind eingeschossen — eine Granate platzt — tödtlich getroffen, stürzt ein Pferd zusammen — hui — wie die blauen Bohnen fliegen und grausame Ernte halten.

An der Spitze der Königsgrenadiere stürmt der Kommandeur, Major v. Kaysenberg, vor, in die Hand den zerschossenen Fahnenstumpf der Füsiliere — „Vorwärts, Kinder, vorwärts! — Mit Gott für König und Vaterland!" — Krachend schlägt wieder eine Granate in die Truppe. „Was schaust Du zurück, war's Dein Bruder der stürzte?" „Vorwärts, Laufschritt, Marsch, Marsch!" Endlich ist das Bataillon auf dem Gipfel des Berges vor dem Schlößchen angelangt. Ein verzweifelter Kampf, der letzte des Tages beginnt. „Das Ganze avanciren." — Vorwärts, jetzt gilt's. „Es braust ein Ruf wie Donnerhall!" tönt es aus dem Häuflein, „Wie Schwertgeklirr und Wogenprall." — Der Fahnenträger stürzt, „Vorwärts — hurrah — hurrah — hurrah!" — Die französische Trikolore sinkt. — Der Feind wendet sich zur Flucht, wenn auch der französische Offizier noch einmal seinen Revolver auf den Sieger abfeuert. Die Stellung ist genommen — noch einmal gelingt es den Offizieren, die Wankenden zum Stehen zu bringen, dann aber sauve qui peut.

Einer kämpfte nur noch, hoch über den Seinen ragend, will er sich nicht gefangen geben, aber er muß unterliegen.

Man bettete sie in ein gemeinsames Grab. Seht ihr das Kreuz mit dem Eichenkranz geschmückt? Dort schlafen sie, Freund und Feind, im Tode vereint, die das Leben geschieden.

Fanden sie Alle ein Grab? Einer der Tapferen liegt im Dickicht verborgen; krampfhaft hält die erstarrte Hand den Säbel; keiner hat seiner geachtet, aber dennoch hält Treue an seinem Leichnam Wache. Mit geöffneten Nüstern blickt sein Roß starr auf seinen Herrn.

Sie Alle sind nun gebettet; in wortlosem Schmerz weilt am Grabe ein Offizier, den der Feldprediger vergeblich zu trösten versucht. Ist es der Bruder, der Freund? Die Trauerweide wird dem Todten da unten ein Schlummerlied singen und die Klagen der Ueberlebenden in die Gruft tragen, welche ein einfaches Kreuz schmückt.

Für diese Kämpfer vom rothen Kreuz gibt es weder Freund noch Feind. — Der Samariterdienst nimmt nach der Schlacht seinen Anfang. — Hier muß eine Operation sofort ausgeführt werden — ein Franzose ist es, der von einem Deutschen, an dessen Schultern er sich lehnt, zum Verbandplatz geführt wird — dort stützt eine mildthätige Frau, deren Zügen der Künstler ein inniges Mitleid aufgeprägt hat, in ihrem Schooß das Haupt eines Sterbenden, nachdem sie ihm zum letzten Male einen Labetrunk gereicht; „Vater, Vater“ — der Tapfere öffnet noch einmal die Augen — sein Sohn ist's, der sich über ihn beugt und dessen Brust ein eisern Kreuz schmückt.

„Ehre sei Gott in der Höhe!“ tönt es dem König entgegen, der über das Schlachtfeld reitet. Die Sterbenden hören es; verklärten Auges schauen sie zum letzten Male den geliebten Fürsten. Mühsam richtet sich ein Offizier, für den es keine Rettung mehr gibt, empor — der Wille verdoppelt seine Kräfte — der König hat ihn erblickt: „Es lebe der König!“ — Laut ruft er's, sinkt röchelnd zurück — er hat gekämpft und gelitten und stirbt für König und Vaterland.

Drang seine Botschaft in jedes Herz und erweckte dort Jubel und Freude? Der Tag der Heimkehr ist ein Tag der Freude, aber auch für Viele ein Tag der Trauer. Vielen fehlt das Wort für den Jubel des Herzens, Vielen die Thräne für den furchtbaren Schmerz. Was der Landwehrmann im Traume gesehen, ist Wahrheit geworden — Weib und Kind sind ihm entgegengeeilt. Die sich bei schäumendem Gerstensaft Lebewohl gesagt, ziehen Arm in Arm fröhlich durch die Straßen. — Da ertönt Musik. — Das im Städtchen garnisonirende Bataillon zieht ein, vom Kommandeur hoch zu Roß geführt und von einer Schaar festlich gekleideter Jungfrauen empfangen. — So ziehen sie ein durch die mit Trophäen und Eichengewinden festlich geschmückte Straße. Hören Alle die frohen Laute? Wo ist die Braut, welche den Geliebten ins Feld ziehen sah? Sein Freund hat ihn zur Ruhe gebettet.

Wo ist unser junger Freund? Schwer verwundet hat er vergeblich in der Heimath Rettung gesucht. Als das Regiment, in dessen Reihen er so tapfer gefochten, in das Städtchen zog, kam der Engel des Friedens, schloß seine Augen und leitete ihn zu jenen lichten Gefilden, wie es die schöne Gruppe von Calandrelli im Saale darstellt: In der Hand sein Schwert haltend, schwebt er, von himmlischen Boten geleitet, empor zu jenen lichten Höhen des ewigen Lebens.

Während der Genius der Unsterblichkeit sein Haupt mit dem Lorbeer schmückt, waltet an heiliger Stelle die Geschichte ihres Amtes — indem sie in den Marmor der Unsterblichkeit seinen Namen eingräbt.

Weun der Sturm über das Land dahinbraust und die Erdgeborenen sein schaurig Lied vernehmen läßt: „Aus Erde seid ihr genommen, zur Erde sollt ihr wieder werden“, dann ruft die Geschichte: Ihr aber, die Ihr gekämpft mit Gott — Ihr, die ihr gelitten für den König — geblutet für Euer Vaterland Ihr lebt ewig — ewig.

Als letztes Bild schließt sich die Darstellung der Einweihung der neuen Anstalt an: der Kaiser und König, umgeben von Prinzen des Königlichen Hauses und hervorragenden Heerführern, übergiebt die neue Anstalt dem General-Inspecteur des Militair-Erziehungs- und Bildungs-Wesens, um welchen sich der Kommandeur des Cadettencorps, der Kommandeur der Anstalt, Offiziere, Lehrer und Geistliche gruppiren, im Hintergrunde Cadetten unter präsentirtem Gewehr u. s. w.

Das Relief, 210 Fuß lang und $3^1/_2$ Fuß breit, ist ein Werk des Bildhauers J. Pfuhl.

Zu Nr. 109.

Wir entnehmen diesen Brief Poschingers Bismarck-Portefeuille, Bd. IV, S. 195 ff. Er ist wieder abgedruckt in den „Persönlichen Erinnerungen an den Fürsten Bismarck von John Booth“ S. 47. Beiden Quellen entnehmen wir auch die hier folgenden geschichtlichen Ergänzungen:

Vor zehn Jahren bereits hatte Bismarck dem Kaiser auf dessen Wunsch eine Denkschrift über die fernere Behandlung und den Ausbau dieser Straße, der einzigen, welche Berlin für die Zukunft mit dem Grunewald verbinden kann, überreicht.

Dieselbe lautete:

Berlin, 5. Februar 1873.

An
den Königl. Geh. Cabinetsrath
Herrn von Wilmowski
Hochwohlgeboren
hier.

Euer Hochwohlgeboren erwidere ich unter Rückstellung der mir übermittelten Anlagen auf die im Allerhöchsten Auftrage an mich gerichteten gefälligen Schreiben vom 4. November v. J. und vom 30. Januar d. J. ganz ergebenst, daß mir die Erhaltung der ganzen Breite des Kurfürstendammes in fiscalischem Besitz zu Gunsten der öffentlichen Interessen späterer Zeiten geboten erscheint, und daß meines Erachtens den Anbauern zu beiden Seiten des Kurfürstendammes nicht gestattet werden sollte, irgend einen Theil desselben mit in ihre Häuserberechtigung hineinzuziehen und als Ersatz für die ihnen obliegende Pflicht zur Hergabe des Straßenterrains zu benutzen; dieselben Gründe, die ich mir zu entwickeln erlauben werde, sprechen gegen Verwendung irgend eines Theiles des Dammbreite zur Pferdebahn. Ich will nicht gegen die Pferdeeisenbahn überhaupt votiren, nur bin ich der Ansicht, daß das zu derselben nothwendige Terrain aus den Mitteln der Grundbesitzer einer Gegend hergegeben, nicht aber der Weg da verengt werden sollte, wo der fiscalische Besitz ausnahmsweise Gelegenheit zu breiter und schöner Straßenentfaltung bietet.

Erfahrungsmäßig sind alle Hauptverkehrsstraßen in so massenhaft wachsenden Städten wie Berlin zu eng.

Auch die Straße am Kurfürstendamm wird nach den jetzt bestehenden Absichten zu lang werden, da dieselbe voraussichtlich ein Hauptspazierweg für Wagen und Reiter werden wird. Denkt man sich Berlin so wie bisher fortfahrend, so wird es die doppelte Volkszahl noch schneller erreichen, als Paris von 800 000 Einwohnern auf 2 Millionen gestiegen ist.

Dann würde der Grunewald für Berlin etwa das bois de Boulogne und die Hauptader des Vergnügungsverkehrs dorthin mit einer Breite, wie die der Elyseischen Felder durchaus nicht zu groß bemessen sein. An der in Rede stehenden Stelle allein liegt die Möglichkeit einer großen Straßenverbindung mit dem Grunewald vor, weil eine fiscalische Straße, der Kurfürstendamm, über die gesetzlichen Anforderungen hinaus existirt. Mein Votum würde sonach dahin gehen, daß von den Anbauern die Herstellung der üblichen Straßenbreite in vollster Ausdehnung gefordert würde, ohne Rücksicht auf das Vorhandensein des Kurfürstendammes, so daß letzterer eine exceptionelle Zugabe zur Straßenbreite bildete. Nur auf diese Weise würde über den Thiergarten hinaus eine bequeme Circulation der Berliner Bevölkerung ins Freie nach dem Grunewald hergestellt werden können; und nur bei diesem Princip wird sich ein ähnlicher Reitweg, wie ihn das sonst wenig cavalleristische Frankreich von Paris nach dem bois de Boulogne besitzt, schaffen lassen.

Sollte noch eine Pferdeeisenbahn in die dortige Straßenbreite hinein gelegt werden, so würde der Luxus- und Feiertagsverkehr von Wagen und Pferden außerordentlich beengt und gehindert werden.

Weun man sich Berlin, welches seit kurzem von 200 000 Einwohnern auf 800 000 Einwohner angewachsen ist (eine Ziffer, die Paris zur Zeit von Louis Philipp hatte, während es dieselbe seitdem mehr wie verdoppelt hat) in demselben Maaße weiter zunehmend denkt, und nach den bisherigen Erfahrungen wächst es besonders gegen Charlottenburg und den Grunewald hin, so können leicht Verhältnisse eintreten, in welchen man es bereuen wird, eine Straßenlinie, welche zur Königlichen Verfügung stand, derselben nicht erhalten zu haben. Man würde dann vergebens bedauern, daß man diese Straße am Kurfürstendamm zu Gunsten vereinzelter Privatinteressen zu gewöhnlicher Breite hätte einschrumpfen lassen.

Eine Abhülfe wäre aber dann nicht mehr möglich, während jene Breite, welche man jetzt für den Reitweg conservirt, bei überwiegendem öffentlichen Bedürfniß immer noch chaussirt und dem Fahrverkehr übergeben werden kann.

Mein Antrag würde daher dahin gehen, daß ganz unabhängig von dem fiscalischen Kurfürstendamm die gesetzlichen Straßenbreiten aus eignen Mitteln herzugeben sind, die Pferdebahn=Concessionäre aber gleichzeitig auf Aufsuchung anderer Wege zu verweisen.

v. Bismarck.

Der Kaiser hatte dem Inhalte zugestimmt und die Breite dieser neuen Straße mittels Cabinetsordre auf 52 Meter festgesetzt. Nur hatte sich in den nächsten acht Jahren Niemand gemeldet, der sie bauen wollte.

Da nahmen sich Engländer der Sache an und entschlossen sich, den Kurfürstendamm auf eigene Kosten zu bauen, wenn ihnen als Bonification von der Regierung einige Hundert Morgen Grunewald zu mäßigen Preisen überlassen würden. Zu ihnen gehörte der Besitzer der Ende vorigen Jahrhunderts begründeten Flottbecker Baumschulen bei Hamburg, John Booth. Er war seit dem Jahre 1877 mit dem Fürsten bekannt und wagte es, ihm diese Angelegenheit vorzubringen. Dem Fürsten aber war es ebenso überraschend wie angenehm, den fast vergessenen großen Plan, der zuerst von ihm angeregt worden war, der Ausführung so nahe gerückt zu sehen. Der Fürst ging daher gern auf die Sache ein, die Einzelheiten wurden besprochen, die Ausarbeitung der Pläne nebst Anlagen zur Vorlage an den Kaiser beschlossen, das Ganze mit einer Eingabe vom 31. März vom Fürsten am 16. April eingereicht, am 17. hielt der Fürst Vortrag darüber, und schon am 20. erfolgte der in der oben abgedruckten Cabinetsordre enthaltene zusagende Bescheid des Kaisers.

Tags darauf richtete Bismarck folgendes Schreiben an Booth:

Berlin, 21. April 1881.

In Erwiderung auf das gefällige Schreiben vom 31. v. M. gereicht es mir zur Freude, Ew. Hochwohlgeboren mittheilen zu können, daß Seine Majestät der Kaiser und König von dem von Ihnen vorgelegten Projekte, an Stelle des Kurfürstendammes eine

Straße in großartigem Stile anzulegen, mit lebhafter Befriedigung Kenntniß genommen und einer solchen Anlage, soweit es gesetzlich und finanziell thunlich sein wird, Allerhöchste wohlwollende Förderung zugesagt haben.

Es ist mir dies um so erfreulicher, als bereits vor Jahren Seine Majestät der Kaiser ähnlichen von mir damals angeregten Plänen bezüglich der Verbindung der Stadt mit dem Grunewald ein lebhaftes Interesse zugewandt hat und die Ausführung des vorliegenden Projektes die Verwirklichung langjähriger Wünsche Seiner Majestät ermöglichen würde.

Die Anlagen Ihres Schreibens haben Seiner Majestät vorgelegen und erfolgen hiermit zurück.

v. Bismarck.

Herrn John Booth
Hochwohlgeboren.

Zu Nr. 110.

Fürst Bismarck war vom 1. Juli bis zum 13. August zur Kur in Kissingen gewesen und am frühen Morgen des 14. nach Berlin zurückgekehrt. Der Kaiser führte seinen angemeldeten Besuch aus. Der Fürst besuchte am 17. August Schönhausen und begab sich dann am 18. in Begleitung des Grafen Herbert nach Varzin.

Zu Nr. 111 und 112.

Diese beiden Briefe sind in den Gedanken und Erinnerungen Band II, S. 193 f. veröffentlicht. Der Fürst selbst bemerkt dazu:

Es ist bekannt, unter welchen Umständen[1]) Graf Eulenburg im Februar 1881 seinen Abschied nahm, und daß er im August desselben Jahres zum Oberpräsidenten in Kassel ernannt wurde. An seinen Namen knüpft sich folgender Briefwechsel zwischen Sr. Majestät und mir. Den Gegenstand meines darin erwähnten Vortrags vom 17. December habe ich nicht zu ermitteln vermocht.

Die am Schlusse des Bismarck'schen Briefes erwähnten „letzten Reichstagssitzungen" deren Verlauf er „für bedenklich als Maßstab unsrer Sitten und unsrer politischen Bildung" hält, betrafen

---

[1]) Differenzen mit dem Fürsten Bismarck über die Verwaltungsreform; vgl. die Rede Bismarcks vom 21. Februar 1881. Eulenburgs Verabschiedung erfolgte am 25. Februar, sein Nachfolger wurde der damalige Cultusminister v. Puttkamer.

den Beitrag des Reiches von 40 Millionen Mark für die durch den Zollanschluß Hamburgs an das Reich nothwendig gewordenen Hafenbauten und die angeblichen Wahlbeeinflussungen der preußischen Regierung. Besonders richteten die Abgeordneten Dirichlet und Rickert hierbei scharfe Angriffe auf den Minister des Innern von Puttkamer, und dessen Antwort rief wieder den entschiedenen Widerspruch Bennigsens hervor. Die Folge dieser Debatte war der sogenannte Beamten-Erlaß vom 4. Januar 1882.

Zu Nr. 113.

Veröffentlicht im Bismarck-Jahrbuch IV, S. 51. Horst Kohl bemerkt dazu:

Der Kaiser theilte am 22. März 1882 dem Fürsten Bismarck mit, daß er seinen Sohn Grafen Wilhelm Bismarck zu den Officieren à la suite der Armee mit der Uniform des 1. Garde-Dragoner-Regiments versetzt und seinem Schwiegersohn, dem Grafen Rantzau, die Erlaubniß zum Tragen der Uniform des 3. Garde-Ulanen-Regiments mit den für Verabschiedete vorgeschriebenen Abzeichen verliehen habe.

Zu Nr. 114.

Aus Bismarck-Jahrbuch IV, S. 9 f.

Der Eingang des Briefes bezieht sich auf die Geburt des jetzigen Kronprinzen Wilhelm, die am 6. Mai erfolgt war.

Der Fürst verweilte damals noch in Friedrichsruh, wohin er sich kurz nach dem Geburtstage des Kaisers, am 25. März, begeben hatte. Am 5. Juni kehrte er nach Berlin zurück, sprach am 12. Juni im Reichstage ausführlich über das Tabaksmonopol und betheiligte sich auch am 14. lebhaft an der Debatte; an diesem Tage wurde das Tabaksmonopol mit 276 gegen 43 Stimmen abgelehnt. Vom 19. Juni bis zum 30. November wurde dann der Reichstag vertagt.

Der Landtag hatte noch am 6. Mai die Verwendungsvorlage in zweiter Lesung mit starker Mehrheit abgelehnt, und am letzten Tage war das Abgeordnetenhaus gar noch beschlußunfähig gewesen, so daß die Annahme der aus dem Herrenhaus verändert zurückgekommenen Lauenburgischen Vorlage ungültig wurde. Die Legislaturperiode wurde am 11. Mai geschlossen.

Herr von Giers war am 9. April definitiv zum Leiter der russischen auswärtigen Politik ernannt worden. Graf Ignatief, seit dem 1. Mai 1881 russischer Minister des Innern, wurde im Juni dieses Amtes enthoben.

Zu Nr. 115.

Vgl. Bismarck-Jahrbuch IV, S. 10.

Das kaiserliche Billet bezieht sich auf die Rückkehr des Fürsten aus Friedrichsruh, die am 5. Juni Abends 9 Uhr 25 Minuten erfolgte.

Zu Nr. 116.

Vgl. Bismarck-Jahrbuch IV, S. 51 f., dort mit dem Zusatz „Aus einem Concept".

Unklar ist die Wendung „und hoffe ich nun gewiß, vor Zusammentritt des Reichstags nach Berlin kommen und in die Geschäfte des Reichstags eintreten zu können". Da der Reichstag bereits am 27. April eröffnet worden war, liegt die Annahme nahe, daß der Brief irrthümlich datirt ist. Doch ist es gewagt, hier eine Vermuthung auszusprechen. Am ehesten möchten wir uns für den September 1882 entscheiden, müßten dann aber als Ort der Abfassung Varzin statt Friedrichsruh annehmen. Zu dieser Zeitbestimmung würde dann aber auch nicht weniger wie Alles passen der Zusammentritt des bis zum 30. November vertagten Reichstages, die Ernennung des Grafen Hatzfeldt zum Staatssecretär, die am 13. Oktober, und die des Gesandten von Radowitz zum Bot schafter in Constantinopel, die gleichfalls im Oktober 1882 erfolgte; endlich auch die im Eingange des Briefes stehende Bezugnahme auf die „Strapazen der Exercirperiode", die der Kaiser in gewohnter Rüstigkeit überwunden habe, wenn wir darunter die Zeit des Kaisermanövers verstehen dürfen; sie fanden 1882 am 20. September in der Nähe von Dresden ihr Ende. Möglich ist freilich auch, daß der Wiederzusammentritt des Reichstages nach den Pfingstferien gemeint ist; dann hatte man nicht nöthig, dem Ausdruck „Exercirperiode" einen andern Sinn als den üblichen unterzulegen.

Zu Nr. 117.

Vgl. Bismarck-Jahrbuch IV, S. 10 f.

Der Brief des Kaisers war nach Varzin gerichtet, wohin sich Fürst Bismarck am 20. Juni, dem Tage nach der Vertagung des Reichstages, degeden hatte.

Am 26. Oktober hatten die preußischen Landtagswahlen stattgefunden; ihr günstiges Ergebniß schreibt der Kaiser der Botschaft vom 17. November 1881 über die Fürsorge für die arbeitenden Klassen und dem Erlasse vom 4. Jannar 1882 über die Stellung des Königthums in Preußen und die Agitation der Beamten gegen die Regierung bei den Wahlen zu. Die starke Vermehrung der Conservativen bei der Wahl trat um so mehr hervor, als von links große Hoffnungen auf das Zustandekommen einer liberalen Majorität im Landtage gehegt worden waren.

Zu Nr. 118.

Vgl. Bismarck-Jahrbuch IV, S. 52 f.

Am 3. December war Bismarck diesmal im weißen Vollbart, aus Varzin nach Berlin zurückgekehrt. Besonders beachtenswerth ist in diesem Briefe die weise Vorsicht, jedes Wort und jeden Schritt zu vermeiden, der als eine Einmischung in russische Angelegenheiten hätte aufgefaßt werden können, so lästig und besorgnißerregend Rußlands Bahn- und Festungsbauten und seine Truppen-Concentrationen an der Westgrenze auch waren.

Zu Nr. 119.

Vgl. Bismarck-Jahrbuch IV, S. 11.

Der Kaiser war durch hartnäckige Erkältung lange ans Zimmer gefesselt; seit dem 26. Januar hatte er den Vortrag des Reichskanzlers nicht mehr entgegennehmen können, es geschah wohl zum ersten Mal wieder am 17. April. Dieser Brief wurde dem Fürsten durch den Flügeladjutanten Grafen von Lehndorff überbracht.

Zu Nr. 120.

Vgl. Bismarck-Jahrbuch IV, S. 12.

Ein wunderbarer Contrast: die hohe Befriedigung des Kaisers über die Feier der Denkmalsenthüllung auf dem Niederwald am 28. September („eine der gelungensten, die ich je erlebt") — und die später aufgedeckten verbrecherischen Anschläge der Reinsdorff und Genossen gerade für diese Feier.

Fürst Bismarck hatte sich nach Monaten schwerer Arbeit am 2. Juli nach Friedrichsruh begeben und von dort am 28. Juli in Begleitung der Fürstin, des Grafen Wilhelm und des Professors Dr. Schweninger zum Kurgebrauch nach Kissingen; von dort fuhr er am 29. August nach Gastein, traf aber da erst am 1. September ein nach zweitägigem Aufenthalt in Salzburg, den er zu einem Beisammensein mit Graf Kalnoky und zu einem gemeinsamen Ausfluge mit diesem nach Hellbrunn benutzte. Am 24. September kam er auf der Rückreise wieder nach Salzburg, blieb dort zwei Tage, kam am 27. über München nach Berlin und am Abend des folgenden Tages wieder nach Friedrichsruh.

Der General-Gouverneur von Moskau Fürst Dolgoruki kam am 25. August von Moskau nach Berlin. Er wurde an demselben Tage vom Kaiser auf Schloß Babelsberg empfangen und alsbald auch zur Tafel gezogen.

Zu Nr. 121.

Aus den „Gedanken und Erinnerungen" Band II, S. 298. Fürst Bismarck schreibt:

Um Weihnachten 1883 schenkte mir der Kaiser eine Nachbildung des Denkmals auf dem Niederwald, an der ein Blättchen mit folgenden Worten befestigt war (folgt der Text).

Vgl. übrigens den oben unter Nr. 120 mitgetheilten Brief des Kaisers an Bismarck vom 4. Oktober 1883.

Zu Nr. 122.

Fürst Bismarck verlebte das Weihnachtsfest mit den Seinigen in Friedrichsruh; er weilte dort seit dem 28. September und kehrte erst am 12. März des neuen Jahres nach Berlin zurück.

Zu Nr. 123.

Die in dem Briefe erwähnte Schwester des Fürsten ist Frau Malwine von Arnim-Kröchlendorff.

Zu Nr. 124.

Der Orden pour le mérite war von Friedrich dem Großen für Militair- und Civil-Personen gestiftet (1740) und erst von Friedrich Wilhelm III. am 18. Januar 1810 nur zur Belohnung für das im Kampfe gegen den Feind erworbene Verdienst bestimmt. Am 31. Mai 1840 fügte ihm Friedrich Wilhelm IV. eine Friedensklasse für Kunst und Wissenschaften bei.

Von den Vorfahren des Fürsten Bismarck hatten den Orden pour le mérite z. B. sein Urgroßvater August Friedrich v. B., geb. 2. April 1693, gest. 17. Mai 1742, er erwarb ihn im ersten Schlesischen Kriege; dessen vierter Sohn Ernst Friedrich, geb. 5. Nov. 1728, gest. 18. Sept. 1775, erhielt ihn für Auszeichnung in der Schlacht bei Zorndorf.

Zu Nr. 125.

Fürst Bismarck war seit dem 30. Juni in Varzin und kehrte, wie in diesem Briefe in Aussicht genommen ist, am 11. September nach Berlin zurück.

Zu Nr. 126.

Vgl. Bismarck-Jahrbuch IV, S. 56 f.

Zu Nr. 127.

Vielfach gedruckt, u. a. auch in den „Gedanken und Erinnerungen" Baud II, S. 298 f. und in meinem „Fürst Bismarck nach seiner Entlassung" Baud III, S. 158 f.

Es ist unter den bisher bekannten dieser Brief der einzige, in dem der Kaiser nicht nur von seinem, sondern auch von seines Hauses Dank gegen den Fürsten Bismarck spricht. — Das Bild ist, wie bekannt, von Anton von Werner gemalt, ist aber nicht eine Copie des im kaiserlichen Besitz befindlichen Gemäldes.

Zu Nr. 128.

Vgl. Kohl, Bismarck-Regesten, Bd. II S. 367.

Das Central-Comité für die **Bismarckspende** hatte beschlossen:

I. zur Erwerbung des seit dem Mittelalter besessenen v. Bismarck'schen Stammguts Schönhausen, auf dessen Abtheil I der Kanzler geboren ist und seine Jugenderziehung erhalten hat, dessen größerer Antheil vor jetzt 50 Jahren unter der Ungunst der Zeit der Familie v. Bismarck verloren gegangen ist, nunmehr aber auf Grund einer abgeschlossenen Punktation mit rund 1150000 Mk. Anzahlung mit stehenbleibenden Hypotheken wieder hergestellt werden kann, diese Summe zu verwenden.

II. **Alle übrigen Fonds** zur freien Verfügung des Reichskanzlers für öffentliche Zwecke zu verwenden.

Diese „übrigen Fonds" beliefen sich auf rund 1200000 Mk. Am 8. August trat die Stiftung durch folgende königliche Cabinetsordre in Kraft

Auf Ihren Bericht vom 6. August d. J. will Ich die vom Reichskanzler Fürsten von Bismarck mit der aus Anlaß seines 70. Geburtstages gesammelten und ihm zur freien Verfügung gestellten Summe gegründete „Schönhauser Stiftung“ auf Grund des anliegenden Statuts, d. d. Schönhausen, den 21. Mai d. Js., unter Verleihung der Rechte einer juristischen Person, hierdurch genehmigen.

Bad Gastein, den 8. August 1885.

Wilhelm.

Für den
Minister des Innern, den Justizminister und den Minister der geistlichen ꝛc. Angelegenheiten.
(ggez.) v. Scholz.

Die Allerhöchst genehmigten Statuten der Stiftung bestimmen im Wesentlichen:

Zweck der Stiftung ist, deutschen jungen Männern, welche sich dem höheren Lehrfache an deutschen höheren Lehranstalten widmen, vor ihrer besoldeten Anstellung Unterstützungen zu gewähren, auch im Inlande wohnenden Wittwen von Lehrern des höheren Lehrfaches Beihülfe für ihren Lebensunterhalt und für die Erziehung ihrer Kinder zu leisten.

Das Stiftungscapital besteht zunächst aus den durch die Sammlungen zur Verfügung gestellten Geldern, deren Betrag, so weit er bis jetzt festgestellt ist, sich auf 1200000 Mk. beläuft.

Die Unterstützungen werden an Candidaten des höheren Lehramts in der Regel im Betrage von 1000 Mk. jährlich nach Ablegung der zu einer Anstellung als Lehrer des höheren Lehrfachs berechtigenden Staatsprüfung bis zu dem Zeitpunkte, an welchem der Empfänger eine besoldete Anstellung als Lehrer erhält, jedoch nicht länger als auf die Dauer von im Ganzen höchstens 6 Jahren gewährt. Doch soll der Vorsteher der Stiftung berechtigt sein, solchen Lehrern, welche die Staatsprüfung für das höhere Lehrfach abgelegt haben, ohne Rücksicht darauf, ob sie sich bereits im Genuß einer besoldeten Stelle befinden oder nicht, aus den Einkünften der Stiftung Stipendien zu Studien im Auslande oder in Deutschland außerhalb ihrer Heimath zu gewähren.

An Söhne von Lehrern höherer Schulen können auch schon während ihrer Studienzeit Unterstützungen in dem vorgedachten oder einem geringeren Betrage gewährt werden, wenn sie sich dem höheren Lehrfache widmen. Die Zeit der auf der Universität gewährten Unterstützung ist auf den vorgedachten Zeitraum nicht einzurechnen.

Werden durch die erwähnten Unterstützungen die Stiftungseinkünfte Mangels geeigneter Bewerber nicht erschöpft, so soll der Vorsteher diese nicht zur Verwendung gelangten Beträge Wittwen von Lehrern des höheren Lehrfaches für ihren Lebensunterhalt oder für die Erziehung ihrer Kinder zuwenden.

Die Verleihung des Bezugs der Unterstützung findet alljährlich am 1. Oktober statt; das erste Mal erfolgt sie am 1. Oktober 1885.

Meldungen zum Bezuge der Unterstützungen sind in der Regel nur zu berücksichtigen, wenn sie spätestens bis zu dem 1. Juli, welcher dem Zuweisungstage voraufgeht, an den Stiftungssekretär in Schönhausen gelangt sind.

Zu Nr. 129.

Vgl. Bismarck-Jahrbuch Bd. IV, S. 57 f.

Ob das Eingangs des Berichts erwähnte Telegramm sich auf einen einzelnen Todesfall aus der Umgebung des Kaisers bezieht, ist nicht zu erkennen, weil nicht ersichtlich ist, wann es abgesandt worden war. Der Zeit nach liegt diesem Briefe am nächsten und dem Inhalte des Briefes entspricht am meisten der am 17. Juni erfolgte Tod des Generalfeldmarschalls Grafen E. von Manteuffel. Der Tod dieses treuen Mannes war dem Kaiser sehr nahe gegangen, um so mehr, als erst zwei Tage zuvor ein andrer hervorragender Heerführer, des Kaisers eigner Bruderssohn, Prinz Friedrich Karl von Preußen durch den Tod abberufen worden war (am 15. Juni). Dazu kam dann noch ein weiterer Todesfall aus dem Hohenzollernschen Hause: am 2. Juni hatte Fürst Anton von Hohenzollern seine irdische Laufbahn vollendet.

Fürst Bismarck war seit dem 4. Juni, dem Tage, an welchem er 50 Jahre zuvor in den Staatsdienst eingetreten war, zur Kur in Kissingen und blieb dort bis zum 2. Juli.

Zu Nr. 130.

Vgl. Bismarck-Jahrbuch Bd. IV, S. 58.

Die Glückwünsche des damals in Ems weilenden Kaisers galten der Vermählung des zweiten Sohnes des Fürsten, des Grafen Wilhelm von Bismarck mit seiner Base, der Gräfin Sibylla von Arnim auf Kröchlendorff. Am 5. Juli hatte sich der Fürst mit seiner Familie dorthin begeben, am 6. fand die Hochzeit statt; schon in der Nacht kehrte der Fürst wieder nach Berlin zurück. Am 9. Juli reiste er dann zu längerem Aufenthalte nach Varzin.

Zu Nr. 131.

Vgl. Bismarck-Jahrbuch Bd. IV, S. 59 f.

Schon am 19. September war der Fürst von Varzin wieder nach Berlin zurückgekehrt. Die ersehnte und nothwendige Erholung hatte er nicht gefunden, er hatte sich in seinem rastlosen Arbeitsdrange aber auch keine Ruhe gegönnt. Ein Blick auf die Besucher des pommerschen Landsitzes während der Zeit seit dem 9. Juli, dem Tage der Ankunft des Fürsten, beweist das zur Genüge. Es kamen:

am 19. Juli der Botschafter in Paris Fürst von Hohenlohe,
„ 20. „ Minister von Puttkamer,
„ 10. August der preußische Gesandte am Vatican von Schlözer,
„ 12. „ der österreichisch-ungarische Minister des Aeußern Graf Kalnoky.

Ferner sind an wichtigeren Schriftstücken aus derselben Zeit zu verzeichnen:

vom 25. Juli Declaration der Großmächte über die ägyptischen Finanzen,
„ 30. „ Deutsch-russische Vereinbarung über Aktiengesellschaften,
„ 6. August Bericht an den Kaiser über die „Schönhauser Stiftung",
„ 7. „ Schreiben an die Aeltesten der Berliner Kaufmannschaft betr. fremder Börsenpapiere,
„ 8. „ Schreiben an den Cultusminister über französische Missionsthätigkeit im Kamerungebiet,
„ 11. „ Note an die spanische Regierung über die deutsche Besatzung der Carolinen- und Palau-Inseln,
„ 17. „ Votum über den Bau des Nordostseecanals,
„ 24. „ Note an den spanischen Botschafter in Berlin wegen der Carolinen,
„ 31. „ Note an den deutschen Botschafter in Madrid (Grafen Solms) wegen Schiedsgerichts über die Carolinenfrage,
„ 2. September Schutz- und Freundschaftsvertrag zwischen dem Deutschen Reich und dem Capitain Manasse in Hoachanas,
„ 9. „ Erlaß an die Regierungspräsidenten über concessionspflichtige gewerbliche Anlagen,
„ 15. „ Schutz- und Freundschaftsvertrag zwischen dem Deutschen Reiche und den Bastards in Rehoboth.

Das ist nur der kleine Theil, der bekannt geworden ist, ohne Vorarbeiten! Der Fürst begab sich am 27. September nach Friedrichsruh und blieb bis zum 25. November dort. Dann aber blieb der Siebzigjährige in angestrengter Thätigkeit ununterbrochen bis zum 20. Mai, der ihn zu kaum vierwöchigem Aufenthalt nach Friedrichsruh zurückführte.

Zu Nr. 132.

Mitgetheilt in den „Gedanken und Erinnerungen“ Bd. II, S. 299 f.

Fürst Bismarck verlebte den bedeutungsvollen Gedenktag in Friedrichsruh. Der Kaiser übersandte neben diesem Briefe und dem Bilde des Palais noch eine kostbare Vase mit seinem Bildniß; Prinz Wilhelm und Prinz Heinrich kamen zu persönlicher Beglückwünschung nach Friedrichsruh.

Zu Nr. 133.

Vgl. Bismarck-Jahrbuch Bd. IV, S. 60 f.

Zu Nr. 134.

Aus den „Gedanken und Erinnerungen“ Bd. II, S. 300 302. Fürst Bismarck bemerkt selbst zu diesem Briefe:

Den letzten Brief des Kaisers erhielt ich am 23. December 1887. Verglichen mit dem vorhergehenden[1]) zeigt er im Satzbau und in den Zügen, daß dem Kaiser während der letztverflossenen drei Monate der schriftliche Ausdruck und das Schreiben viel saurer geworden waren; aber die Schwierigkeiten beeinträchtigen nicht die Klarheit der Gedanken, die väterliche Rücksicht auf das Gefühl des kranken Sohnes, die landesherrliche Sorge für die gehörige Ausbildung des Enkels. Es wäre unrecht, bei der Wiedergabe dieses Briefes irgend etwas daran bessern zu wollen.

Der sachliche Inhalt dieses Briefes bedarf irgend eines Commentars nicht.

---

[1]) Der Brief Nr. 132 vom 23. September 1887.

assung.

Von der enorm reichen Fülle des Stoffes mag nachstehende Uebersicht eine annähernde Vorstellung geben:

Aus dem Inhalte des **ersten** Bandes:

Abreise aus Berlin. — Interviews mit Mitarbeitern vom New-York Herald, Matin, Nowoje Wremja (2 mal), Petit Journal, Daily Telegraph, Frankfurter Journal, Dresdener Nachrichten, Neue Bayrische Landeszeitung — Preß-Diplomatie — England und Tripelallianz Verantwortliche Reichsminister — Ueber Interviews — Auswärtige Lage — Das Recht des Fürsten Bismarck. — Fürst Bismarck und Arbeiterfragen — Gespräche des Fürsten — Wohin treiben wir? — Petersburger Besuch des Kaisers und Preußische Jahrbücher — Kaiser Wilhelm I. und Fürst Bismarck. — Herrenhaus — Steuerreform — Erlaß des Fideicommiß-stempels — Landgemeindeordnung — Die Presse — Deutsch-österreichischer Handelsvertrag — Deutschland und Oesterreich — Der deutsch-englische Vertrag.

Aus dem Inhalte des **zweiten** Bandes:

Ein ernstes Wort zur Lage — Sansibar — Fürst Bismarck und die Presse — Fürst Bismarck und die Franzosen — Tod Windthorsts — Windthorst — Deutschland und Oesterreich — Fürst Bismarck und der Kulturkampf — Unsere Beziehungen zu Rußland — Preußische Reformgesetze — Indemnitätsvorlage — Fürst Bismarck und Oesterreich — Moltkes Nachlaß — Ostafrika — Herr von Boetticher — Russische Anleihe — Deutschland und Rußland — Verfassung und Vertrag — Zur Entlassung des Fürsten Bismarck — Deutsche Presse und Rußland — Sozialdemokratischer Parteitag — Ablehnen oder annehmen? (bezieht sich auf den österreichischen Handelsvertrag) — Politische Kritik — Schweine-Einfuhr — Regierung und Polen — Graf Herbert Bismarck — Bismarck und Windthorst — Ein „bereutes" Gesetz — Handelsvertrag mit Oesterreich — Englische und deutsche Landwirtschaft — Sozialdemokrat und Unteroffizier.

Aus dem Inhalte des **dritten** Bandes:

Stellung Bismarcks zu den Versicherungsgesetzen — Prozeß des Grafen von Limburg-Stirum — Refaktien — Russisch-deutsche Beziehungen — Polnische Politik — Zedlitzscher Volksschulgesetzentwurf — Karolinenfrage — Bismarckdenkmal — Rücksicht auf die Bundesgenossen — Ledochowski im Hauptquartier von Versailles — Garibaldi — Getreide-Import via Oesterreich — Freigebung des Welfenfonds — Parteien — Kreistagssitzungen in Wandsbeck — Empfang des Militärvereins Kampfgenossen aus Leipzig — Kardoffs Bismarckrede zum 25jährigen Jubiläum der Reichspartei — Reichskanzler und Ministerpräsident — Bismarcks Geburtstag 1892 — Selbsteinschätzung — Beeinflussung der Presse — Politik der Freigebigkeit — Bismarck und Konservative — Ziegler- und Kaltbrennerverein — Steuerreform — Kartell — Caprivi — Indemnitätsfrage — Offiziöse Schönfärberei — Bismarck und Sozialismus — Graf Herberts Verlobung — Berlin-Wien-Rom — Panslawismus — Familie Hoyos in Friedrichsruh Dresdener Liedertafel in Friedrichsruh — Hamburger Verein für Kunst und Wissenschaft zum Frühlingsfest im Sachsenwalde — „Aussöhnung" — Forckenbeck † — von Kleist-Retzow † — In Dresden — In Wien — In München — Interview für die „Neue Freie Presse."

Aus dem Inhalte des **vierten** Bandes:

Angriffe der Nordd. Allg. Ztg. — Fürst Bismarcks Ankunft — Einwirkung in Wien Caprivis Erlasse — Caprivi und Centrum — Württembergische Huldigung — Bismarck und Caprivi — Englische Ansprüche — Deutsch-russische Beziehungen — Antisemitismus — Süddeutsche Huldigung in Kissingen — Fürst Bismarck in Jena — Chikanen auf den Bahnhöfen — Kabinettsordre von 1852 — Hamburg und Cholera — Cholera und Reich — Militärvorlage (1892/93, eine Reihe von Artikeln) — von Schlözer — Unterredungen mit M. Harden und Dr. Blum — 1875er Kriegsaffaire — Emser Depesche — Fürst Bismarck und die Baltische Frage — Wilhelm I. und dreijährige Dienstzeit — Mangel an Subaltern-Offizieren — Richter und Rickert — Interview des „Matin" — Archibald Forbes — Handelsverträge — Deutsche Botschaft in St. Petersburg — Fürst Bismarck und Lothar Bucher — Bewilligungsrecht des Reichstages — Belfort — Deutschland und österreichische Orientpolitik — Moltke und Belfort — Fürst Bismarck und preußisches Wahlsystem — v. Berlepsch — Bulgarische Anleihe — Landtag und Reichsregierung — Handelsvertrag mit Columbien — Caprivi und Landwirtschaft — Handelsverträge sonst und jetzt.

Aus dem Inhalte des **fünften** Bandes:

Fürst Bismarck und die Landwirtschaft — Einschüchterungssystem der Regierung — Der preußische auswärtige Minister und die Reichsangelegenheiten — Militärvorlagen — Handelsverträge — Bund der Landwirte — Militärvorlage und Handelsverträge — Huldigung der Schleswig-Holsteiner — Abnahme deutscher Bevölkerung im Osten — Zentrum und seine Wähler — Offiziöse Presse einst und jetzt — Stöcker — Aus der Zeit der „Reichsglocke" — Militärvorlage und Sozialdemokratie — Beamte als Abgeordnete — Huldigung der Oldenburger — Wiederholte Auflösung — Verschiebung nach links — Huldigung der Mecklenburger — der Lipper — der Handels- und Gewerbekammer-Sekretäre — der Braunschweiger — Graf Herbert Bismarck und Caprivi — Stellung des Reichsschatzsekretärs — Huldigung der Thüringer — „Reichsregierung" — Huldigung der Frankfurter — Depesche des Kanzlers aus Zürich — Russische Beziehungen im alten und neuen Kurs — Bureaukratischer Einfluß — von Marschall — Besuch in Berlin — Russischer Handelsvertrag — Besuch des Kaisers in Friedrichsruh — Fall Thüngen — Trennung der obersten Aemter — Huldigung der südwestdeutschen Frauen — der Nationalliberalen — der bayrischen Frauen — Landwirtschaft und Artikel 4 der Reichsverfassung — v. Schlözer — Empfang von Journalisten und Schriftstellern — Fall Haas — Bill of Attainder — Unehrlich oder beschränkt? (offiziöse Presse) — Huldigung der Deutschen Posens — der Westpreußen — Tod der Fürstin.

Aus dem Inhalte des **sechsten** Bandes:

Festvorbereitungen zum 1. April — Fürst Bismarck und das Zentrum — Arbeiterschutz — Eine geschichtliche Erinnerung (1861) — Vor dem deutsch-französischen Kriege — Der Ausweg aus dem Dilemma (Landwirtschaft) — Das „Agrariertum" — Ressortminister für die ländlichen Behörden — Meistbegünstigungs-Klausel — Schwurgerichte — Ultramontanismus und Bismarckfeier — Leo XIII. und Karolinenfrage — Der Reichstag am 23. März 1893 — Parlamentarier in Friedrichsruh — Besuch des Kaisers — Der 1. April — Ansprachen des Fürsten an die Rektoren der Hochschulen, die Studenten, die Hamburger, Münchener, Gymnasiallehrer, Steiermärker, Innungsmeister, Burschenschafter, Anhalter, Korpsstudenten, Oldenburger, Ostfriesen, Westfalen, Schlesischen Frauen und Jungfrauen, Rheinländer, Leipziger, Schleswig-Holsteiner und an die Vertreter des Bundes der Landwirte — Fürst Bismarck und das Klebegesetz — Bismarck und Benedetti — Fürst Bismarck und das (geheime) Wahlrecht — Deutschland und die ostasiatische Frage — Bismarckparteien — Zur schleswig-holsteinischen Frage — Herr von Boetticher — Fürst Bismarck und der Nord-Ostsee-Kanal — Sang vom Kleber — Graf Herbert Bismarck — Vor 25 Jahren — Deutsch-Englisches (Standard) — In Sachen Stöcker — Freiherr von Hammerstein — Kartell contra Sozialdemokratie — Zur Erklärung im Reichsanzeiger (Boetticher) 2c.

Aus dem Inhalte des **siebenten** Bandes:

Das kaiserliche Telegramm (an Präsident Krüger) und die englische Presse — Ein neues Mittel gegen die Sozialdemokratie — 25jährige Feier des 18. Januar — Preßpolitik — Die bulgarische Taufe — Einzellandtage und Reichspolitik — Besuch Li-Hung-Tschangs — Fürst Bismarck und die Währungsfrage — Fürst Bismarck und Rußland (russischer Neutralitätsvertrag) — Partei-Politik — Zum russischen Vertrage — Der Kampf gegen den Fürsten Bismarck — Caprivismus — Interpellation des Centrums im Reichstage — Graf Arnim und Herr von Tausch — Aufrechterhaltung der Verfassung — „Agrarier" und „Hakatisten" — Ein Kartell der produktiven Stände — Zur Stellung der Staatssekretäre — Unsere auswärtige Politik — Herr von Marschall — Reich und Einzelstaaten — Korrekturen — Regierung und Zentrum — Besuch Windthorsts beim Fürsten Bismarck — Besuch des Königs von Siam — Bismarcks Glossen — Fürst Bismarck und die Konservativen — Das deutsche Reich und die Deutschen in Oesterreich — Aus der Vergangenheit — Fürst Bismarck und Italien — Der Fall Bruns — Das Verhalten der Engländer auf Kreta — Schutz der Reichsverfassung — Dreyfus und Rußland — Kein Maulkorbgesetz — Sechzigjähriges Militärjubiläum — Letzter Dank.

Lightning Source UK Ltd.
Milton Keynes UK
UKHW02f0923150118
316164UK00012B/689/P